ro
ro
ro

Polleschs pointengeladene Hochgeschwindigkeitstexte sind die einzige tatsächlich originäre Form des deutschsprachigen Gegenwartstheaters.
Frankfurter Rundschau

Willkommen im Tollhaus der schönen neuen Globalisierung: Mit Vehemenz und überdrehtem Witz zeigen René Polleschs Stücke die Auflösung des öffentlichen und privaten Raums zugunsten einer allgegenwärtigen Produktionssphäre, die noch die intimsten Lebensbereiche durchdringt. Diese Leute von morgen hängen mit ihren Wünschen und Phantasien noch in den siebziger Jahren fest und geben dabei absolut präzise Beschreibungen von heute: «Ich liebe meine Arbeit! Ja, gut. ICH LIEBE MEINE ARBEIT! Aber manchmal frage ich mich, ob Liebe wirklich das Wichtigste ist in meinem Leben!» Dereguliert in ihren Reaktionen und deplatziert in einem Mix aus Wirklichkeits- und Datenräumen, in dem sich irgendwo ihr Zuhause befinden soll, versuchen sie herauszufinden, wo eigentlich ihr Platz in diesem Chaos ist: «Ich will doch nur wissen, was das Leben ist und ob es eventuell an mir vorbeigehen könnte.»

Für *world wide web-slums* wurde René Pollesch 2001 mit dem Mülheimer Dramatikerpreis ausgezeichnet. Seit der Saison 2001/02 leitet er die Spielstätte Prater der Volksbühne Berlin. Für seine Prater-Trilogie *Stadt als Beute, Insourcing des Zuhause. Menschen in Scheißhotels* und *Sex nach Mae West* wählte ihn die deutsche Theaterkritik in der Jahresumfrage von «Theater heute» zum Dramatiker des Jahres 2002.

René Pollesch

WORLD WIDE WEB-SLUMS

Herausgegeben von Corinna Brocher

ROWOHLT TASCHENBUCH VERLAG

2. Auflage April 2009

Originalausgabe
Veröffentlicht im Rowohlt Taschenbuch Verlag,
Reinbek bei Hamburg, März 2003
Heidi Hoh arbeitet hier nicht mehr, world wide web-slums 1–7
Copyright © by Rowohlt Theater Verlag, 1999, 2000
Ändere dich, Situation Copyright © Frauke Meyer-Gosau
Verkaufe dein Subjekt Copyright © Anja Dürrschmidt
und Thomas Irmerc
Ich bin Heidi Hoh Copyright © Jürgen Berger
Copyright © by Rowohlt Taschenbuch Verlag GmbH,
Reinbek bei Hamburg
Aufführungsrechte: Rowohlt Theater Verlag,
Hamburger Straße 17, 21465 Reinbek bei Hamburg
Umschlaggestaltung any.way, Andreas Pufal
(Foto: René Pollesch)
Gesetzt aus der Courier und Bembo PostScript
bei Pinkuin Satz und Datentechnik, Berlin
Druck und Bindung CPI – Clausen & Bosse, Leck
Printed in Germany
ISBN 978 3 499 23354 8

Inhalt

VORWORT

TEXTE

INTERVIEWS

ÜBER DEN AUTOR

Für Drahos Kuba, Gilles Floret und
Gordon Murphy-Kirchmeyer

FRAUKE MEYER-GOSAU

«ÄNDERE DICH, SITUATION!»

RENÉ POLLESCHS POLITISCH-ROMANTISCHES PROJEKT DER «WWW-SLUMS»

1   Im globalen Dorf der Verelendung

Sie heißen «Ostern Weihnachten» oder «Drahos Kuba», «Frank Oly-phant» oder «Gong Titelbaum». Sie toben entfesselt und entnervt durch einen Raum, der mit Siebziger-Jahre-Utensilien voll gepackt ist. Sie sitzen auf beanbags und surfen auf Westernsätteln oder werfen Popcorn aus Schlafsäcken. Sie legen Platten auf, Bob Dylan und Cat Stevens. Sie schreien «Scheiße!» oder «Ich halt das nicht aus!» oder «Kann das denn sein?» oder «Halts Maul!». Was alles irgendwie dasselbe bedeutet, sich aber nicht zuletzt aus der wütenden Verzweiflung darüber speist, dass selbst die Antiglobalisierungs-«battle in Seattle» nicht zu einem «Aufstand» führen kann, weil es politisch wie gesellschaftlich wirksame Revolten unter den globalisierten Lebensbedingungen der Spätestmoderne nicht mehr gibt. Wenn dann in der vorletzten Folge von René Polleschs siebenteiliger Life-Soap «www-slums» am Schauspielhaus Hamburg die Schauspielerin Marlen Diek-hoff als «Bladerunner» die Szene betritt, um mittels des «Voigt-Kampff-Tests» Replikanten von menschlichen Wesen zu scheiden, haben die Helden verständlicherweise schon einiges hinter sich. Beschäftigt aber haben sie sich, von einem menschheitsgeschichtlich bewegenden Abend-Thema zum nächsten, letztlich doch immer nur mit einem. Was ist ein Mensch?, heißt die gute alte humanistische Frage, um die sich in diesen todernsten, kreisch-witzigen Soap-Stücken alles dreht.

Natürlich nicht abstrakt, nicht als Gegenstand eines philosophischen Disputs etwa, der immer nur das ehedem Beste will: versöhnen! Und sich folglich an die gepflegten Formen des Austauschs bildungsgesättigter Vorstellungen, Lebens- und Gesellschafts-Ziele hält – das natürlich gerade nicht! Denn schließlich handelt es sich bei den «www-slums» um eine «lange Hamburger Gefühls- und Müllnacht» in sieben Folgen, in der die implodierende Liebe gesellschaftlich denaturierter und «deplatzierter» Einzelner sich endlich in einem kollektiven «Schreiwettbewerb der Verzweiflung» entlädt. Das Hauptproblem, mit dem diese Figuren sich die ganze Zeit herumschlagen, ist eine Wirklichkeit, die «irreal» oder «surreal» geworden ist, die nur noch aus «Simulationen» – von Arbeit, Liebe, Gesundheit, Sinnlichkeit – besteht und den Einzelnen das Gefühl für sich selbst verlieren lässt. Der Weg herauszufinden, was denn unter der Bedingung umfassender Entfremdung wohl noch ein Mensch sei, führt für Ostern Weihnachten, Gong, Frank und Drahos Kuba daher zwangsläufig über die Klärung der Frage, was eigentlich wirklich und: was denn eigentlich wirklich los ist in dieser Welt der «deregulierten Märkte», die vom Einzelnen ein Höchstmaß an reguliertem Verhalten, zuallererst aber strikt «regulierte Gefühle» verlangt: eine Selbst-Unterdrückung, die zur Selbst-Negation führen muss. Die allererste Beschreibung des Autors und seiner Figuren für diese hochtechnisierte Un-Wirklichkeit heißt folglich: Sie ist ein slum, ein Ort der alles und alle ergreifenden Verwahrlosung und Verelendung dessen, was früher einmal das Menschliche hieß.

In diesem Sinne sind die «www-slums» tatsächlich, wie es ironisch heißt, «die Mutter aller slums», und René Pollesch wäre nicht der Magier treffsicher überschnappender Diskurse, hätte er hier ein Szenario entworfen, das die Gegenwart ganz lieb und nett ein bisschen in die Zukunft vorausschiebt und in dem etwa ein elegischer Klage-ton die Musik macht. Alles andere als das ist der Fall, und gleich zu Anfang der allerersten Folge macht Pollesch klar, wie er sich das Fol-gende denkt. «Verdammte Scheiße. Ich bin in einer Soap gelandet!», ruft da nämlich Catrin Striebeck in der Rolle der Gong Titelbaum, einer nach allen Regeln der Computer-Technologie emotional de-pravierten Hausfrau des (so etwa) 22. Jahrhunderts – und sagt damit zunächst einmal das disparate Genre an: Fernsehen auf dem Theater. Gong wirft ihren Western-Sattel auf den Boden und beginnt dem Publikum klar zu machen, in was für einer verqueren Zeiten-Ge-mengelage sie sich da auf der Miniaturbühne befindet – das tut sie in einem Erzähl-Duktus, als wär's etwa der Anfang von «Asterix», ein Science-fiction-Film oder ein Märchen von Pippi Langstrumpf. Ei-nes allerdings, das dieser Pippi-Gong bzw. Gong-Pippi ganz und gar nicht gefällt. Eines nämlich, in dem es gerade am notorischen Wider-standswillen jenes imaginären Gallierdörfchens am Rande des impe-rialistisch gesinnten Römischen Weltreichs gebricht – und Gong steckt bis zum Kragen voller Aggressionen: Die Welt, wie sie ist, soll anders werden, als sie ist.

«Es war einmal vor langer, langer Zeit», hebt Gong Titelbaum an, «da gab es Orte, die waren auf keiner Karte. Und diese Orte waren auch nicht wirklich, aber sie verelendeten irgendwie. Sie waren irgendwie nur Orte der VERELENDUNG. Und die nannte man die world wide web-slums. Und in diesem globalen Dorf der Verelendung ar-beiteten auch Leute, aber da Arbeit irgendwie nur ein Zombie war und schon lange tot, weil es nur noch EINE PRODUKTION VON REICHTUM gab, konnte man diese surrealen Beschäftigungen, de-nen die Leute nachgingen, eigentlich keine Arbeit mehr nennen, son-dern nur Scheißarbeit. Und niemand handelte mehr. Gehandelt wur-de nur noch elektronisch. GEHANDELT WURDE NUR NOCH ELEKTRONISCH!» Stellt man sich, der Aufführungspraxis folgend, die in Versalien gesetzten Worte und Sätze bis an die Schmerzgrenze geschrien vor, bricht sich die Märchenerzählung aus einer fernen

Vergangenheit, die zu Teilen die Gegenwart des Publikums ist und zu anderen ihre Zukunft sein könnte, schon gleich zu Anfang selbst den Hals (und die Schauspieler müssen um den ihren ernsthaft fürchten, denn Schreien und Gebrüll sind hier, wo die Figuren mit sich und der Welt an den Rand geraten, der quasinatürliche Artikulationsmodus).

Selbst die Märchen, signalisiert dieser antimärchenhaft märchenhafte Beginn – der sich in den kommenden Folgen für die Fans als Wiedererkennungsmuster und zugleich als Einführung für noch uneingeweihte Zuschauer wiederholen wird –, sind hier zu etwas geworden, das Empörung hervortreibt und eben nicht: besänftigt. Sind sie bei René Pollesch doch der Anfang einer höchst beunruhigenden Geschichte, die leider auch kein Happy End haben kann – das jedenfalls wird sich, von Soap-Folge zu Soap-Folge unabweisbarer, herausstellen. Und wird dabei wegen Polleschs schlagender Bonmot-Fertigkeiten und Paradoxien-Jongleurskünste zum zunehmend haltlosen Gelächter reizen. Grotesker Witz, Schnitt-Technik und Tempo dieser Stücke reißen die Zuschauer von Anfang an ins Rede-Geschehen hinein («Soaps sehen nur live richtig gut aus!») und widersprechen damit gleichzeitig der Form einer anderen literarischen Tradition, auf die dieser Soap-Einstieg mit seiner doppelten Historisierung (optisch: die siebziger Jahre des letzten Jahrhunderts, akustisch und in der Aktion: die Vorführung eines Rückblicks aus einer weit entfernten Zukunft auf unsere möglicherweise eigene) auch verweist – Lehrstücke sahen früher auch mal anders aus. Und trotzdem geht es hier, in einer Bühnen-Versuchsanordnung mit vier extrem typisierten Figuren und einer beschreibenden, keine Handlung im herkömmlichen Sinne vorantreibenden Redeweise, doch immer noch um genau so etwas. Was, fragen die Pollesch-Soaps nämlich, passiert mit Menschen, denen alle Möglichkeiten zu konkret-sinnlicher Erfahrung genommen sind, die Computer und Displays in Chip-Form unter ihrer Haut tragen und wie ferngesteuert in einem System funktionieren, zu dem ihnen Begriff und Berührung gleichermaßen fehlen. Denen aber – nun als ein den Alltag erschwerendes Handicap – noch geblieben ist, was sie als Menschen von ihrer eigentlichen Natur her auszeichnet: Gefühle und Wünsche, darunter auch der dringende Wunsch zu verstehen, was mit ihnen und um sie herum eigentlich vorgeht. Das genau wird in den «www-slums» in einer sich überschlagenden, emotional überhitzten und buchstäblich rasend komischen Rhetorik durchgespielt: sieben Lehrstücke in Entfremdung durch technischen Fortschritt und der ratlose Aufstand der Gefühle des Einzelnen dagegen.

2 Dein Gesicht ist eine Geschäftsform, Baby!

Was die Figuren in René Polleschs doppelt gebrochenem Rückblick aus der Zukunft auf die Zukunft optisch zuerst als Gleiche identifiziert, ist das @-Tattoo auf ihrem Oberarm. Ihre unter der Haut eingeschriebene Programmierung aber weist sie schon zu Beginn des ersten Szenen-«Clips» ganz unterschiedlichen Typologien und Funktionen zu. So lebt etwa Drahos Kuba «unter slumdächern aus notebooks» und «glaubt, er arbeitet für eine coole Firma» (Einspruch Gong: «ES GIBT KEINE COOLE FIRMA. Coole haben keine Firma. Das schließt sich irgendwie aus.»). Kuba sitzt den ganzen Tag daheim arbeitend in seinem Bett, allein mit seinem Computer, er ist online-süchtig («und offline irgendwie auch»), konsultiert paradoxerwie konsequenterweise eine online-Suchtberatung, und noch seine minimalen sozialen Beziehungen sind vollkommen von seiner Arbeit determiniert. Doch beginnt er sich zu fragen, was denn wohl eigentlich wichtiger ist: ohne Unterlass karrierefördernde «Einfälle» zu verfolgen oder «irgendein Gespräch mit irgendeinem Bekloppten an einer Bar zu führen. – Ich dachte immer, meine Arbeit wäre wichtiger als ein Gespräch mit einem Bekloppten. Weil ich da selten Einfälle habe, wenn ich mit einem Bekloppten rede.» Kuba möchte so gern «cool» sein, einverstanden, zufrieden: «Wir sitzen in einem deregulierten Markt und fühlen regulierte Gefühle, so ist das eben.» Aber «irgendwie» klappt das nicht. «Ich möchte wissen, warum ich Liebe nicht haben kann, mein Karel Gott!»

Die Frau mit Namen Ostern Weihnachten wiederum «kam vor langer Zeit von irgendwoher in die world wide web-slums, als Erwerbsarbeit das entscheidende Kriterium zur Bewertung der gesellschaftlichen Position war und COMPUTER AUF DEM GIPFEL IHRER TRAGBARKEIT WAREN und so groß wie Kreditkarten. Und die gaben ihr Befehle und so was. Dinge von A nach B zu bringen oder SO WAS!» In Ostern Weihnachten, der gespaltenen Persönlichkeit, die in der Abfolge der Soaps erst exorziert wird, dann Nutte werden und sterben muss, bis sie schließlich in einer Disco als «humanoides» Wesen wiederaufersteht, löst die Tatsache, daß sie gewissermaßen «ihr eigenes notebook» ist, einen verheerenden Gefühls- und Wahrnehmungszustand aus: «Ja, das BIN ICH! Und ich weiß irgendwie nicht mehr, was Computer an mir ist und WAS NICHT!»

Im Unterschied zu ihr, die zunächst Boten- und Monteursdienste versieht, arbeitet Frank Olyphant «am highend der Hochtechnologie» und dreht «DNS-Chips in die Kamera» («die Medien sind irgendwie ganz geil auf Bilder von DNS-Chips und senden nur noch so was»). Frank verdient richtig viel Geld und kann sich alles leisten, eine Free-Climbing-Gebirgswand in seinem Wohnzimmer zum Beispiel, über der es auch mal schneit. Aber er hat keine Zeit, von all seinen elaborierten Konsumgütern überhaupt Gebrauch zu machen: «Ich liebe meine Arbeit! Ja, gut. ICH LIEBE MEINE ARBEIT! Aber manchmal frage ich mich, ob Liebe wirklich das Wichtigste ist in meinem Leben.» Denn Frank spürt ein Defizit, das mit seiner intensiven, ökonomisch hochwillkommenen Liebe zur Arbeit aufs Engste zu tun hat: «Ich will doch nur wissen, was das LEBEN ist und ob es eventuell an mir vorbeigehen könnte. Das wäre doch eine ziemliche Scheiße. Wenn es einfach so an mir vorbeigehen könnte, weil ich den Müll von Liebe nicht richtig ausgekostet hätte. Wenn ich sterben würde und denken könnte, daß der ganze Müll von Liebe einfach so an mir vorbeigegangen sein könnte.» Er wird sich im folgenden Nähe und Gesellschaft kaufen, sie aber doch nicht leben können – die Liebe scheitert daran, dass sie unausweichlich und von vornherein als Geschäftsbeziehung definiert, dass «Geschäft» in «Liebe» immer schon eingeschrieben ist.

Gong Titelbaum schließlich repräsentiert im Gegensatz zu Frank, Kuba und Ostern Weihnachten die Sphäre des Gefühls. Sie «lebt in einer sozialen Dimension irgendwo zu Hause, am highend der Emotionalität, zwischen Kühlschränken, die einkaufen und selbständig durch das web surfen» – Gong macht als Hausfrau und Mutter insbesondere die unbezahlte Gefühlsarbeit, die «das Kapital», das hier als Chiffre immer wieder eine zentrale Rolle spielt, für die Reproduktion der Hightech-Arbeitskräfte lästigerweise nach wie vor benötigt: «Das Kapital holt sich da bei dir zu Hause seine Sinnlichkeit ab!» Doch nicht nur in dem «denkenden Haus von Panasonic», in dem sich Gongs «Zuhause» befindet, fühlt sie sich «deplatziert». Deplatziertsein ist vielmehr insgesamt ihr Lebensgefühl, und das will sie ändern, dringend: «MEIN GESICHT IST EIN DISPLAY, DAS EINKAUFT! Und das nennt man HAUSFRAU! ABER DAS BIN ICH NICHT!» Wenn sie am Ende einen «Schreiwettbewerb» gewinnt, hat sie zwar ihre überschießenden, «deregulierten» Gefühle kanalisiert und damit sogar einen Erfolg eingeheimst – an ihrer Situation allerdings hat sich nichts geändert.

Was René Pollesch mit dieser Figuren-Konstellation arrangiert, ist zunächst offenkundig das ideale Personal für eine Soap: eine übersichtliche Zahl von Charakteren, die in jeder Folge wieder auftreten und nicht nur in ihren Eigenschaften, sondern auch in ihren Tätigkeiten deutlich voneinander abgegrenzt sind. Zwei Männer, zwei Frauen, die Männer ‹draußen›, in ihrem Arbeitsleben, erfolgreich («der soziale Bereich von Männlichkeit ist die Vernunft»), die Frauen hingegen in ihrer geschlechtsspezifischen Rolle als Hilfs-Kräfte – eine Hausfrau und eine Dienstleisterin – und daher auch von Erfolgen und Befriedigungen, wie die Männer sie in ihrer Berufssphäre erfahren, weit entfernt. Das soziale Konzept und die Beziehungsstruktur dieses Arrangements sind damit — und wie es scheint: realistischerweise — durchaus noch den siebziger Jahren des letzten Jahrhunderts verhaftet, auf die auch bereits die Musik und das Bühnenbild verwiesen. Die Diskrepanz der sozialen Beziehungen zum Stand der technologischen Entwicklung aber, die die Figuren in ihre je verheerende Gefühlslage gebracht hat, wird dadurch nur noch krasser. Und tatsächlich spricht ja aus der Erfahrung des Jahres 2002 bislang nichts dafür, daß etwa die gesellschaftliche Rollenzuweisung und die Geschlechterrollen in absehbarer Zeit einer ähnlich grundlegenden Veränderung unterworfen würden, wie sie sich auf dem Techniksektor schon längst ereignet hat. Auch die Zukunft, die Pollesch hier zeigt, hat also ihre Vergangenheit. Sie ist in den «www-slums» ein zentrales Thema — und zugleich die unmittelbare Lebens-Gegenwart der Zuschauer.

So genrekonform wie — auf den allerersten Blick! — die Figurengruppierung erscheint auch die Dialogtechnik, mit der René Pollesch arbeitet: überwiegend kurze Passagen für die einzelnen Figuren, daher schnelle Wortwechsel, die sich gegenseitig zu Pointen hochtreiben, wenn sie nicht schon gleich überhaupt aus einem vehementen Schlagabtausch von Pointen, Gags und Bonmots bestehen. Kalauer sind da ebenso erlaubt und willkommen wie das Spielen mit doppelten Wortbedeutungen oder auch die höchst ernsthafte Verfolgung absurder Ideen, die dann schließlich sogar Lehrsätze fürs Leben ergeben können — eine charakteristische Kombination und Abfolge, die etwa die folgende Passage zeigt:

Kuba: Du bist zu Hause ...
Gong: Ja, KANN SEIN!
Ostern: Und da ist ein notebook auf deinem Bett.
Frank: Und da drin tobt ein Krieg zwischen zwei shopping-Seiten und du liegst in deinem Bett neben deinem notebook und da bist du dann.

Kuba: Online-shopping.

Frank: Und du kaufst ein in deinem Bett, und da sind Kaufhäuser und Cookies, die dich nicht schlafen lassen, und du bestellst all diese Scheiße und machst klingelnden UPS-Leuten die Tür auf.

Ostern: Und du gehst homeshoppen auf dieser shoppingmeile in deinem Bett und wirfst Stöckchen in Suchmaschinen.

Gong: *(wirft das Yahoo-Kissen)* Such dieses Scheißkaufhaus!

Ostern: Such dieses SCHEISSKAUFHAUS!

Kuba: Du suchst dieses Buch irgendwo im Netz oder diese Platte, und irgendeine Suchmaschine bringt dich in ein KAUFHOUSE.

Frank: Such den Scheiß.

Ostern: Und dann bestell ihn!

Gong: Aber nicht alle, die auf der Suche sind, wollen EINKAUFEN! Das ist nun mal nicht so. Nicht alle Suchenden wollen EINKAUFEN!

Dieser Wortwechsel zeigt allerdings nicht nur, wie Pollesch-Dialoge funktionieren: indem nämlich der assoziative Aberwitz von einer Figur auf die andere überspringt, bis er sich in einer nachgerade philosophischen *sophistication* akkumuliert, von der aus der Gedankenstrom dann ebenso behende gleich in eine andere Richtung weitergleitet. Er zeigt vor allem, was für die «www-slums» insgesamt als Bauprinzip gilt: die Technik der doppelten Brechung von Traditionen, Erwartungen und Erfahrungen, aus der die Groteske alsbald wie das Springteufelchen aus der Kiste hervorschnappt. Diese Arbeitsweise war schon zu beobachten in der an Märchen-, Comic-, Kinderbuch-, Lehrstück- und Science-Fiction-Film-Erinnerungen appellierenden Eingangssequenz. Sie war auch zu sehen am (scheinbaren) Gegensatz der Siebziger-Jahre-Ausstattung in Bühnenbild, Musik und Kostüm auf der einen und hochtechnologischer (Nicht-)Lebens-Arbeits-Welt auf der anderen Seite. Und sie kehrt noch einmal wieder im *clash* der bis in die Dialogführung hinein konsequenten Soap-Anlage der sieben Folgen mit den Grundfragen von Leben und Tod und der vollkommen ernsthaft wiederholten Frage nach dem «SINN DES LEBENS», von denen die Szenen handeln.

Der Wirkungsmechanismus ist dabei in allen Fällen derselbe: Eine Rezeptionserfahrung, die Erinnerung an eine kulturelle Tradition wird geweckt, indem sie äußerlich, formal, bedient wird. Sie wird alsdann – in halsbrecherischem Tempo – mit auf den ersten Blick entgegengesetzten Inhalten konfrontiert. Und schließlich zeigt sich, dass die bekannte (Erscheinungs-)Form, wenn auch unter erheblichem Ächzen, Knirschen und allseitigem Geschrei, sich auf einer höheren Assoziationsebene als das durchaus adäquate Gefäß bewährt: Die wwwslums *sind* Soap, sie *sind* auch Comic, Kinderphantasie, schwarzes Märchen und Science-Fiction-Derivat. Die siebziger Jahre des vergangenen Jahrhunderts *sind*, aufgrund prinzipiell unveränderter Rollen- und Geschlechterverhältnisse, der zurückgebliebene Gefühlsort des Zukunftspersonals. Die phantastischen Kapriolen aber eines nicht zuletzt auch erkennbar theoriebelesenen Verstandes sind in den Klipp-Klapp-Dialogen wie in den kurios melodramatischen Monolog-Passagen einer Soap genau richtig aufgehoben – anders nämlich würde ihr Inhalt, der in seiner Tragweite und Konsequenz in der Tat das Fassungsvermögen einer noch humanistisch geprägten Vernunft übersteigt, gänzlich unerträglich (allenfalls ein Schauerstück mit seinen formspezifischen Übersteigerungen ließe sich dafür noch als Hülle denken – aber für wie lange?). Auch der programmatische Grund-Widerspruch zwischen einer genuinen Fernsehform und den Möglichkeiten und Wirkungen einer Theaterinszenierung schließlich (mag sie sich auch in der gleichsam familiären Enge des Rangfoyers im Hamburger Schauspielhaus etabliert haben) löst sich so in der bewährten Abfolge aufs Wunderbarste auf: erst der Appell an die Rezeptionsgewohnheit, dann halsbrecherische Konfrontation mit dazu querstehenden Inhalten, schließlich die Bestätigung und Aufhebung des Gegensatzpaars in einem Amalgam, das etwas Drittes, Neues, Selbständiges bildet. Sodass sich bewahrheitet, was das Stück schon gleich am Anfang von sich selber sagte: «Soaps sehen nur live richtig gut aus!»

Die letzte und entscheidende Umdrehung in ihrer spezifischen Verbindung von absurder Komik und Zukunftsernst allerdings erhalten die «www-slums» dadurch, dass Soaps eben nur bei René Pollesch richtig politisch aussehen. Und, siehe da, auch in dieser Hinsicht poppen die siebziger Jahre plötzlich wieder hoch, denn hier wie dort ist seitens der Akteure das Persönliche politisch und das Politische zugleich eine Sache der individuell emotionalen Erregung. Der Wunsch nach einem «Aufstand» aber, nach radikaler Veränderung der Lebensverhältnisse und auch ihrer Definition, artikuliert sich zu Beginn des dritten Jahrtausends nun (außer natürlich an internationalen realpolitischen Versammlungsorten wie Prag, Genua oder Seattle) auf der Bühne: in einer Soap! Rückwärts orientierte Ziele also aufgrund rückwärts orientierter Gedanken in einem medienhistorisch überholten Präsentationsrahmen? Im Vorgestern stecken gebliebene, mit der Schönen Neuen Welt schlichtweg nicht mitgewachsene Gefühle und Wünsche auch hier?

Auch hier wieder nicht, auch hier ganz im Gegenteil: Polleschs Analyse, was das Verhältnis von Kapital, Markt und Arbeit, was die Geschlechterverhältnisse, was die verführerisch so genannte Human-Genetik und was schließlich die Möglichkeiten, Wirkungen und Reichweite politischen Engagements anlangt, ist gnaden-, da illusionslos. Die geschichtsoptimistischen Irrtümer der jüngsten Vergangenheit sind hier alle bekannt und werden immer mitgedacht. Was geblieben zu sein scheint von der so lange vergangenen Zeit gesellschaftlichen Auf- und Umbruchs, ist der ungestillte Wunsch nach einem menschenwürdigen Leben – jedenfalls, was René Polleschs rastlose Rede- und Assoziationsfiguren anlangt. Die Bedingungen aber, unter denen dieser Wunsch erfüllbar wäre, scheinen noch weit schwieriger bestimmbar als ehedem: die historischen (Alb-)-Traumvorbilder oder Vorbild(alb-)träume sind unwiderruflich verbraucht, deren realhistorische gesellschaftliche Vergegenständlichungen (glücklicherweise) größtenteils selbst Geschichte. Doch das Fehlen von Anlehnungsmodellen scheint es, folgt man dem hilflos «wilden Wünschen» der vier aus den «www-slums», in Zeiten der Post-Posthistoire durchaus nicht allein nahezu unmöglich zu machen, politisch, gesellschaftlich und persönlich lebenswerte Verhältnisse auch nur im Hinblick auf sich selbst zu imaginieren. «DER VERFICKTE KAPITALISMUS IST IRGENDWIE HIER BEI UNS UND DEN KRIEGEN WIR IRGENDWIE NICHT MEHR RAUS!», brüllt da Ostern Weihnachten, die bereits am Ende der ersten Soap-Folge wegen eines Körper-Computer-Virus hatte exorziert werden müssen. Gegen ihren Hass auf den Neoliberalismus («NEOLIBERALISMUS IST DIE HÖLLE!»), gegen ihre Kritik an Sexismus, Globalisierung, Gentechnik und ökonomischen Imperialismus hatte der Exorzist Frank sein beschwörendes «Die Kraft Jesu Christi bezwingt dich!» gesetzt – «aber wir wissen alle nicht so genau», hieß es dann ahnungsvoll ironisch zu Beginn der zweiten Folge, «ob das wirklich die richtige Methode ist, mit neuen Technologien fertig zu werden». Am Ende von Teil zwei zeigt sich bereits, dass das offenbar nicht der Fall ist, denn da wird gleich Franks gesamtes «smarthouse» von Besessenheit ergriffen. Es verwandelt sich in eine «Voodoo-Lounge» und spuckt Popcorn, und die vier Leidensgenossen rufen nach Exorzismus, Feng-Shui und versuchen es sogar mit radikalisierten traditionellen Klassenkampfparolen, um wenigstens wieder einigermaßen Ruhe in ihren Lebensrahmen zu bringen: «Proletarier aller Länder, MACHT SCHLUSS!»

Es ist hier ja «der verfickte Kapitalismus», der – wie dann in Teil drei ausführlicher gezeigt wird – so subtil wie konsequent «die totale Kommerzialisierung aller sozialen Beziehungen» herbeizwingt. Und weder Glaube noch Aberglaube, weder Magie noch politische Beschwörung (die in der Formulierung allerdings selbst schon jegliche Perspektive ausschließt) können seiner alles infiltrierenden Macht einen Riegel vorschieben: Der «Turbokapitalismus» hat die Durchdringung auch noch der intimsten Lebensbereiche, ja, schließlich jeder Körperzelle menschlicher Lebewesen, erreicht. Eine Vorstellung, die durchaus den Horror- und Drohvisionen der weiland außerparlamentarischen Linken (siebziger Jahre!) entspricht. Nur kann sich Pollesch heute in seinen Bildern auf eine leicht absehbare, mittlerweile auch selbst schon nachgerade klassisch-utopische Expansion und Eskalation der technischen Angebote und Mittel eines globalisierten Kapitalismus stützen, die das Individuum buchstäblich mit Haut und Haaren zum funktionalen Anhängsel von Maschinen machen. Die es wiederum kauft, bedient und vertreibt, ja, denen es schließlich womöglich selbst entstammt – so etwa Ostern Weihnachten bei ihrer Wiedergeburt in einer Disco in der sechsten Folge, die ihr als «Plastikgebärmutter» dient und alsdann den Bladerunner auf den Plan ruft, da längst niemand mehr sicher sein kann, ob er es noch mit einem Menschen, einem nurmehr menschenähnlichen Wesen oder gar mit einem in übler Absicht von anderen Planeten ausgesandten Replikanten zu tun hat.

Viel überkommenes, dem politischen wie kulturellen Bildungs- und Allgemeingut einverleibtes Material von Karl Marx über Hélène Cixous bis zu Ridley Scott wird auf diese Weise in den «www-slums» recycelt und dabei auf ein anarchisches Vorstellungsniveau hochgezwirbelt. Und es wäre von den einstmals auch nicht wenig wild lesenden, agierenden und agitierenden Achtundsechzigern schon viel verlangt gewesen, hätten sie sich auf den Stand der Selbst- und Realitätserkenntnis schwingen sollen, den René Pollesch in den «www-slums» den aufgeklärtesten Teilen der heutigen «Hackergeneration» zutraut:

Kuba: Ich lass mir nicht sagen, dass die Neuen Märkte irgendetwas mit mir zu tun haben. Die Neuen Märkte haben gar nichts mit mir zu tun.
Ostern: Dein cooles streetfighter-Image gehört zum kulturellen Rahmenprogramm dieses Kongresses der Welthandelsbank. Und da kannst du noch so wild wünschen mit einem Molotow in der Hand. Du bist einfach nur ein RAHMENPROGRAMM!

21

Kuba: Aber dieses Rahmenprogramm, das ich bin, muss doch irgendwohin mit seiner Kraft.

Frank: HALTS MAUL!

Ostern: Dein streetfighter-Image muss überhaupt nirgendwohin. Das zeigt auch nur seinen Schwanz, wie Analysten in den Banken. Banken zeigen Schwänze und du auf deiner Barrikade tust das auch.

Gong: Zeig deinen Schwanz auf der Barrikade.

Kuba: Ja, gut, aber ich bin NICHT UNCHARISMATISCH.

Ostern: Doch, das bist du.

Gong: Dieser streetfighter ist uncharismatisch, und jetzt gewöhn dich dran.

Feministischer, politischer, ökonomischer und sogar so etwas wie ein narzißtisch-individualistischer Diskurs gehen hier eine engmaschige Verknüpfung ein, und deren Botschaft ist einigermaßen ernüchternd: Nichts besteht für sich, nichts kann sich real und faktisch außerhalb des überlebensgroßen «Kapitalismus»-Netzwerks setzen. Selbst der radikalste Protest ist immer noch dessen Teil und Ornament – Opposition, heißt das, ist immer systemimmanent und stabilisiert das System, auf jeden Fall in letzter Instanz.

Doch gibt es für die Protagonisten der «www-slums» jenseits solch resignativer Grundeinsichten auch noch eine ganz andere Schwierigkeit, in ein bewußt politisches Verhältnis zu den Verhältnissen zu treten und über individuelle «Verweigerungsstrategien» hinaus möglicherweise zu Molekülen eines allgemeineren «Aufstands» zu werden: Die Verhältnisse, wie Pollesch sie zeigt, sind buchstäblich ungreifbar geworden. Hier gibt es kein Gegenüber mehr, keinen Widerstand, und jegliche Aktion fällt unvermeidlich auf den Aktivisten selbst zurück, da er sich in keinem für ihn selbst wahrnehmbaren Zusammenhang mehr bewegt. Die Grundlage dieser Vereinzelung aber ist die Organisation der Arbeit auf höchstem technologischem Niveau – einer Arbeit, die als solche nach herkömmlichem Verständnis auch längst nicht mehr existiert. Sie kommt allenfalls noch in unterschiedlichen Simulationsformen vor, bei deren Ausübung der Einzelne nicht mehr unterscheiden kann, ob er noch etwas Sinnvolles, Nachvollziehbares tut oder lediglich beschäftigt wird. Und auch nicht, ob denn er oder das technische Gerät, mit dem er befasst ist, die Entscheidungen trifft, denn, wie es ja gleich eingangs in Folge eins hieß, «gehandelt wurde nur noch elektronisch». Auch das erklärt schließlich das «deregulierte» Schreien auf der Bühne noch einmal von einer anderen Seite her: In den wie schalltoten Räumen des sich selbst regulierenden «smarthouse», von seinem Schlafsack-Arbeitsplatz im Bett aus will der vereinzelte Einzelne, der nicht einmal mehr sagen kann, was an ihm technisches Implantat, was der eigene Körper ist, von irgendwem doch vernommen werden. Und wartet verzweifelnd auf die Antwort eines lebendigen Gegenübers.

4 Bevor du dir noch irgendwas brichst, das Herz oder Dingsda

Wohin also derweil mit den Gefühlen, die noch von gestern sind, aus Zeiten, in denen es auf deren Ausdruck oder gar Ausbruch noch eine Reaktion gab, die sich auf Gefühlsäußerungen anderer unter Aufbringung eigenen Gefühls bezog. «Dauernd sieht es so aus, als würde ich überreagieren, nur weil nichts passiert, ich aber so viel fühle», erklärt Gong ihr Dilemma, und wie immer in den «www-slums» mündet die in sich unverkennbar traurige Feststellung alsbald in eine fabulös eskalierende Gruppenphantasie, für deren überschnappende Tragikomik die Soap wiederum als die einzig richtige Form erscheint. «Sozial unbeholfenes» Verhalten sehen Polleschs Figuren nämlich als die einzig noch mögliche Form des Widerstands, den einzig noch realisierbaren Ausdruck überhaupt von Individualität an: Expression und Aggression in einem. Denn in einer Cyber-Realität, der reibungsloses Funktionieren über alles geht, kann der Einzelne sich allenfalls noch durch Disfunktionalität, durch das Überschwappen «deregulierter Gefühle» bemerkbar machen. Doch kann er das überhaupt noch? Für weiblich identifizierte Frauen in Frauenberufen jedenfalls ist das eine echte Herausforderung.

```
Ostern: Collaps and relax, Dingsda!
Gong: Diese Stewardess benimmt sich sozial unbeholfen.
Kuba: Du willst eine sozial unbeholfene Flugbegleite-
rin sein und bringst den Passagieren dereguliert ihr
Essen und so was.
Ostern: Und reichst ihnen dereguliert Kotztüten.
Frank: Du hast jetzt 24 Stunden dereguliert in diesem
Flugzeug herumgeschrien und die Passagiere gleichzei-
tig als Geiseln gehalten und ihnen das Essen serviert,
und alle kotzen hier, weil du sie zusammenschlägst.
Aber jedenfalls bedienst du hier nicht BEDINGUNGSLOS!
Gong: JA GUT! WENIGSTENS ETWAS! Aber das ist mit so
viel Aufwand verbunden, nicht bedingungslos zu servie-
ren. Das SCHAFF ICH EINFACH NICHT!
Ostern: AUFSTAND IST ARBEIT!
```

Doch offenbar auch keine Lösung. Wenn in Folge sieben «The Fucking Goodbye» naht, findet der Aufstand jedenfalls nur noch «im Schlafsack» statt, Gefühle sind endgültig «nur noch trash», und «diese Wirklichkeitsräume da draußen brauchen eine engagierte Hackergeneration. Keine streetfighter». Was bleibt, ist «Verzweiflung» («WIR SIND ALLE SO VERZWEIFELT!»). Ostern Weihnachten nämlich wurde mittlerweile vom Bladerunner als Replikant identifiziert, Drahos Kuba hat sich nach dem Bladerunner-Test als «SCHEISS-ANDROID» herausgestellt, während der so fabelhaft funktionale, allerdings auch nicht frohe Frank als «ROBOTER» eingestuft wurde. Gong Titelbaum schließlich, die es nicht aushält, sich per Netz-Bestellung selbständig auffüllenden Kühlschränken «beim Surfen zuzusehen», mußte feststellen, «dass sie selbst auch nur ein VERFICKTER SURFENDER KÜHLSCHRANK IST!». Nur konsequent also, dass da alles in einen «Schreiwettbewerb der Verzweiflung» mündet, der ganz am Ende (wie in jeder Samstagabend-Fernsehshow, in der alle mit dem prominenten Personal des Abends mitschunkeln, -singen und -klatschen) auch das Publikum einbezieht – «YAHOO!» lautet der letzte von René Pollesch vorgegebene Schrei.

Kein gutes Ende also, die «irreale», «surreale», die virtuelle Welt hat über das hilflose Aufbegehren menschlicher Rest-Gefühle gesiegt – was vorhersehbar war. Doch waren zugleich die sieben Folgen «www-slums», wie sie von sich selbst behaupten, damit denn auch nichts anderes als ein «Scheiß-Rahmenprogramm für die Produktionsstätte von Reichtum»? Ja, natürlich: Was repressive Toleranz ist, und wie auch der «Turbokapitalismus» noch sich an seiner Veredelung durch intelligente Kunst freut, das kann man nicht nur diesen Stücken selbst, man kann es zuletzt auch der zunehmend begeisterten Aufnahme der Arbeiten von René Pollesch an den Theatern der Berliner Republik ablesen. Und die Geldmännlein in den Börsen und Banken kümmert's eh nicht, was ein derart vielbelesener Autor, ein wahrer Theorie-*wizzard* und spielerischer Gesellschafts-Prognostiker wie Pollesch über sie in der Kunst-Öffentlichkeit zu sagen hat (das Geschäft läuft so oder so. Oder eben auch nicht).

Aber darum geht es hier ja auch gar nicht. Sehr im Unterschied zu den frühen siebziger Jahren wird heute sich wohl niemand mehr einbilden, durch Theater die gesellschaftliche Wirklichkeit verändern zu können. Was an dieser Stück-Folge im Gewand aufgekratzter TV-Dramolette vielmehr interessiert, ist, dass sie dem Publikum überhaupt einmal wieder so etwas wie eine Wirklichkeit gesellschaftspolitischer Natur zurückspiegelt und, natürlich nicht zuletzt: wie sie das macht. Gleichermaßen verschwunden sind in den «www-slums» nämlich der Bierernst der siebziger wie der verschlagene Mineralwasser-Ernst der heckenden, boomenden neunziger Jahre des vergangenen Jahrhunderts: Die «Generation Golf» könnte hier – wenn sie das denn noch kann – lange in einen Zukunfts-Spiegel blicken, der ihr vor allem die emotionalen Folgen ihrer maßanzugsangepassten

Willfährigkeit der Gegenwart und nichts als der Gegenwart gegenüber zurückwirft. Anders gesagt: René Pollesch entwirft in den «www-slums» ein politisches Theater, das, ganz überraschend und gegen alle rationalistische europäische Tradition, das überschießende (vergessene, verleugnete, gefürchtete) Gefühl als gewissermaßen letzten Überlebenden der Wirkungen politökonomischer Technisierungsprozesse ins Recht setzt: «Du brichst zusammen, aber das ist irgendwie keine Performance.» – «Doch, das ist es.»

Ja, wahrhaftig, das ist es – diese «world wide wrestling-slums» mit ihrem überaus eigenartigen «slum-catchen» missachteter Anteile der allgemeinen «Fortschritts»- und «Deregulierungs»-Besessenheit zeigen es überdeutlich. Ein altmodisches Projekt also eigentlich, ein romantisches auch im allerbesten humanistischen wie im strikt literaturgeschichtlichen Sinne, weil es zurückschaut auf etwas fast schon Verlorenes – das allerdings mit Ironie, schamlosem Witz, explodierender Verve. Ein unzeitgemäß-zeitgemäßes Theater-Projekt, das sich tatsächlich noch einmal – oder wieder – traut, in einer Neben-Spielstätte eines Großen Hauses ein Fähnlein zu hissen: Wahrscheinlich ist da ein Herz drauf. Eins allerdings, das nicht nur blinkt (und dabei melodramatisch tropft) und im Rhythmus von Techno-Bässen wummert. Eins, das kreischt, wie zuletzt wahrscheinlich die am Wege zurückgelassenen Früchte und Brote im Märchen von «Frau Holle»: «Pflück mich ab!», «Nimm mich mit!». Bevor sich die Zuschauer nämlich eines Tages, und dann wäre vieles schon zu spät, doch noch irgendwas brechen: «Das Herz oder Dingsda.»

HEIDI HOH ARBEITET HIER NICHT MEHR

Heidi Hoh arbeitet hier nicht mehr wurde beim Festival REICH & BERÜHMT am 10.5.2000 im Berliner Podewil in einer Koproduktion mit dem Luzerner Theater uraufgeführt.

Heidi Hoh	Elisabeth **Rolli**
Gong Scheinpflugova	**Anja** Schweitzer
Bambi Sickafosse	**Susanne** Abelein

Regie	René Pollesch
Bühne/Kostüme	Viva Schudt

Subjekte der Globalisierung:

HEIDI HOH (Rolli)

GONG SCHEINPFLUGOVA (Anja)

BAMBI SICKAFOSSE (Susanne)

Der TW ist ein Tellerwärmer auf Rollen, der hier als Auto, Wasserwerfer, Bullenauto (mit Blaulicht), Plattenspieler, Stalinorgel, Popcornmaschine, Katapult benutzt wird. Er ist aus 'nem Brocki in Zürich, und wir sind alle sehr froh, dass er uns gefunden hat. Er ist das multifunktionalste Ding auf der Welt und sieht einfach blendend aus. Ohne ihn ist der Text nicht zu machen.

Rolli: HEIDI HOH ARBEITET HIER NICHT MEHR.

Susanne: Heidi Hoh arbeitet hier nicht mehr. Sie arbeitet nicht mehr zu Hause.

Anja: DAS ZUHAUSE IST KEIN FREUNDLICHER ORT!

Rolli: UND DA MACH ICH AUCH NICHTS MEHR!

Susanne Was ist das hier?

Rolli: Schreiwettbewerb.

Susanne: Toyota-Showroom.

Rolli: Auto-Kino.

Anja: Da gibt es einen Schreiwettbewerb, und den schreit sie zusammen.

Rolli: Öffentliche Plätze.

Susanne: Schrei einen Wettbewerb zusammen, Heidi Hoh!

Rolli: AAAAHHHHH!

Anja: Dein Zuhause war organisiert wie ein Betrieb.

Rolli: Und ich dachte immer, ich wohne hier gar nicht, ich campe hier, und jetzt campe ich eben draußen. JETZT CAMPE ICH EBEN DA DRAUSSEN UND NICHT MEHR ZU HAUSE!

Anja: DIE HÄUSER UND IRGENDWO DA DRAUSSEN IHRE BEWOHNER.

Rolli: Nein, ich will hier nicht mehr ARBEITEN! Das Zuhause ist kein freundlicher Ort, und da will ich auch nicht mehr arbeiten. Ich mach lieber irgendwo anders was. Das Zuhause IST KEIN FREUNDLICHER ORT. UND DA MACH ICH AUCH NICHTS MEHR!

Anja: NIEMAND MACHT MEHR WAS ZU HAUSE.

Susanne: ZUHAUSE IST FRAUENARBEIT.

Anja: Und die mach ich nicht mehr! DIE MACH ICH NICHT MEHR!

Susanne: SCHEISS-HAUSARBEIT!

Anja: SCHEISS-TELEARBEIT!

Rolli: FUCK THE HOUSEWORK!

Susanne: Heidi Hoh arbeitet hier nicht mehr. Sie arbeitet nicht mehr zu Hause. Sie ist hier auch nicht mehr zu Hause. Sie arbeitet irgendwo anders.

Anja: So? Wo denn?

Rolli: HALTS MAUL!

Susanne: Sie arbeitet was weiß ich wo. Was weiß ich wie. Sie ist von der Telearbeitguerilla. Sie ist obdachlos.

Rolli: AAAHHHHH!

Susanne: Prekäre Wohnverhältnisse. Sie führt ein Partisanenleben.

Anja: E-Commerce.

Rolli: Prekäre Partisanenverhältnisse.

Susanne: Ja, das macht sie.

Anja: Ja, gut, mach das!

Rolli: AAAAAHHHHH!

Susanne: Sie kann überall arbeiten. Sie ist von der Telearbeitguerilla.

Anja: Sie hat dieses notebook und kann sich überall einstecken.

Susanne: Steck dich überall ein!

Anja: Dann arbeitet sie überall und ist nirgendwo zu Hause.

Susanne: Ja, das ist sie.

Rolli: AAAAAHHHHH!

Susanne: Sie versucht sich irgendwie durchzuschlagen. Aber sie will sich nicht allzu tief in Verhältnisse hineinbegeben, die sie ablehnt.

Anja: Oder einzustöpseln oder so was, die sie ablehnt.

Susanne: Stöpsele dich nicht allzu tief in Verhältnisse ein, die du ablehnst.

Rolli: JA, GUT, DANN NICHT!

Anja: Stöpsel dich nicht allzu tief in das Netz, das du ablehnst.

Susanne: Aber das ist schwer zu organisiern ...

Anja: Und dieses Leben ist mit ziemlich viel Aufwand verbunden.

Rolli: SCHEISSLEBEN SIND MIT AUFWAND VERBUNDEN!

Clip

Anja: Heidi Hoh arbeitet hier nicht mehr.

Susanne: Sie arbeitet nicht mehr zu Hause.

Anja: Aber du könntest Verhältnisse herstellen zu Hause oder an deinem Arbeitsplatz, die dein Leben ...

Susanne: ... nicht zu dieser Wahnvorstellung werden lassen, es gäbe irgendwo anders ein lebenswerteres Leben.

Anja: DAS GIBT ES NÄMLICH NICHT!

Rolli: JA, GUT! Aber vielleicht gibt es das, irgendwo anders, ein lebenswerteres Leben. VIELLEICHT GIBT ES DAS!

Anja: Heidi Hoh arbeitet als Mietwagenhostess und hat diese elektrische Tätowierung, die mit dem Zentralcomputer verbunden ist, und dann ist sie umgeben von Mietwagen und all dem Zeug.

Susanne: Sie ist eine vollautomatisierte Kundendienstlerin VERDAMMTE SCHEISSE und scannt Seriennummern von Mietwagen und tippt Meilen und Benzinstand in ihren Körpercomputer ein.

Anja: Wir brauchen Technologie für unseren Alltag! Und Alltag ist Zuwachsbranche.

Rolli: Wir brauchen Technologie für unterwegs. Für unseren Alltag! Nein, ganz sicher nicht, *(Rampe)* ihr verdammten FICKSÄUE! ICH BRAUCHE KEINE TECHNOLOGIE!

Susanne: Aber als Kundendienstlerin brauchst du Technologie für deinen Nebenjob.

Rolli: Bald werden die Wagen hoffentlich intelligentere Bordcomputer haben, in die wir uns direkt einstöpseln können. VERDAMMTE SCHEISSE! NEIN NIEMALS!

Susanne: Nebenjobs brauchen Alltagstechnologie.

Anja: Ausbeuterjobs brauchen neue Technologie. Und dann hast du all diese Sachen an dir rumhängen, Körpercomputer, und die machen einen Job, während du sie mit dir herumträgst. Weil du das irgendwie kannst, Computer mit dir rumtragen. Computer erledigen Jobs, und du trägst sie herum.

Susanne: Trage Computer rum!

Rolli: *(baut sich vor den Zuschauern auf)* JA, GUT, DA HABT IHR EUREN VERFICKTEN KÖRPERCOMPUTER! *(bleibt an der Rampe)*

Anja: UND JETZT TIPP DAS IN DEINEN SCHEISSKÖRPERCOMPUTER EIN!

Susanne: Jobs brauchen Körpercomputer.

Rolli präsentiert sich weiter.

Rolli: Ich steh zwischen Mietwagen rum und bin an diverse Bordcomputer angeschlossen und das ist das jetzt? Das ist mein JOB?

Anja: Ja, das ist er.

Susanne: Sei an Mietwagen angeschlossen! Dieses Cyborgmädchen aus Ungarn arbeitet am internationalen Flughafen von Los Angeles.

Anja: Toyota-Showroom. Avis-Parkplatz.

Rolli: Eigentlich bin ich zum Surfen nach L.A. gekommen. Der Teilzeitjob als Mietwagenhostess finanziert nur meinen SONNIGEN LEBENSSTIL.

Susanne: Sie ist eine Mietwagenhostess mit einem Computer, den sie um die Taille trägt. Körpercomputer.

Rolli: Ja und?

Susanne: Und sie fährt auf diesen Rollen herum.

Anja: Und bedient Leute, denen Daddy das Auto weggenommen hat.

Rolli: Das hier war eigentlich als so eine Art Nebenjob gedacht, mit dem ich mir meinen SONNIGEN LEBENSSTIL FINANZIERE. Aber ich hab überhaupt keinen sonnigen Lebensstil mehr. Ich komm auch gar nicht mehr an die Sonne. Ja, gut, ich bin schon an der Sonne auf diesem Parkplatz, aber ich bin nicht an der SONNE! Ich hab nur noch die Arbeit, und zum Surfen komm ich auch nicht mehr. Ich bin eigentlich nur wegen den Wellen nach L.A. gekommen.

Susanne: Komm wegen den Wellen nach L.A. und nicht wegen Nebenjobs.

Rolli: Eigentlich wollte ich Wellen reiten, und jetzt arbeite ich auf diesem Mietwagengelände.

Anja: Da gibt es einen Unterschied.

Rolli: Das ist mir AUCH KLAR! Dass es da einen Unterschied gibt zwischen Wellenreiten und diesen SCHEISS-MIETWAGEN, das ist mir auch klar. O GOTT! DAS WAR MIR IRGENDWIE NICHT KLAR! ICH WOLLTE, DASS DAS ALLES IRGENDWIE MEIN LEBEN IST! ARBEITEN UND WELLENREITEN, ABER DAS IST ES IRGENDWIE NICHT.

Anja: Dieser Körpercomputer macht eine Festplatte aus deinem Gehirn, und du rollst als Datenträger über dieses AVIS-Mietwagengelände und siehst dir diesen Autokinofilm an in deinem Hirn.

Rolli: Das hier ist kein Autokino. Das ist AVIS!

Susanne: Tote Leute im Autokino!

Anja: Leute, die wegwollen: im Autokino!

Susanne: Das nenn ich statisches In-der-Gegenwart-Herumfahren: dieses Autokino.

Anja: Zeige Autos! Scanne Mietwagen!

Rolli: Diese Körpercomputer machen aus jedem einen Experten für alles. DIESE KÖRPERCOMPUTER MACHEN AUS JEDEM EINEN EXPERTEN FÜR ALLES. *(und nochmal verzweifelter:)* DIESE KÖRPERCOMPUTER MACHEN AUS JEDEM EINEN EXPERTEN FÜR ALLES.

Susanne: Das nenn ich statisches In-der-Gegenwart-Leben.

Rolli: Ich steh in der Gegenwart herum und kann nichts machen.

Anja: Ja, gut, mach das.

Rolli: Ich stehe zwischen Mietwagen herum. ICH HALTS NICHT AUS! MIT EINEM KÖRPERCOMPUTER! UND ICH KANN NICHTS MACHEN!

Susanne: Körpercomputer können nichts machen. Und da bist du dann.

Anja: Irgendwo in der Gegenwart.

Susanne: Während Typen Geschichte schreiben, stehst du irgendwo in der SCHEISSGEGENWART HERUM!

Toyota-Showroom. Rolli winkt Autos ein (TW) oder zeigt auf sie. Rolli steigt mit der Discokugel auf einen Wagen, Blaulicht auf dem Dach, zeigt ihr tätowiertes @ auf ihrem Hintern, dreht die Discokugel. Spielt Wasserwerfer.

Susanne: Frauen zeigen Autos. – Frauen zeigen Autos, aber sie liegen nie drunter. *(zu Anja:)* Du passt unter ein Auto, du Bulimiebrett. Leg dich unter das Auto.

Anja versucht unters Auto zu kommen.

Susanne: Ich hab ihr mal beim Essen zugesehn, das ist völlig surreal, und jetzt passt sie unter ein Auto.

Rolli: Passe unter Autos! Oder zeige drauf! Zeige auf Autos!

Susanne: Frauen zeigen Autos im Toyota-Showroom. Das hier ist ein Toyota-Showroom. Oder sie arbeiten als Mietwagenhostessen. Und tragen Körpercomputer durch die Gegend. – Zeige Autos! *(zum Bullenauto)* Ich seh dein Cover, und ich weiß, mir gefällt deine Musik.

«Du trägst keine Liebe in dir» von Echt.
Zeigt auf das «Polizeiauto», dann auf die «Gentechnologie» auf der Leinwand.
Rolli umarmt das Bullenauto.

Susanne: Bullen tragen keine Liebe in sich. Das ist einfach so.

Rolli mit @-Zeichen.

Anja: Dinge, die denken. Körpercomputer.

Rolli: Da sind Dinge, die denken, und die sind an mir, Displays, die durch meine Haut leuchten. Da sind Dinge, die durch meine Haut leuchten, und ich bin irgendwie das.

Anja: Du bist Dinge, die durch deine Haut leuchten.

Susanne: Du bist Disco.

Rolli: Ich bin Disco! Da sind all diese Autos, und ich steh da mit einem Körpercomputer, und ich WEISS NICHT, WAS ICH JETZT MACHEN SOLL.

Anja: Ja, gut, mach das.

Susanne: Du campst am Strand von L.A. oder Miami Beach, und du hast diesen Nebenjob auf einem Mietwagengelände. Aber du kommst nicht mehr zum Wellenreiten.

Rolli: Ja, so siehts aus.

Anja: Du wohnst, wo du surfen wolltest, und du roller-bladest an deinem Arbeitsplatz.

Susanne: Und du nimmst Prekärtechnologie in Tabletten-form ein gegen Arbeitsverhältnisse.

Rolli: Speed-Jobs. JA, SO SIEHTS AUS!

Anja: Konzerne nehmen speed.

Susanne: Konzerne geben Speed-Jobs.

Rolli: Dieser Konzern gibt mir Speed-Jobs. UND DAS IST, WAS ICH BRAUCHE.

Susanne: Du hast eine Büro-Suite in diesem Hotel, und da arbeitest du dann ...

Rolli: Büro-Suite-Hotel.

Anja: Ja, genau.

Susanne: Und da tippst du all diese E-Mails.

Rolli: Beat-Suite.

Susanne: Und dieses Hotel ist in Wirklichkeit ein Büro-hochhaus. Und alle arbeiten in diesem Betrieb und tippen in ihre Computer.

Rolli: Beat-Suite.

Anja: Hotel California.

Susanne: Und da sind auch nie Rockgruppen und Beatnicks, die Zimmer zerlegen mit Kettensägen und so was.

Rolli: In diesem Hotel wohnen nur Kundendienstlerinnen, die tippen.

Anja: Beat-Suite. Rockkonzert.

Susanne: Und da gibt es ein Hotel für Sekretärinnen und ein Hotel für Rockgruppen, aber die begegnen sich nie.

Anja: Und da verirrt sich auch nie eine Mädchenband in das Hotel für die Rockgruppen. Das passiert einfach nicht. DAS PASSIERT EINFACH NICHT!

Rolli: Und da gibt es Hotels für Telearbeiter, die irgendwo unterkommen müssen.

Anja: Guerilla-Hotels.

Susanne: Und da gibt es Hotels für Schönheitschirurgen, und die operieren in der Hotelbar oder im Hotelfitnessraum, und Hotels für Pizzakuriere, die auch irgendwo unterkommen müssen, und Hotels für Friseurinnen, die auch immer unterwegs sind, und Hotels für Callboys, die dort aber nie wohnen, weil sie mit speed unterwegs sind. Und dann gibt es Hotels für jeden Beruf. Irgendwo müssen die Leute ja unterkommen.

Anja: Leute vom Dienstleistungsservice sind immer unterwegs.

Rolli: Und da gibt es ein Hotel für Cowboys, und die treiben Rinderherden durch die Hotelhalle.

Susanne: Und da gibt es für alles Hotels, für das Leben.

Anja: DA GIBT ES FÜR ALLES HOTELS! Und du checkst ein, und da gibt es Hotels für dein Scheißleben.

Rolli: Dein Leben hat irgendwo ein Hotel, und da ist es dann.

Susanne: Wir sind in diesem Hotel oder Beat-Suite ...

Rolli: High-Tech-Hotel.

Susanne: Und da gibt es Zimmer, in denen Gensequenzen entschlüsselt werden, und die Leute schlafen auch da.

Rolli: Gentechnik ist Frauenarbeit! Frauen sitzen in Labors herum und entschlüsseln Gensequenzen! NEIN, NICHT WIRKLICH! VERDAMMTE SCHEISSE!

Anja: Ich entschlüssel Gensequenzen, aber ich räum einfach niemandem mehr die SCHEISSE HINTERHER! Das machen dort Zimmermädchen.

Susanne: Du arbeitest an diesem Computer in den hochtechnologischen Bereichen in einem Labor-Hotel. Und überall gibt es da diese Labors, und alle entschlüsseln Gensequenzen, und die Zimmermädchen versuchen die Zimmernummern zu entschlüsseln und ihre verdammte Arbeit zu erledigen, während diese Leute in hochtechnologischen Bereichen an ihren Computern sitzen und Geschichte schreiben.

Rolli: Menschen im Hotel, die Schafe klonen.

Anja: Ich wohne in diesem Büro-Suite-Hotel, wenn ich unterwegs bin. Und Zimmermädchen stellen Chefsessel an mich ran.

Rolli: HALTS MAUL!

Anja: Was ich wirklich genieße, ist der logische und wissenschaftliche Charakter meiner Arbeit. Eine Arbeit, die eigentlich männlich kodiert ist, deshalb werde ich oft in diesem Hotel mit einem Zimmermädchen verwechselt und versuche unattraktive Tätigkeiten und so was für jedermann sichtbar vom Personal erledigen zu lassen.

Rolli: SCHEISSRASSISTIN!

Anja: Meine Arbeit gibt mir irgendwie das Gefühl, in etwas gut zu sein.

Susanne: Ja, gut, mach das.

Anja: Du kannst in allem nicht gut sein, in allem, nur nicht in deiner Arbeit. Und da versage ich lieber in allem anderen. Aber irgendwie fühle ich mich isoliert von den Ungewissheiten und den möglichen emotionalen Anforderungen in meinem LEBEN!

Rolli: HALTS MAUL!

Anja: Ich bin isoliert. VON ALLEM! Ich fühle mich über-fordert von der LIEBE. Von allem Emotionalen: was nor-malerweise mit Frauen identifiziert wird. Also konzen-triere ich mich lieber auf meine Arbeit. Ich sag mir dann, ich kann unmöglich in beidem gut sein. In meiner Arbeit und in irgendwelchen emotionalen Bereichen. Was gesellschaftlich Gott sei Dank akzeptiert ist. Jeden-falls bei Männern.

Rolli: Du bist in deinem hochtechnologisierten Bereich abgespalten von den Bereichen des Emotionalen. Aber da bist du dann ...

Susanne: ... weg von den Gefühlen.

Rolli: Hochtechnologie-Jobs.

Anja: Ja, gut.

Susanne: Du arbeitest in Hochtechnologie-Jobs in die-sem Gentechnik-Hotel und du hast …

Rolli: In den letzten vierzig Jahren keinen Schlaf mehr gehabt.

Anja: Da sind so viele Räume, und in jedem fühlst du was anderes.

Rolli: Da sind so viele Räume, und nicht in jedem kannst du was fühlen.

Susanne: Zum Beispiel in der Sphäre der Sinnlichkeit in deinem Büro-Suite-Hotel, da kannst du nichts fühlen!

Anja: WO VERDAMMT DANN? Warum ist es so schwer, in dieser Welt was zu fühlen. Gleichzeitig was zu fühlen und einer verdammten hoch qualifizierten Arbeit nach-zugehn. Warum ist das so schwer?

Rolli: Ich weiß nicht, vielleicht solltest du aufhörn, einer hoch qualifizierten Arbeit nachzugehn, VIELLEICHT IST ES DANN NICHT MEHR SCHWER.

Clip:

Susanne: *(ins Mikro)* Du schläfst nicht und du kannst nicht schlafen und du träumst nicht und du bist kein Mensch mehr. Du schläfst nicht und du nimmst nur Sachen ein und du schläfst nicht und du bist in prekären Arbeitsverhältnissen. Du schläfst nicht und du bist eine Nutte in diesem Haus und diese Arbeit frisst dich auf. Du schläfst nicht und du arbeitest nur und du bist eine Hure in diesem Nachtclub. Und irgendwie kann das ja gut sein. Aber nicht JETZT! Ich will schlafen. Ich will endlich einschlafen. Ich will mal wieder ein Auge zumachen. Nur eins. BITTE! Ja, gut. Das ist eine feine Arbeit und ich bin motiviert. Ich bin ziemlich motiviert. Arbeit im Dienste eines Unternehmens ist das bevorzugte soziale Verhältnis. Aber ich muss auch mal schlafen. Ich bin auch nur ein Wolf. Und Wölfe müssen schlafen. Ich bin auch nur ein Wolf. Du schläfst nicht und du träumst nicht und du bist kein Mensch mehr. Natürlich ist die Sehnsucht größer nach einem wertvollen Arbeitsverhältnis als nach irgendeinem sozialen Verhältnis. Aber das will ich ja auch gar nicht. Das brauch ich ja auch gar nicht. Ich will ja gar nicht mit jemandem schlafen. Ich will einfach nur ein Auge zumachen. Ja, gut, da gibt es Technologie. Da gibt es Tabletten. Aber ich bin einfach müde. Und ich will jetzt auch keine Technologie mehr EINWERFEN! Ich hab genug Technologie eingeworfen. Da passt einfach nichts mehr rein. Ich bin voller Technologie, die ich einfach gefressen habe. UND DA PASST NICHTS MEHR REIN! Ich bin Technologie. Und ich bin eine Tablette. Aber da muss es doch auch noch was anderes geben. Schlafen zum Beispiel. Das würd ich jetzt gerne. Aber ich bin so voller Technologie, dass die einfach kein Auge mehr zumachen

kann. Keiner kann mehr schlafen. Entweder man arbeitet
da und schreibt E-Mails, oder man arbeitet da als Nutte
und schickt E-Mails, aber keiner schläft mehr ein in
seinem Bett.

Rolli: BETTEN SIND ORTE ERHÖHTER WACHSAMKEIT.

Susanne: Und das HALT ICH NICHT MEHR AUS!

Autos hereinwinken / TW

Rolli: Das ist ein Auto! Auto! Da ist noch ein Auto! Das
hier sind alles Autos!

Susanne: Zeige auf Autos!

Anja: Wo sind wir hier?

Susanne: Toyota-Showroom!

Anja: Und Heidi Hoh arbeitet hier.

(*Clipende*)

Anja: Was ist das hier?

Rolli: Toyota-Showroom.

Susanne: Du stehst in diesem Autohouse herum und bist
an diesen Körpercomputer angeschlossen und zeigst auf
Autos und drehst dich.

Anja: Autos drehen sich, und du liegst auf der Kofferraumhaube und drehst dich auch.

Rolli: Ich drehe mich, weil ich Drogen genommen habe.
Mir ist schlecht, und die DNS in meinem Kopf wurde
entschlüsselt oder LSD, und jetzt drehe ich mich mit
Autos. Speed-Job.

Anja: Frauen verlassen die Häuser, und da sind sie dann zu Hause irgendwo draußen.

Susanne: Und du bist an den Computer angeschlossen.

Rolli: Das bin ich nicht.

Anja: Sie ist an keinen Körpercomputer angeschlossen. Sie hat nur diese sexistischen Sachen an.

Susanne: Dieser Bikini ist ein Körpercomputer. Und er ist in Verhältnisse eingestöpselt, die du ablehnst, und da kannst du gar nichts machen.

Rolli: Ja, gut, ich zeige auf Autos, damit finanziere ich mir MEINEN SONNIGEN LEBENSSTIL.

Susanne: Aber du HAST KEINEN.

Anja: Du liegst auf Autos rum, auf Kofferraumhauben, und da gibt es keine Sonne über dir ...

Susanne: Und deinem Bikini.

Anja: Die gibt es da einfach nicht.

Rolli: Keine Sonne über Bikinis.

Susanne: Dir scheint eine Sonne, mein Schatz, und die heißt Leben und Kinderkriegen, du Stück Scheiße.

Rolli: ABER NICHT MEIN LEBEN LANG!

Susanne: Technokonzernen scheint die Sonne des Lebens. Und zwar ein Leben lang.

Rolli: Ich hätte mein Leben gerne so im Griff wie Technokonzerne.

Susanne: Hab dein Leben im Griff, DU FICKSAU!

Anja: Programmiere dein Leben um ...

Rolli: Die DNS von LSD. *(schluckt was)*

Der Showroom verwandelt sich durch Heidis Drag-King-Gehabe in eine Autowerkstatt.

Susanne: Du hast gute Eigenschaften, die gewissen Arbeitsanforderungen gerecht werden und ...

Rolli: Ich werde dafür bezahlt, auf eine geschlechtsspezifische Art freundlich zu sein, aber ich bin nicht nur das. Ja gut, ich hab gute Eigenschaften. ICH HAB ABER AUCH SCHLECHTE, und was soll ich mit denen machen. Die wollen auch arbeiten. Ich will mit meinen schlechten Eigenschaften arbeiten.

Susanne: Sie hat bad habits.

Anja: Schlechte Angewohnheiten. *(wirft eine Zigarette weg)*

Rolli: Ja, kann sein. Kann sein, ich hab gute Eigenschaften, warum hab ich aber dann DEN AM SCHLECHTESTEN BEZAHLTEN JOB?

Anja: Vielleicht ist sie zu gut.

Rolli: Ja, ich bin zu gut.

Susanne: Zu gut für diese Welt.

Anja: Zeige auf Autos!

Rolli: Ja, gut. *(haut mit dem Baseballschläger auf ein «Auto»)*

Anja: Sie ist offen für alles, offen für neue Ideen und Bekanntschaften.

Rolli: Ich BIN NICHT OFFEN! TYPEN SIND NICHT OFFEN, UND ICH BIN AUCH NICHT OFFEN! *(zeigt auf Autos, lehnt sich mit Zigarette dran, «männlich» wie ein Mechaniker)*

Susanne: Sie ist ein verschlossenes Model.

Anja: Verschlossene Auto-Models.

Rolli: Ja, gut, ich erledige meine Arbeit irgendwie geschlechtsspezifisch, aber ich bin nicht nur DAS!

Anja: Sie ist zu offen für eine Mietwagenhostess. Sie sollte sich öfters mal danebenbenehmen.

Susanne: Hostessen, die sich danebenbenehmen. Mit schlechten Angewohnheiten.

Zigarette fliegt, fällt oder wird ausgespuckt.

Anja: Sie schickt Dinge auf Affektreise.

Rolli: Diese Zigarette geht auf Affektreise.

Susanne: Auf welche Reise?

Rolli: Auf eine Affektreise! AUF EINE AFFEKTREISE! *(schlägt gegen ein Auto)*

Anja: Auf welche Reise?

Rolli: Auf eine Affektreise! AUF EINE AFFEKTREISE!

Susanne: Oder Dinge.

Anja: Wann?

Rolli: Halts Maul!

Anja: Auf welche Reise?

Susanne: Oder City-Sprinter. Speed-Jobs.

Anja: Da gibt es EMOTIONEN! Und die schicken DINGE AUF AFFEKTREISE.

Susanne: Halts Maul!

Anja: Schick Dinge auf Affektreise!

Susanne: Räum auf! Toyota-Showroom.

Rolli: Sie liegt auf dieser Kofferraumhaube und zieht sich speed-linien rein von Toyota.

Anja: Autos fahren nicht wirklich, sie kreisen nur ums Geld.

Susanne: Nichts bewegt sich mehr, nur Cybercash.

Anja: Diese Mietwagenhostess bestellt Pizza für all of us.

Rolli legt den Baseballschläger hin und bumpt ihr @-Zeichen gegen die Beatbox, unseren TW.

Susanne: Bestell Pizzas mit deinem notebook.

Rolli: Büro-Suite-Hotel.

Anja: Geh einkaufen oder mach was! Bestell eine Pizza!

Rolli: Elektrische Tätowierung.

Susanne: Pizzabestellen!

Bumpen am TW, Pizzaschachtel fliegt.

Susanne: Scheiß-Pizza-Post.

Anja: Pizzas auf Affektreise.

Rolli: Da klingelte diese Pizza, und wir machten auf, und da war sie dann.

Susanne: Speed-Pizza.

Rolli: Ich hab Pizza lieb.

Anja: Diese Pizza ist zu kalt, um sie lieb zu haben.

Rolli: Kuschelpizza.

Anja: Thermodynamikpizza.

Susanne: Lass uns durch dieses Kaufhouse fahrn! Du kannst nirgendwo so einsam einkaufen.

Anja: Kaufe einsam und dann mach was.

Rolli: Ich kaufe Platten ein, das ist, was ich hören will.

Susanne: Was ist das hier?

Rolli: Amazon-Book-Shop.

Anja: Dieses Kaufhouse ist Webadresse.

Rolli: Dieser Kaufrausch braucht Webadresse.

Susanne: Da war dieses Kaufhaus, und es wurde abgeschossen.

Rolli: Mit einer digitalen Stalinorgel.

Anja: SCHIESS DIESES KAUFHAUS AB!

Rolli: Und dann ist es online krepiert.

Anja: Geld wurde nicht verletzt, aber Festplatten.

Susanne: Hacker hatten es abgeschossen ...

Rolli: Mit sechs Milliarden sinnlosen Anfragen.

Susanne: Und dieser Kaufrausch verwandelte sich in Raketengeschosse.

Anja: Kaufrausch braucht engagierte Hackergeneration.

Susanne: Tätowiere diese @-Generation als engagierte.

Rolli: Ich würde gern in diesem virtuellen Warenhouse sitzen, und dann würden Hackerorgeln es bombardiern, und ich würde zusammen mit Plastikgeld in Cash aufgehn!

Anja: Geh in Cash auf! Heidi Hoh!

Susanne: Heidi Hoh geht in Bares auf.

Anja: Heidi Cash Bares!

Rolli: Ich löse mich in Bares auf! Und was dann?

Susanne: Die Fuji Bank wollte per E-Mail ihre Fusion mit zwei anderen japanischen Banken bekannt geben, aber ein Virus, der an die E-Mail gekoppelt war, beschimpfte ihre Kunden als blöde Riesentrottel.

Rolli: Blöde Riesentrottel. Dingsda.

Anja: Es leben nur noch Viren in den Banken, die sich gegenseitig E-Mails schicken.

Susanne: Sie schicken E-Mails, und es leben nur noch Viren in den Banken.

Rolli: Und die Banken. Wo sind die denn?

Anja: Irgendwo anders.

Rolli: Diese Bank ist Webadresse.

Susanne: Sie rasen virtuell um die Welt. Zusammen mit E-Mails und Viren. Und die Viren landen irgendwie in Webadressen, und da sind sie dann.

Rolli: Ich hab mich oft gefragt, bevor ich lodernd in Bargeld aufging, was das denn ist mit dem Gefühl in diesem Körper, der dauernd nach Luft ringt, und wenn man es herauslässt, ES AUCH NUR ERSTICKT WIRD.

Susanne: Du Miststück!

Rolli: Du sitzt in diesem Kaufhaus und dann wirst du von einer Stalinorgel bestellt und das Kaufhaus und das Pentagon alles fliegt durcheinander und das Chaos zeigt dir, wo in diesem Leben dein Platz ist. Oder in diesem Kaufhaus. Wo in diesem Kaufhaus dein Leben ist.

Susanne: Ja, mach mal.

Anja: Zeig mir, WO IN DIESEM KAUFHAUS MEIN LEBEN IST!

Rolli: ZEIG MIR EINE INTERNETVERSTEIGERUNG, DIE IN DIE LUFT FLIEGT.

Anja: E-Bay.

Rolli: Warum hab ich nur IMMER DEN EINDRUCK, DASS DIE DEUTSCHE BANK MICH FICKEN WILL! WARUM WERDE ICH DEN VERDAMMTEN EINDRUCK EINFACH NICHT LOS!

Susanne: Weil sie dich ficken will. Und sie beim Ficken ums Geld kreist.

Anja: Eine Bank, die beim Ficken ums Geld kreist.

Susanne: Kreise beim Ficken ums Geld.

Rolli: Zum Ersten, zum Zweiten UND ZUM DRITTEN!

Clip:

Rolli: Ich wünschte, ich wäre eine Stoffpuppe mit toten Knopfaugen und einem aufgenähten Lächeln. Ich würde in einem Regal in einem Kaufhaus sitzen. Mit keinen Träumen zu träumen, und mit nichts, was mir Leid täte. Ich wünschte, ich hätte ein hölzernes Herz und eine Schnur auf dem Rücken, an der man zieht, und dann sage ich: Hey! Was für ein wunderschöner neuer Tag! Aber so ist es nun mal nicht. Ich bin keine Puppe. Ich hab tote Knopfaugen, und mein Lächeln ist auch nicht mehr echt, aber ich bin keine Puppe. Ich hab keine Träume mehr zu träumen, aber ich bin keine Puppe. ICH SAGE: HEY! WAS FÜR EIN SCHÖNER TAG, ABER ICH BIN KEINE PUPPE! ICH SEHE ZIEMLICH TOT AUS, ABER ICH BIN KEINE PUPPE.

Susanne: Sie ist keine Puppe!

Rolli: Ich hab keine Träume mehr, und ich schlafe auch keinen Schlaf mehr, aber ich bin keine Puppe. Ich hab tote Augen, aber ich bin keine Puppe.

Anja: Tote Augen!

Rolli: Ich fühle all diese Gefühle, aber ich bin keine Puppe.

Susanne: Sie quält sich, aber sie ist keine Puppe.

Rolli: Nein, das BIN ich nicht. *(ohne Mikro)* ICH FÜHLE ALL DIESE GEFÜHLE, ABER ICH BIN KEINE PUPPE! *(Mikro)* Ich sitze in keinem Kaufhausregal und seh nur hübsch aus, sondern ich fühle all diese Qualen und Dingsdas und wünschte, ich wäre eine Puppe.

Anja: Aber sie ist keine Puppe.

Rolli: Ich wünschte, ich wäre eine Puppe, und ich könnte auch kein Mikrophon halten. *(Mikro weg)* ICH WÜNSCHTE, ICH WÄRE EINE PUPPE, DANN KÖNNTE ICH AUCH KEIN MIKROPHON MEHR HALTEN!

Susanne: *(ins Mikro)* Sie ist nämlich kein Mikrophonständer.

Anja: Nein, das ist sie nicht. Heidi Hoh arbeitet hier nicht mehr. HEIDI HOH ARBEITET HIER NICHT MEHR ALS MIKROPHONSTÄNDER!

Rolli: ALLES IN MIR IST TOT, ABER ICH BIN KEINE PUPPE.

Susanne: *(ins Mikro)* Vielleicht bist du eine ... Puppe.

Rolli: Nein, du hörst es, ich bin keine Puppe. Ich sehe, wie sie diesen DNS-Chip in die Kamera drehn, und ich selbst kann überhaupt keine Aussagen ÜBER DAS LEBEN MACHEN. Da ist diese Hand von jemandem, der in einem der Räume ist mit hoch bewerteten, technologischen Jobs und der ist völlig abgespalten von mir und irgendeiner emotionalen Sphäre, und er macht Aussagen über das LEBEN. Ich wünschte, ich wäre eine Puppe, die den ganzen Tag DNS-Chips in die Kamera dreht. Das würde ich machen in meinem Regal in einem Kaufhaus, und die Welt würde auf- und zuklappen UND ZERPLATZEN ZWISCHEN MEINEN PLASTIKLIDERN!

Anja: *(über die Musik)* Plastiklied!

(Clipende)

Rolli: Ich will eine Puppe sein, sonst halt ich das alles nicht aus. ODER GENTECHNISCH ENTSCHLÜSSELT! SONST HALT ICH DAS ALLES NICHT AUS. Ja, vielleicht hilft das! Ich möchte eine gentechnisch entschlüsselte Puppe sein, sonst halt ich das alles nicht aus.

Susanne: Was denn noch?

Rolli: Ich möchte geklont werden, sonst halt ich das alles nicht mehr aus.

Anja: Aushalteversprechen der Klon-Konzerne.

Rolli: Will mich nicht endlich jemand gentechnisch entschlüsseln? Ich halt das nämlich nicht mehr aus! Diese Gefühle. Da komm ich einfach nicht mehr hinterher. Da lobe ich mir das, was gemeinhin unter den Begriff «Natur» fällt. Ich möchte eins von diesen verfickten Körperweltdingern sein, Körperöffnerdingern sein, sonst halt ich das Leben nämlich nicht mehr aus.

Susanne: Halte das Leben aus, und du kriegst was Nettes.

Anja: UND KLONT MICH, VERDAMMTE SCHEISSE!

Rolli: Eine gentechnisch entschlüsselte tote Puppe! Ja, das wärs. Eine präparierte Körperweltscheißpuppe, mit all dem, was dazugehört, einem Begriff von Natur und so was.

Susanne: Sie wartet auf ihre Entschlüsselung.

Rolli: Ja, das bin ich.

Anja: Du bist das Leben.

Rolli: JA, DAS BIN ICH. Ich warte auf die Entschlüsselung meines verfickten Lebens.

Susanne: Und damit kann dir geholfen werden. Heilsversprechen!

Anja: ABER WER ENTSCHLÜSSELT MIR ALL MEINE VERFICKTEN GEFÜHLE?

Rolli: Ja, Gentechnik kann mir helfen. Wo soll ich nur mit all diesen Gefühlen hin?

Susanne: In den Mülleimer.

Anja: Trash-Dingsda.

Rolli: Vielleicht kann Klonen helfen! ICH KANN NICHT MEHR! ICH KANN EINFACH NICHT MEHR! ICH KANN DIESE GEFÜHLE EINFACH NICHT MEHR ERTRAGEN! DA SIND NUR NOCH GEFÜHLE! DA IST ÜBERHAUPT NICHTS MEHR IN MEINEM KOPF! *(lässt sich fallen)* ICH WÜNSCHTE, ICH WÄRE EINE PUPPE IN EINEM KAUFHAUS! UND DA WÄRE IRGENDJEMAND, DER MICH ENTSCHLÜSSELT.

Anja: ENTSCHLÜSSELN ODER EINKAUFEN!

Susanne: Eine unentschlüsselte Puppe, VERDAMMTE SCHEISSE!

Rolli: KOMMT HER UND ENTSCHLÜSSELT MICH, IHR VERDAMMTEN FICKSÄUE!!!

Susanne: Was denn?

Rolli: Diesen Müll! Sonst halt ich das alles nicht mehr aus! ICH WILL DIESES LEBEN NICHT MEHR! ICH WILL DIESES LEBEN NICHT MEHR FÜHREN!!

Susanne: Welches denn?

Anja: In ihr pocht was und das ist die Liebe oder Müll oder ein DNS-Chip oder die Welt auf CNN. ICH KANN NICHT MEHR. I C H   K A N N   N I C H T   M E H R !

Susanne: Und das ist verdammt LAUT!

Rolli: Trotzdem will ich lieber eine Puppe sein, die hinter ihren Plastiklidern keine Welt vermisst. Und nichts versäumt. Und auch nicht die Liebe. So etwas wie Liebe. So was wie Liebe möchte ich nicht hinter meinen Plastiklidern versäumen. ICH WÜNSCHTE, ICH WÄRE EINE PUPPE.

Susanne: Wie wir alle.

Anja: Alle wünschen sich in das Tal der Puppen. Irgend-wie.

Susanne: Das Tal der Puppen irgendwie. Das könnte sein ...

Anja: Dass wir schon da sind. Und da sind wir nun.

Rolli: Tal der Puppen.

Susanne: Ja, gut.

Anja: Heidi Hoh will eine Puppe sein.

Susanne: Sie arbeitet nicht mehr zu Hause. Sie lebt auch nicht mehr zu Hause. Sie arbeitet irgendwo anders.

Rolli: Zu Hause stagniert das In-der-Gegenwart-Leben. Und das hält niemand aus, also wollen alle PLÖTZLICH SCHAFE KLONEN ODER IRGENDEINE BEKNACKTE DNS ENTSCHLÜS-SELN!

Susanne: Go. Go, Baby. Go.

Anja: Schafe klonen im Tal der Puppen.

(Clip)

Schafclip. Sie werfen ihre Perücken und Stiefel in die Mitte, rufen: Mäh! Hüss! Spielen Alm.

Susanne: Die Definition von Leben ist nicht mehr notwendigerweise mit dem Stoffwechsel verbunden. Du könntest beispielsweise als Datenträger weiterleben. Warum sollte das kein Leben sein?

Rolli: Ja, gut, aber was für Daten. WAS FÜR DATEN?

Anja: Du bist ein Datenträger.

Susanne: Mit einer Schnur auf dem Rücken.

Anja: Doppelhelix.

Susanne: Und wenn jemand dran zieht, sprichst du ungefähr vier Milliarden Jahre lang denselben Scheiß.

Rolli: Ja und?

Susanne: Wie eine Platte.

Anja: Wer soll sich das anhörn?

Susanne: Vier Milliarden Jahre lang ...

Anja: ... die A-Seite.

Susanne: Und nie tun sie den Scheiß umdrehn.

Anja: Entschlüssel den Scheiß, aber dreh ihn nicht um!

Rolli: Sie entschlüsseln den Scheiß, aber sie drehn ihn nicht um.

Susanne: Das ist das erste Gebot. Nie sollt ihr die Scheiße umdrehn.

Anja: Das erste Gebot von Vinyl-Platten. Bevor sie gestorben sind. Bevor Elvis gestorben ist.

Susanne: Da gibt es dieses Gen, und das wurde entschlüsselt, und dann ging diese Schwulendisco Bankrott.

Anja: Dow-Jones-Syndrom.

Susanne: Down-Index. Gen-Markt et cetera.

Rolli: WAS INTERESSIEREN MICH DATEN?

Susanne: Du sollst sie nicht lesen, du sollst sie tragen. Du bist ein Datenträger.

Rolli: ICH WILL KEINE DATEN. Ich hab genug von Daten. Ich will keine lesen, und ich will keine tragen. Ich will keinen Stoffwechsel, und ich will keine Daten. Also ihr müsst schon entschuldigen, ABER ICH BIN EIN BISSCHEN DURCH DEN WIND IN DER LETZTEN ZEIT!

Susanne: HALTS MAUL!

Rolli: Ich bin kein Datenträger, ich will eine Puppe sein. ICH WILL DIESES LEBEN NICHT MEHR FÜHRN! Ich wünschte, ich wäre eine Puppe, die einfach nichts versäumt, die nichts versäumt in ihrem genetisch entschlüsselten Leben. Ich will einfach nichts mehr versäumen in dem Leben, das von irgendwem ist und nicht meines. Und dann will ich lieber gleich eine Puppe sein. Und ich will auch keinen Schlüssel zum Glück!

Susanne: Entschlüssele LSD oder Dingsda. DNS!

Rolli: ICH WILL KEINEN GENETISCHEN SCHLÜSSEL ZUM GLÜCK. Ich lebe irgendein genetisches Glück, und das bin ich dann! DAS HALT ICH NICHT AUS! Ich ertrag das nicht mehr! Ich kann nicht mehr. ICH KANN NICHT MEHR!

(Clip)

Rolli: Da spielt diese Musik im Toyota-Showroom und ich zeige auf Autos, als wäre ich auf speed oder Dingsda und ich weiß wirklich nicht, was ich an dieser Scheiß-adresse noch machen soll. Third world me.

Anja: Dein Dritte-Welt-Ich kommt in diesem Netz vor. Unter einer Scheißadresse.

Susanne: HEIDI HOH ARBEITET HIER NICHT MEHR.

Anja: UND SIE ZEIGT HIER AUCH NICHT MEHR AUF AUTOS!

Susanne: AVIS, SPEED-LINIEN, TOYOTA-SHOWROOM!

Anja: Nein, das mach ich nicht mehr! DIE MACH ICH NICHT MEHR!

Rolli: ICH ZEIGE NICHT AUF DIESES AUTO!

Anja: Die Arbeit mach ich nicht mehr.

Susanne: Zeige auf Autos!

Rolli schlägt auf ein «Auto».

Anja: Wo sind wir hier?

Susanne: Amazon-Book-Shop. Und Heidi Hoh arbeitet hier irgendwie.

Rolli: Dieser Kaufrausch braucht Webadresse.

Susanne: Leute bestellen und setzen keinen Fuß vor die Haustür. Und das macht dann UPS.

Rolli: Fucking E-Commerce.

Anja: Amazon verteilt Bücher mit menschlichen Stalinorgeln.

Susanne: Und wir bombardiern Amazon mit digitalen Stalinorgeln. Das ist einfach so.

Anja: F-Commerce.

Rolli: Kaufrausch braucht engagierte Hacker-Generation.

Anja: Da war dieser Kaufrausch, und der brauchte Webadresse, und deshalb waren da keine Wirklichkeitsräume.

Rolli: Da ist nur einer, wenn du was bestellst.

Anja: Bestelle Wirklichkeitsräume. Pizzahütten. Bookshops.

Rolli: Ja, das mach ich.

Susanne: Und dann klingeln sie an deiner Haustür.

Rolli: Da war eine Pizza, die klingelt, und da ist dann ein Wirklichkeitsraum vor deiner Haustür.

Anja: NIEMAND SETZT MEHR EINEN FUSS VOR DIE HAUSTÜR!

Susanne: Setze keinen Fuß vor die Haustür.

Rolli: Das tun andere. Jobs in schlecht bewerteten Bereichen.

Susanne: Heidi Hoh!

Anja: Da gibt es einen Kaufrausch, und der braucht irgendwas.

Rolli: Webadresse.

Anja: Und da ist er dann und kauft ein. Und Heidi Hoh bringt dir die Sachen nach Hause.

Rolli: Ja, gut, aber ich will Scheiße nicht arbeiten, das tu ich nicht.

Anja: Scheiße arbeitet gegen dich.

Susanne: Du arbeitest als Kundendienstlerin, und jemand schickt E-Mails im Kaufrausch an Webadressen, und du setzt deinen Fuß vor die Tür.

Rolli: Ich will nicht bei der Post arbeiten, ich will nicht diese Amazon-Scheiße durch die Gegend fahrn, diesen BOOKSHIT.

Susanne: Fahr BOOKSHIT durch die Gegend.

Anja: Dreh Runden um Mietwagen.

Susanne: Hier landen nur noch Nebenjobs.
Rolli: Und ich will keine Pizzas austragen.

Susanne: World wide slums.

Anja: Trag Pizzas durch die Gegend!

Susanne: Für die world wide slums.

Rolli: Da sind nur noch Wirklichkeitsräume, wenn du Webadressen in die Luft jagst.

Anja: Wirklichkeitsräume brauchen engagierte Hackergeneration.

Susanne: Und dann werden sie besetzt, diese Dynastien virtueller Warenhäuser ...

Rolli: UND DANN FLIEGEN IHRE TEUREN ADRESSEN IN DIE LUFT.

⌐ Clip ⌐

Bücher bestellen und fliegen lassen. Der TW als digitale Stalinorgel, die Bücher werden mit ihm katapultiert und mit einem Baseballschläger weggeschossen. Sieht am besten aus zu Readymades «When I grow up».

Susanne: Amazonbookshopverteiler.

Rolli: Bombardiere oder bestell die Scheiße, es ist eh das Gleiche.

Anja: Und jetzt bestell bei Amazon.

Susanne: Bestell einen Toyota oder schieß ihn ab.

Rolli: Drive by orders.

Susanne: Da ist dieser bookshop und der schießt Bücher in die Wüste.

Anja: Schieß Bücher in die Wüste.

Susanne: Da gab es diese Amazonbookshopverteiler, und sie wohnten alle in diesem Hotel für UPS-Leute.

Anja: Gegenüber von diesem Rockgruppenhotel.

Rolli: Dieses Hotel wird bewohnt von Guerilleros und UPS-Leuten!

Susanne: Guerilla-Krieg-Hotel!

Anja: Und sie schießen Amazon-Bookshit durch die Wüste.

Susanne: Da ist nur eine Wüste und Bücher und Pizzas, die klingeln.

Anja: Ich arbeite in diesem Büro-Hotel, und ich bin in Verhältnisse eingestöpselt, die ich ablehne. Und im Hotel gegenüber stöpseln sich Rockgruppen in Verhältnisse ein, die EINFACH ZU LAUT SIND!

Susanne: Alle stöpseln sich ein, Rockgruppen und Internetbookshop-Manager und bezahlte Liebe.

Anja: Und ich kann mich nicht konzentriern.

Rolli: Keiner kann sich konzentriern.

Susanne: Dein Job ist mit einem Mehraufwand verbunden, der sich einfach nicht mehr rechtfertigen lässt.

Anja: Deshalb bin ich ja so verzweifelt. Es gibt einen Zwang, sehr viel zu arbeiten. Ja gut, und dem bin ich erlegen. ICH ERTRAGE DAS NICHT! ICH KANN DAS ALLES NICHT ERTRAGEN!

Susanne: Sie erträgt das Leben nicht und all seine Ungewissheiten und emotionalen Anforderungen.

Anja: WARUM LEBEN WIR FÜR DEN AUGENBLICK?

Susanne: Keine Ahnung. Ich weiß nicht. O.K.

Anja: WARUM LEBEN WIR NUR FÜR DEN AUGENBLICK UND NICHT FÜR GESTERN ODER FÜR MORGEN ODER WAS WEISS ICH FÜR WANN? WARUM DENN BLOSS FÜR DEN BESCHISSENEN AUGEN-BLICK?! IM AUGENBLICK DA BEWEGT SICH DOCH ÜBERHAUPT GAR NICHTS! WARUM SOLLTEN WIR DA LEBEN!

Rolli: Gegenwartsflucht.

Susanne: Sie schreibt Geschichte in ihrem Beat-Suite-Hotel und transzendiert ihr Begehren.

Rolli: Männliche Positionen.

Susanne: Du kannst mit speed-pillen im Augenblick über-leben.

Anja: Ja, aber sonst. Wie überleben wir im Augenblick ohne speed?

Susanne: Du sitzt in diesem Büro-Suite-Hotel und kannst den Augenblick nicht ertragen. Du sitzt in diesem Labor und entschlüsselst Gensequenzen.

Rolli: Du bist auf der Suche nach einem Wirklichkeits-raum, und der ist nicht hier!

Anja: ICH BIN AUF DER SUCHE NACH EINEM WIRKLICHKEITS-RAUM, UND DER IST N I C H T   H I E R! Da ist nur dieses Hotel, in dem ich arbeite und herumhänge und korrespon-diere, und Zimmermädchen, die mir den Bereich des Emo-tionalen erhalten. Aber das kommt mir alles so unwirk-lich vor.

Rolli: Auf diesem Planeten wohnten mal Leute und waren zu Hause, und jetzt campen hier alle.

Susanne: Zu Hause und an ihrem Arbeitsplatz.

Anja: Sie campen zu Hause und an ihrem Arbeitsplatz.

Rolli: Da ist dieser Wettbewerb im Campen, und alle nehmen teil. AN DIESEM SCHEISSWETTBEWERB IM CAMPEN UND ALLE HABEN SCHEISSADRESSEN, NUR DIE VERDAMMTEN KONZERNE NICHT!

Susanne: LASS UNS KAUFHÄUSER ABSCHIESSEN!

Anja: ICH WILL MEIN LEBEN ABKNALLEN!

Susanne: Ich würde gerne Amazon-Bookshit in die Luft gehen lassen. Bücher in lodernde Viren aufgehen lassen. Ich würde gern diesen Buchhandel in die Luft blasen. Und Flammen mit Anfragen bombardiern. Ich würde gern in die gereinigte Luft gehen, MIT DIR UND AMAZON, MEIN SCHATZ. LASS UNS BÜCHER VERBRENNEN GEHN! AUF DIESER SCHEISS-WEBADRESSE! LASS UNS AMAZON MIT BESTELLUNGEN BOMBARDIERN! WIR VERBRENNEN DIESEN SCHEISS-BUCHHANDEL MIT DIGITALEN STALINORGELN!

Anja: AU JA!

Rolli: Leute hängen in Hotels oder Seattle rum und schlagen mit ihren E-Gitarren gegen Limousinen. Und das kann doch nicht so schlecht sein, der Sound.

Susanne: Der Sound von Gitarren gegen dicke Limousinen.

Anja: Das kann doch nicht so schlecht sein.

Susanne: Auf dieser Seattle-Platte hörst du E-Gitarren gegen Bankerköpfe knallen, und der Sound kann doch nicht so schlecht sein.

Anja: Der Sound.

Rolli: Kann doch nicht so schlecht sein.

Susanne: Und dann kommt Dingsda und ...

Rolli: Wasserwerfer spielen E-Gitarre.

Anja: In Seattle.

Rolli: Grunge in Bankerköpfen.

Susanne: Dieses Hotel schießt Amazon ab.

Rolli: Von diesem Guerillakrieghotel aus werden Bookshops abgeschossen.

Anja: E-Gitarren gegen Zimmermädchenköpfe.

Susanne: Diese Rockgruppe randalierte, und man hörte den Sound von E-Gitarren gegen Zimmermädchenköpfe.

Rolli: Headbanging.

Susanne: Ja, mach das!

Anja: Headbanging im Büro-Suite-Hotel.

Susanne: Zimmermädchen rennen in Rockgruppen rein. Headbanging. Und die Köpfe von Rockgruppen sind immer Typen. Ich halts nicht aus. Die Denker in Rockgruppen sind immer TYPEN! SO EINE SCHEISSE!

Anja: Rockgruppen brauchen Denker, das versteh ich nicht!

Susanne: Rockgruppen brauchen Denker. ICH HALTS NICHT AUS.
(Kurzes Headbanging)

Der TW ist jetzt ein Einkaufswagen. Dann wird er geöff-
net, und Heidi holt Platten raus, liest ihre Titel vor
und wirft sie auf den Boden, sie hat einen Kopfhörer
auf, und der TW sieht aus, als wäre er ein Plattenspie-
ler.

Susanne: Was ist das hier?

Anja: Sony-Dingsda. Potsdamer Platz.

Rolli: Meine erste Beatbox. Sie fiel vom Himmel in die
Wüste, und da war sie dann.

Anja: Bestell Platten!

Susanne: Sie hat irgendwie Prekärtechnologie in speed-
pillenform eingenommen, und jetzt kommt sie nicht mehr
runter.

Anja: Hol sie runter, oder leg sie auf!

Susanne: Spiel Burt Bacharach!

Anja: In diesem Showroom.

Rolli: Dieser Toyota tanzt zu: Kennst du den Weg nach
St. José?, zu einem Mietwagenparkplatz?

Susanne: Und er kriegt keine Antworten.

Anja: Dieser Toyota kriegt keine Antworten. Und dann
zeigt ihm jemand den Weg nach Amarillo.

Rolli: Ich bin IMMER UNTERWEGS!

Anja: ICH BIN IMMER UNTERWEGS. VON EINEM HOTEL INS
NÄCHSTE, UND DA SIND NUR BÜROS. ICH HALTS NICHT AUS!

Susanne: Hol sie runter, oder leg sie auf!

Anja: Chillout-Dingsda.

Susanne: Oder leg sie auf!

Rolli: ICH BIN KEINE PLATTE!

Susanne: Sing was!

Rolli: Ja, gut, aber ich bin keine PLATTE!

Rolli legt sich lang, oder Susanne macht was.

Susanne: So, jetzt bist du eine Platte. Und jetzt HALTS MAUL!

Anja: Dieser Wirklichkeitsraum ist ein Plattenspieler ...

Susanne: Und spielt immer nur die A-Seite, und nie tun sie den Scheiß umdrehn.

Rolli: Es gibt keinen Wirklichkeitsraum auf dieser Scheißplatte. Sie dreht sich nur, das ist alles. DAS IST ALLES!

Susanne: Ja, gut, und jetzt sing was!

(*Clip:*)

*Lipsync. Rolli zu «Do You Know the Way to St. José».
Der Wagen wird eingewunken und platziert. Der TW ist
jetzt ein Plattenteller und Heidi ist eine Vinylplatte,
die aufliegt.*

Susanne: IST DAS DER WEG NACH ST. JOSÉ?

Anja: Und jetzt dreh sie um.

(Clipende)

Rolli: Du arbeitest in einem Büro.

Susanne: So, ja? Und es nimmt viel meiner Zeit ein. Aber ich bin ja gar nicht gerne zu Hause. Ich arbeite viel lieber in meinem Büro als zu Hause. Da sind Leute, die mich verstehen, und nicht meine verfickten Kinder, die herumbrüllen.

Anja: Und wer kümmert sich um die?

Susanne: Die kümmern sich um sich selbst. DIE KÜMMERN SICH SEHR GUT UM SICH SELBST!

Rolli: Gute Mutter!

Susanne: Die kümmern sich sehr gut um sich selbst. Sie brüllen und kümmern sich. Das muss ich nicht mehr machen.

Rolli: BRÜLLEN UND KÜMMERN!

Anja: Und was ist mit Muttergefühlen?

Rolli: Ja, die hat sie auch. Muttergefühle sind dabei auch im Spiel.

Anja: Umwertung von Muttergefühlen.

Rolli: Du denkst oder du hast Angst, wegrationalisiert zu werden in deiner Firma, aber stattdessen wirst du wegrationalisiert in deinem Leben! Du wirst wegrationalisiert in dem, was du lieben könntest.

Anja: Emotionales Downsizing.

Susanne: Jemand downsized mein Leben und alle Gefühle und alles.

Rolli: Du bist zu effizient.

Susanne: Ich arbeite in dieser Firma und bringe Arbeit mit nach Hause.

Rolli: So, was denn?

Susanne: ICH MUSS DAUERND E-MAILS AN MEINE KOLLEGINNEN SCHREIBEN! Aber ich kann nicht mehr, ICH KANN NICHT MEHR! Ich sitze an dieser Maschine, die mein Zuhause ist, und schreibe und schreibe ... E-MAILS AN MEINE KOLLEGINNEN! Dabei bin ich oft zu emotional, um effizient zu sein. Und auf der anderen Seite, in meinem Betrieb, bring ich, von da, dort, wo ich emotional sein könnte, virtuell meine Kinder ins Bett!

Anja: Wie das?

Susanne: Durch einen Babysitter!

Rolli: Bring virtuell deine Kinder ins Bett, Gwen!

Anja: Bring Kind Bett, Gwen!

Susanne: Ja, gut, aber ich heiße nicht Gwen! Das ist aber nun mal nicht mein NAME!

Rolli: Sei ihr Name, Gwen!

Susanne: Und ich bin dann immer sehr emotional. Denn ich liebe meine Kolleginnen. ICH LIEBE MEINE KOLLEGIN-NEN! Und dann bin ich manchmal zu emotional, um effizient zu sein. Aber zu Hause bin ich dafür sehr effizient. Ich bringe völlig emotionslos meine Kinder ins Bett und erzähle ihnen emotionslos eine Gute-Nacht-

Geschichte, von mir aus auch eine sehr traurige, und das ist alles sehr effizient. Und fast könnte man meinen, ich bring sie nur virtuell ins Bett, und dann setze ich mich emotionslos an meinen Computer und schreibe all diese EMOTIONALEN E-MAILS! ICH VERSTEH DAS ALLES NICHT MEHR! Schließlich sind es meine KINDER! Und ich rede mit ihnen, als würde ich irgendwie mit dem Gedanken spielen, sie wegzurationalisieren.

Rolli: Rationalisiere deine Kinder weg! Emotional. Bring sie zur Welt, freu dich und dann DOWNSIZE.

Anja: Vielleicht hast du einfach nur gelernt, dass Emotionen am Arbeitsplatz das Klima verbessern und dich effektiver machen!

Susanne: Ja, das hab ich, aber ich kann doch nicht mehr nur noch fühlen, um effektiver zu sein.

Rolli: DAS GEHT DOCH NICHT!

Anja: Dieser Betrieb setzt auf Emotionen und das macht dich effektiver und jetzt HALTS MAUL! Ich dagegen kann gegen diese ganzen Emotionen, die in mir brodeln und rumoren und stattfinden, gar nicht mehr ankommen. Ich löse mich völlig auf, unter diesen ganzen Emotionen. Ich empfinde so viel Liebe für jemanden, der als Nutte arbeitet und ein Betrieb ist, und was soll ich da machen, ich bin zu emotional, um effektiv zu sein, ich kann ÜBERHAUPT NICHTS MEHR MACHEN. NICHT MEHR DENKEN UND NICHT MEHR ARBEITEN UND KEINE BEZAHLTE ARBEIT MIT NACH HAUSE NEHMEN!

Rolli: Ihr seid entweder verliebt in die gleiche Person oder in den gleichen Betrieb, das ist irgendwie surreal.

Anja: Surrealisiere deinen Betrieb!

Susanne: Ich surrealisiere gerade mein Leben, REICHT DAS NICHT! Ich bin so verzweifelt. ICH BIN SO VERZWEI-FELT. Ich weiß nicht mehr, was ich tun soll! Ich tu nicht mehr, was ich wissen sollte! Ich tu nur noch Dinge, die mein Leben surrealisieren.

Anja: Wir sind alle verzweifelt.

Susanne: Ja, gut.

Anja: Wir sind alle verzweifelt. Das ist es ja gerade, und es gibt kein Erbarmen! ES GIBT KEIN ERBARMEN!

Rolli: Emotionen außerhalb bezahlter Arbeit sind irgendwie Müll.

Anja: Wenig effektiver Emotionsmüll.

Susanne: Aber Emotionen können doch nicht immer nur effektiv sein, das geht doch nicht, DAS GEHT DOCH NICHT! Ich muss doch auch mal was völlig Beklopptes fühlen können, wie Mutterliebe.

Rolli: Fühle bekloppte Mutterliebe.

Susanne: Oder Liebe zu jemand anderem, zu jemandem, der nicht in meinem Betrieb arbeitet.

Anja: Arbeite nicht in ihrem Betrieb!

Rolli: Fühle nicht-betriebliche Mutterliebe.

Susanne: Ja, das will ich, nicht-betriebliche Familien-gefühle fühlen und darin völlig aufgehen. Mich gehen lassen, mich GANZ HINGEBEN.

Rolli: Ja, tu das!

Susanne: ABER WAS BIN ICH DANN!? EINE BEKLOPPTE FÜHLEN-DE HAUSFRAU!

Anja: Ja, tu das!

Susanne: ICH WILL MICH GANZ HINGEBEN! *(ins Publikum)* DIR UND DIR UND DIR UND DIR! UND UNEFFEKTIVE LIEBE FÜHLEN!

Anja: Uneffective love. Unaffektierte Liebe. Und das wars dann!

Susanne: Affektierter Emotionsmüll!

Rolli: *(auf Rollschuhen)* Ich muss noch 'n bisschen rumfahren und Geld verdienen.

Susanne: Ja, fahr 'n bisschen rum.

Anja: Ich auch. Ich muss auch noch ein bisschen rumfahrn.

Susanne: Du bist keine Mietwagenhostess. Du hast keine Rollschuhe an.

Anja: Na und, aber das hier sind Mietwagen, dann fahr ich eben in 'nem Mietwagen ein bisschen rum.

Susanne: Ja, fahr in 'nem Mietwagen rum, auf 'nem Mietwagenparkplatz. Von mir aus! VON MIR AUS!

Anja: Wohin soll ich denn sonst fahrn? Da GIBT ES KEINEN ORT MEHR, AN DEN ICH FAHREN KANN! Also fahr ich eben auf 'nem Mietwagenparkplatz ein BISSCHEN RUM! ICH BIN SO VERZWEIFELT!

Susanne: Erlebniswelten.

Anja: Ich muss so viel rumfahrn auf Mietwagenparkplätzen, da leih ich mir eben ein Auto. Ich hab ja keins.

Susanne: Leute fahren auf Mietwagenparkplätzen rum oder in Autosalons oder Kinos und sehen sich Filme an. Das ist statisches In-der-Gegenwart-Leben.

Anja: Fühle affektiertes Mutterglück.

Susanne: Ich empfinde jetzt affektiertes Mutterglück. Aber es ist wenigstens nicht mehr virtuell an meinem Arbeitsplatz zu Hause, sondern wirklich!

Anja: Effektive betriebliche Liebe!

Susanne: ICH KRIEG MICH SCHON WIEDER IN DEN GRIFF, IHR WERDET SCHON SEHN!!

Rolli: Ja, gut.

Anja: Mach schon.

Susanne: Ich sitze an meinem Schreibtisch in dieser Firma und bringe virtuell mein Baby ins Bett, mit der Hilfe eines Babysitters, weil ich irgendwie genug Geld habe, man braucht irgendwie Geld. Ich sitze am Strand im Urlaub und schreibe E-Mails an meine Kolleginnen, aber die E-Mails haben nichts mit dem BETRIEB zu tun. Ich schreibe ihnen nur, dass ich an sie denke, und zwar DIE GANZE ZEIT!! Ja, gut, ich bin irgendwie freundlich, aber ich hatte das Gefühl, irgendwas an der Situation musste SICH ÄNDERN!

Rolli: Ändere dich, Situation!

(Clip:)

Susanne: Ja, gut, wir können keine Beziehung führn, wir

sind dauernd irgendwo anders. Wir sind nicht zu Hause. Wir sind so eine Art Telearbeitguerilla und leben in Beat-Suite-Hotels. Wir können noch nicht mal mehr mit Leuten, die man dafür bezahlt, eine Beziehung führn, weil die auch dauernd in der Welt herumspeeden.

Rolli: SPEEDJOBS!

Susanne: Sie sehen uns aus erschöpften Augen an und sind nicht bei der Sache. Die sind auch nicht zu Hause.

Anja: GIBT ES DENN KEINE VERDAMMTE BEZAHLTE LIEBE MEHR MIT EINEM STANDORT?

Susanne: Die gabs doch immer? Und plötzlich sind die alle unterwegs. Sie sind alle bei der Telearbeitguerilla und führen ein Partisanenleben. Prekäre Partisanenverhältnisse. Sie rasen in der Welt herum in prekären Arbeitsverhältnissen, und wir kriegen keine Liebe mehr.

HH winkt Autos ein. Nachlässig. So genannte Drecksclips.

Während:

Susanne: Emotionen sind so wichtig ... verdammt wichtig! Mit Emotionen können wir haushalten, wir können sie ausgeben, sie sind ein ziemlich gutes Tauschgeschäft. Wir können sie vermieten und verkaufen, wir können einfach alles damit machen. Emotionen sind so etwas wie Gold! GOLD! JA GOLD! Emotionen sind business. Und einfach einfach nur emotional zu sein ist irgendwo ganz toll. Wirklich. Ihr müsst es einfach nur probieren. Es bringt so viel Geld ein. Oder wir können mit Emotionen einfach nur ein guter Müllwagenfahrer sein. Heidi Hoh wollte immer ein guter Müllwagenfahrer sein.

Rolli: Ja, das will ich! Ich will ein guter Müllwagenfahrer sein. Und ich will in keinem verrückten Friseursalon oder als Mietwagenhostess arbeiten, ich will einfach nur einen Müllwagen fahrn ... So was wie das hier. Diesen Mietmüllwagen. Ich will diesen Mietmüllwagen fahrn.

Susanne: Ja, fahr einen Mietmüllwagen, du Stück Scheiße. Fahr damit bei Avis rum.

Rolli fährt rum.

Anja: Alle wollen immer nur nach oben. Will hier nicht jemand mal nach unten? Ganz runter! Alle wollen immer nur ganz oben Karriere machen. Will hier nicht mal jemand da unten Karriere machen? Das müsste sich nur irgendwie rumsprechen, dass es da unten auch eine Karriere gibt. Das bräuchte nur irgendwie mehr Öffentlichkeit. Dass es da unten auch eine Karriere gibt. Nicht nur in der Hochtechnologie. Auch in der Tieftechnologie. Da gibt es eine Karriere für uns alle in der Tieftechnologie! Wir sind alle Tieftechnologen. Aber wollen wir da drin auch Karriere machen? Das sollten wir aber besser wollen. Denn wir alle landen irgendwann mal in der TIEFTECHNOLOGIE! DA LANDEN WIR ALLE! IN DER TIEFTECHNOLOGIE! HOCH LEBE DIE TIEFTECHNOLOGIE! WIR MÜSSEN SIE NUR AUFWERTEN! DAS HIER IST EINE MESSE FÜR TIEFTECHNOLOGIE!

Clipende

Anja: Erst liebst du und dann versuchst du die Liebe zu organisieren, wie du dein Leben organisieren willst, und dann stellst du fest, die Liebe hat überhaupt nichts mit dem Leben zu tun. Und das geht gar nicht, das kann man irgendwie nicht organisiern.

Rolli: Bürgerliche Formate.

Anja: Ja, gut, aber sonst nicht. Und all die Räume, in denen dein Leben organisiert ist, und von mir aus auch nicht mehr klar zu unterscheiden ist, wo die Räume anfangen und wo sie aufhören, und abgesehen davon, dass die Liebe als heterosexuelles Zwangsregime in bürgerlichen Formaten organisiert ist, DU KANNST IN ALL DIESEN RÄUMEN ABSOLUT NICHTS MIT DER LIEBE ANFANGEN! Aber da muss es doch etwas geben, wo man es sich schön machen kann.

Rolli: Du kannst es dir hier nirgendwo schön machen. DAS GEHT ÜBERHAUPT NICHT!

Susanne: Da wo es nicht schön ist, kannst dus dir AUCH NICHT SCHÖN MACHEN. DAS GEHT EINFACH NICHT.

Rolli: Schon gar nicht ZU HAUSE!

Anja: Aber in meinem Herzen, da ist es schön. Und da kann ich es mir doch wohl noch SCHÖN MACHEN!

Susanne: In deinem Herzen überlebten nur bürgerliche Lebensstile, da kannst du es dir vielleicht schön machen, DU FICKSAU! Du bist zwanghaft heterosexuell in deinem Herzen, und da kannst du es dir schon überhaupt nicht schön machen, DU FICKSAU!

Rolli: Vielleicht richtet die Liebe irgendein heterosexuelles Zwangsregime ein in deinem Herzen, und das lebst du dann.

Anja: Ich lebe Zwangsregime. Bürgerliche Lebensstile.

Susanne: All diese Räume haben nichts, womit du die Liebe organisieren könntest.

Rolli: Ich wünschte, ich wäre eine Puppe, und diese beschissene Welt würde zwischen meinen Plastiklidern ZERPLATZEN, wenn mich jemand in meine beknackte Verpackung legt oder in einen Schuhkarton und auf den Müll wirft.

Anja: Ja, das wissen ja jetzt alle. Was du sein willst. Das wissen ja jetzt alle. Dann mach auch was draus! DAS WISSEN JA JETZT ALLE! Und ich, was soll ich machen. Ich bin so verzweifelt. Ich fühle nur Verzweiflung. Ich kann machen, was ich will, ich betrete irgendeinen Raum, und da ist immer schon Verzweiflung! Und diese Räume der Verzweiflung, die kann ich einfach nicht organisiern.

Rolli: Was denn?

Susanne: Organisiere Räume der Verzweiflung!

Anja: Das Leben, die Liebe, meine Arbeit, das ist alles mit zu viel Aufwand verbunden.

Susanne: Du kannst deine Lebensentwürfe nicht nach der Liebe richten.

Rolli: Warum nicht?

Anja: ICH WILL MEINE LEBENSENTWÜRFE NACH DER LIEBE RICHTEN! SONST WEISS ICH EINFACH NICHT, NACH WAS SONST!

Susanne: Du kannst dein Leben nicht nach der Liebe richten. Das ist einfach zu irrational.

Rolli: Arbeit ist irrational.

Susanne: Die Arbeitswelt ist irrational.

Anja: ICH WILL MEIN LEBEN NACH DER LIEBE RICHTEN. ICH WEISS SONST EINFACH NICHT, NACH WAS SONST!

Rolli: Du kannst dein Leben nicht nach deiner Arbeit richten. Das ist einfach zu irrational.

Susanne: Global working beauties.

Anja: BEZAHLTE LIEBE OHNE STANDORT!

Anja: Sex ist Scheißarbeit.
Rolli: Und wird in Nachtclubs von Migranten erledigt.

Susanne: Diese Leute erledigen all diese speedjobs und machen Motels aus ihren Gesichtern.

Anja: Plastic surgery.

Susanne: Dein Gesicht ist ein Hotel, Liebling.

Anja: Schatzi-Cyborgs.

Rolli: Leute nehmen speed in ihrer Freizeit oder an ihrem Arbeitsplatz, und ich, ich kann gar nicht mehr unterscheiden, was ist Freizeit und was ist Arbeit, und auch meine Kunden nicht. Ich nehm einfach immer speed.

Anja: Gib immer speed.

Susanne: Geil, Dualismus aufgehoben.

Anja: Dein Leben ist nicht mehr in Arbeit und Freizeit organisiert.

Susanne: Und du nimmst speed durchgehend.

Anja: Deine Kunden bieten dir speed an.

Susanne: Und speedjobs.

Rolli: Kämpfe gegen prekäre Partisanenverhältnisse!

Susanne: Für einen SONNIGEN LEBENSSTIL!

Anja: Du stehst auf diesem AVIS-Parkplatz mit deinem Körpercomputer ...

Susanne: Und du stöpselst dich ein ...

Anja: Und du willst irgendwo im Netz sein ...

Susanne: Ja, gut, aber ab jetzt gibts nur noch Scheiß-adressen.

Rolli: ICH WILL KEINE SCHEISSADRESSE! ICH WILL KEINE SCHEISSADRESSE IM WORLD WIDE WEB! ICH HAB HIER EINE SCHEISSADRESSE. ICH WILL NICHT AUCH NOCH EINE IM NETZ!

Anja: DEINE VERZWEIFLUNG HAT EINE SCHEISSADRESSE!

Rolli: Aber die WILL ICH NICHT!

Susanne: Aber ab jetzt gibts nur noch Scheißadressen.

Anja: DaimlerChrysler hat eine Scheißadresse. Daim-lerChrysler.

Rolli: Die haben sie nicht. DaimlerChrysler hat keine Scheißadresse.

Susanne: Webadressen-Immobilie.

Rolli: Ja, gut, aber ich bin darauf angewiesen, dass die Freier Internetzugang haben, sonst kann ich die GANZE SCHEISSE NÄMLICH NICHT ORGANISIERN. Ich bin näm-lich nur noch unterwegs. Ich liege dauernd in irgend-welchen Betten oder fahr Hochhäuser rauf und runter, und da bin ich unterwegs.

Anja: Unterwegs in Betten.

Susanne: Alle hängen rum, aber keiner schläft mehr ein in seinem Bett.

Anja: Betten sind Orte erhöhter Wachsamkeit.

Rolli: Ich hab einen Scheißjob, ich brauch nicht auch noch eine SCHEISSADRESSE!

Susanne: Leute gingen in eine Bank. Mit Knarren, und da waren sie dann und wollten Geld erschießen, aber es wurden nur Gefühle verletzt und Festplatten. Da war überhaupt kein Wirklichkeitsraum mehr, eine Bank zum Beispiel. Da war nur noch Webadresse.
Anja: Kaufrausch braucht Webadresse.

Rolli: Ich will ins Internet.

Susanne: Aber ab jetzt gibts nur noch Scheißadressen.

Rolli: Na gut, dann leb ich eben mit einer Scheißadresse im Netz, das tun so viel Leute, mit einer Scheißadresse wohnen. Dann leb ich eben in den SLUMS IM NETZ.

Susanne: World wide web-slums.

Rolli: Da gibt es endlich eine scheiß-virtuelle Welt, und ich leb wieder nur in der Scheiße. ICH HALTS NICHT AUS!

Anja: Und all die Wirklichkeitsräume, nach denen du suchst ...

Susanne: Sind Räume, in denen du einfach nur gefickt wirst.

Rolli: Ich werde von einem Wirklichkeitsraum gefickt, und das ist die verdammte DEUTSCHE BANK!

Anja: Und jemand wollte eine Bank überfallen, aber es wurden nur Gefühle verletzt und Festplatten.

Rolli: VERDAMMTE SCHEISSE!

Anja: Kein Geld.

Rolli: Geld wurde nicht verletzt. Nur Gefühle und Festplatten.

Susanne: Ja, gut, aber global exchange heißt eine Men-
schenrechtsorganisation, und das bedeutet nicht, dass
Pizzaleute oder Leute von der Post, die dir Amazon-
Bookshit bringen, ihre Identitäten tauschen.

Anja: Sondern dass ganze Staaten ihre Identitäten tauschen.

Susanne: Wenn Afrika seine Identität tauscht im Netz
mit den Vereinigten Staaten, das wär doch irgendwie
was.

Rolli: USA ist Afrika im Netz.

Susanne: Wir machen USA zu Afrika im Netz. Mit digitalen Stalinorgeln.

Anja: Mach USA zu Afrika.

Susanne: Diese Hure hat eine Scheißwebadresse.

Rolli: Ich hab irgendwas geschluckt.

Susanne: Prekärtechnologie in Tablettenform.

Rolli: Und ich weiß nicht, was, und ich wünschte, jemand könnte jetzt die LSD-Sequenzen in meinem Kopf entschlüsseln.

Susanne: Entschlüssele die LSD-Sequenzen in ihrem Kopf!

Anja: NEIN, DAS MACH ICH NICHT! Entschlüssel ihn dir
selber, deinen Schlüssel zum Glück.

Rolli: In speedjobs.

Susanne: Dein Hirn ist ein Datenträger. DNS-Sequenzen. Webadressen.

Anja: Und jemand hat sie entschlüsselt, und jetzt gehören sie dem. Da ist nichts mehr auf deiner Festplatte, das dir gehört. Aber die Sequenzen in meinem Kopf müssen doch irgendwie mir gehörn.

Susanne: Dir gehören vielleicht die Frequenzen in deinem Kopf, die's nicht auf Platte gibt, aber dir gehören ganz bestimmt nicht die Sequenzen in deinem Kopf.

Rolli: Da ist nichts mehr AUF MEINER FESTPLATTE, DAS MIR GEHÖRT!

Anja: Und sie spielen immer nur die A-Seite, und nie tun sie den Scheiß umdrehn.

Susanne: Sie bewegt sich auf einen Schreiwettbewerb zu, während Beruhigungsmittel weiterhin gegen sie arbeiten.

Rolli: Ja, das tu ich. *(Rolli bewegt sich torkelnd voran)*

Susanne: Beweg dich auf einen Schreiwettbewerb zu.

Rolli: JA, DAS TU ICH!

Anja: ICH BEWEG MICH AUF EINEN SCHREIWETTBEWERB ZU, WÄHREND BERUHIGUNGSMITTEL WEITER GEGEN MICH ARBEITEN! ABER DAS MUSS DOCH ALLES ENDLICH MAL RAUS, DIESE UNERTRÄGLICHEN GEFÜHLE.

Susanne: Sie ist ein Emotionslink.

Anja: Ich weiß nicht, irgendwie liebst du mich heute nicht.

Rolli: Das tu ich doch, meine Sinnlichkeit ist nur manchmal an Kokain gekoppelt oder so was. Und das vermittelt mir den Eindruck, dass meine Sinnlichkeit nicht so zersplittert ist. Ich bin immer im selben Raum. Und da gibt es all die zersplitterten Leute. Ich liege eigentlich immer in irgendeinem Bett, oder ich stehe in irgendeinem Nachtclub rum. Na gut, das sind jetzt zwei Räume.

Anja: Keiner kann mehr schlafen. Entweder man arbeitet da, oder man macht was anderes, aber keiner schläft mehr ein in seinem Bett.

Rolli: Betten sind Orte erhöhter Wachsamkeit.

Susanne: Und das HALT ICH NICHT MEHR AUS!

Rolli: Büro-Suite-Hotel.

Anja: Ich will doch nur wissen, was das Leben ist und ob es eventuell an mir vorbeigehen könnte. Das wäre doch eine ziemliche Scheiße. Wenn es einfach so an mir vorbeigehen könnte, weil ich den Müll von Liebe nicht richtig ausgekostet hätte. Wenn ich sterben würde und denken könnte, dass der ganze Müll von Liebe einfach so an mir vorbeigegangen sein könnte.

Susanne: Da war ein Virus in der Datenverbindung. Zwischen zwei Computern oder Tausenden oder einer Milliarde.

Anja: Und eine Million Schweinenieren starben daran, die gestern transplantiert werden sollten.

Rolli: Schweinenieren, die starben.

Susanne: Dieser Computer kontrolliert alle Schweine-leber-Transplantationen auf diesem Planeten, und jetzt ist er ausgefallen.

Rolli: Schweineleberplanet.

Anja: Irgendein Virus hat die Transplantationen infiziert, und jetzt gibt es keine, jedenfalls nicht vor morgen früh.

Rolli: O SCHEISSE!

Susanne: Jemand soll sie bei E-Commerce-Dinsgda bestellen. Mit einer digitalen Stalinorgel.

Rolli: All diese Patienten müssen ohne Herz auskommen, weil irgendein verdammter Virus ihre Datenleitung blockiert hat.

Anja: Ich will OHNE HERZ AUSKOMMEN! JA BITTE!

Rolli: Gefühle können töten!

Susanne: Dieser Nachtclub ist eine Beat-Suite!

Anja: DIESER NACHTCLUB IST EINE BEAT-SUITE!

Susanne: Und da arbeitest du.

Anja: Ich arbeite in einem HOTEL ODER IN EINEM BÜRO ODER IN EINER BEAT-SUITE. KEINE AHNUNG!!

Susanne: Hotel California.

Rolli: Die Eagles schenkten sich gegenseitig Kettensägen und machten Müll aus Hotel California. Müll aus ihrer Suite und aus ihrem eigenen Lied!

Anja: Mach Müll aus diesem Lied!

Clip

Anja: Sex ist Scheißarbeit.

Susanne: Und wird in Nachtclubs von Migranten erledigt.

Rolli: Und mit Drogen überlebt. Speedjobs. Aber das kann es doch nicht sein.

Anja: Du darfst mich nicht verlassen, BITTE!

Rolli: HALTS MAUL!

Anja: Ich weiß nicht, was ich ohne dich machen soll.

Susanne: Nimm Drogen.

Rolli: Speedjob.

Anja: Wir sind alle so verzweifelt, und ich weiß nicht, wo das alles hinführen soll.

Susanne: WIR SIND ALLE SO VERZWEIFELT!

Anja: Irgendeinen Aktionsraum muss Verzweiflung doch haben. Dieses Zeug kann doch NICHT FÜR NICHTS GUT SEIN.

Susanne: Sei für nichts gut, Verzweiflung!

Anja: Irgendwas muss doch an Verzweiflung dran sein ...

Rolli: ES GIBT SO VERDAMMT VIEL DAVON!

Susanne: Verzweiflung sieht nur live wirklich gut aus.

Rolli: Ja, ich weiß. VERZWEIFLUNG SIEHT NUR LIVE WIRKLICH GUT AUS!

Anja: Dingsda sieht nur live wirklich gut aus!

Susanne: JA, ICH WEISS, DINGSDA SIEHT NUR LIVE WIRKLICH GUT AUS!

Anja: AKTIONSRÄUME SEHEN NUR LIVE WIRKLICH GUT AUS!

Rolli: AUKTIONSHÄUSER HÖREN SICH NUR LAUT IRGENDWIE GUT AN!

Anja: Ich will wieder zu Hause sein. Ich will nicht von dir besessen sein. Ich will die Leute lieben, die ich vorher geliebt habe. Meine Familie! Meine Kollegen!

Susanne: ICH WILL NUR NOCH MEINE KOLLEGEN LIEBEN!

Anja: Ich will nicht irgendwas lieben, das ich vorher nicht gekannt habe. Ich will nichts lieben, was einfach so daherkommt und mein Leben auf den Kopf stellt. ICH KANN DAS NICHT! I C H   K A N N   D A S   N I C H T !

Rolli: HALTS MAUL!

Anja: Ich werde dir hinterherreisen und dich lieben, bis du alt geworden bist, und dann werde ich mich UM-BRINGEN! DAS WERDE ICH MACHEN! ICH BRING MICH UM!

Rolli: Jetzt mach aber mal HALBLANG!

Susanne: Ich hab dein Passwort geknackt und erfahre jetzt, dass für dich WIDERLICHE DINGE KEIN PROBLEM SIND! Und das alles nur wegen GELD!

Rolli: Ja, gut, aber wer sagt, dass das mit dir nicht auch WIDERLICH IST? Das ist so widerlich! Du bist so ALT UND SO HÄSSLICH UND SO GEIZIG! DAS IST SO WIDER-LICH!

Anja: Abwertung von Sexarbeit.

Susanne: Weil ich dich FÜR DAS HIER bezahle, führt jeder Gedanke in die Irre, du könntest IRGENDWAS FÜR MICH EMPFINDEN!

Rolli: Aber ich liebe dich.

Anja: Jeder Gedanke führt in die Irre, und da denkt er dann. Jeder Gedanke ist immer NUR UM DICH!

Rolli: Ja, gut, ich weiß das. Was soll ich jetzt machen? TOT UMFALLEN, DU FICKSAU? Man bezahlt für so viele Dinge, die einen auch nicht zurücklieben.

Anja: MAN BEZAHLT FÜR SO VIELE DINGE, DIE EINEN AUCH NICHT ZURÜCKLIEBEN!

Rolli: Weißt du, da gibt es einfach ein paar Freier, die machen mir ANGST. Da weiß man einfach nicht, wie man es ihnen recht machen soll. Ist es jetzt gut abzuwarten, ob die anrufen, oder ruf ich an. Das MACHT MIR ANGST. ICH HAB EINFACH SOLCHE ANGST VOR DIR, WEIL ICH NICHT WEISS, WIE ICH'S DIR RECHT MACHEN SOLL! ICH HAB SOLCHE ANGST! RUF ICH JETZT AN ODER DIE?!

Susanne: Ja, gut, aber Angst ... da hab ich ganz andere Vorstellungen davon. Angst machen mir ganz andere Dinge. Schließlich geht es hier nur ums FICKEN!

Anja: Was soll ich denn noch sagen? Dass du aufhören sollst mit der Scheiße? Aber das will ich ja gar nicht. SONST KANN ICH DICH NICHT MEHR KAUFEN! Aber das muss ich. Das ist so toll, dass man dich kaufen kann.

Susanne: Ja, gut, du bist hierher gekommen, um zu surfen, und finanzierst dir deinen sonnigen Lebensstil damit, einen Computer durch die Gegend zu tragen. ABER

WAS FÜR EINEN SONNIGEN LEBENSSTIL? DU HAST ÜBERHAUPT KEIN LEBEN!

Rolli: UND DU?

Anja: Ich kann nichts dafür, wenn du mit deinem sexy Körper hier durch die Gegend fährst, dann KENN ICH MICH EINFACH NICHT MEHR AUS!

Rolli: WAS SOLL ICH DENN MACHEN? DA BIN ICH NUN MAL ANGESCHLOSSEN!

Anja: ICH FIND SO TOLL, DASS DU AUF DEN STRICH GEHST! Und immer, wenn ich dich bezahle, denke ich, ich arbeite gleichzeitig daran, dass wir uns nie mehr wiedersehen. DAS HALT ICH NICHT AUS! Dass ich an meinem eigenen UNTERGANG ARBEITE! Sieh uns doch an, wir sind so alt und so hässlich. Ich steh an der Spitze einer Internetfirma ...

Susanne: Und wir sind SO DICK!

Anja: ICH BIN VIEL ZU DICK! Ja, das weiß ich, aber ich hab einfach noch nichts gefunden, wie man abnehmen kann. Da gibt es all das gute Essen, und das macht mich so scharf. Und ich liebe es, von dir gefüttert zu werden.

Rolli: HALTS MAUL!

Anja: FÜTTERE MICH!

Susanne: Du hast gesagt, du liebst mich. War das jetzt reine Kundenfreundlichkeit? War das nur freundlich?

Anja: DU BIST SO VERDAMMT FREUNDLICH!

Rolli: UND SO WENIG VERLIEBT!

Susanne: Ja, das weiß ich ja. Aber bis jetzt hast du mich immer im Glauben gelassen, dass du mich liebst, und plötzlich lässt du mich immer im Glauben, dass du mich nicht liebst. SCHEISSMARKETING!

Anja: WOFÜR BEZAHL ICH DICH ÜBERHAUPT?!

Susanne: Ich kann von gar keiner Richtung her denken, was das überhaupt ist, unsere Liebe.

Anja: Ich meine, ich bin so total verliebt in dich, und dann, wenn wir uns sehn, drück ich dir Geld in die Hand. Das ist so surreal.

Susanne: Geld ist so surreal.

Rolli: GELD IST SO VERDAMMT REAL, DU FICKSAU! Bei dir dreht sich doch alles um Geld. Ich frage mich, warum du bei der Liebe plötzlich SO EIN PROBLEM DAMIT HAST!

Susanne: Ich weiß nicht mehr, was da alles los ist in mir und alles, ich krepiere fast, und ich drück dir Geld in die Hand.

Rolli: DANN HÖR AUF ZU KREPIEREN!

Anja: Ich weiß nicht, du, MIT DEINEM SCHEISSKOKSJOB, natürlich beruht das alles auf Ausbeutung. Aber die musst du doch nicht dauernd markiern, und deine schlechte Laune an mir AUSLASSEN!

Susanne: ICH KANN NICHT OHNE DICH LEBEN!

Rolli: DIE BLÖDE LIEBE!

Anja: ALLES IST GELD. JEDE UMARMUNG. Geld ist so ein wunderbares Medium für die Liebe, ich weiß, und damit ist Ausbeutung ganz klar markiert, wo es das nicht gibt, dass man bezahlt, aber schließlich BEUTEST DU AUCH MICH AUS!

Rolli: Aber du HAST GELD!

Susanne: Ja, gut, aber ich hab mehr Liebe als Geld!

Rolli: DAS GLAUB ICH NICHT!

Anja: Warum können wir nicht so über die Liebe reden wie über Geld?

Rolli: Aber das können wir ganz gut.

Susanne: Aber das WILL ICH NICHT!

Anja: Ich seh all diese Dinge jetzt mit anderen Augen, und Profit scheint ja irgendwie nicht sinnlos zu sein, und wenn du Profit machst mit meiner Liebe, dann ist die vielleicht auch nicht sinnlos. Ich hänge hier rum und liebe und wenigstens profitiert IRGENDJEMAND DA-VON. DAS MUSS VIELLEICHT GAR NICHT ICH SEIN!

Rolli: Ja, das bist NICHT DU!

Anja: Warum kann ich das NUR SO HABEN? Was bezahlen denn die andern für die Liebe? Ich bezahle und will gleichzeitig tot sein, da ist doch irgendwas NICHT RICHTIG!

Susanne: Bezahlen und sterben wollen, DAS KAUFHAUS DES TODES.

Anja: Es bewegt sich so viel, seit es da dich gibt. Ich bin auch schon ein bisschen schlanker geworden. Kuck mal!

Rolli: Das interessiert mich 'NEN SCHEISS!

Anja: Ich hab Geld in der Hand und strecke meine Arme nach dir aus und will gleichzeitig tot sein, da ist doch irgendwas NICHT RICHTIG!

Susanne: Ich bin im Moment so unkonzentriert. Alle schreien rum und ich kann mich nicht richtig konzentriern und dann merke ich, dass ich das bin, der da schreit, und ich KANN MICH NICHT KONZENTRIERN! DAS KANN DOCH KEIN DAUERZUSTAND SEIN!

Anja: Ich dachte, dass du mich in deiner Freizeit triffst. Ja, gut, ich geb dir Geld, trotzdem dachte ich, dass du mich IN DEINER FREIZEIT TRIFFST!

Rolli: Weißt du, in meiner Freizeit, da kann ich mir ganz andere Dinge vorstellen, als mit dir herumzuhängen. Da gibt es so viel Schönes auf der Welt.

Anja: Ja, gut, aber ich dachte, ich wäre was SCHÖNES.

Susanne: SCHREIWETTBEWERB DER LIEBE.

Anja: Irgendwas sieht nur live richtig gut aus, ich weiß nicht, nein, warte, doch ...

Susanne: Das Leben.

Rolli: Sieht nur live richtig gut aus.

Susanne: Dings sieht nur live richtig gut aus! Das Leben ...

Rolli: Sieht nur live nach was aus.

Anja: Deins vielleicht. Aber NICHT MEINS!

Rolli: Dingsda sieht nur live nach was aus.

Susanne: Das Leben.

Anja: MEINS NICHT! Ich halt es nicht aus. ICH HALT ES NICHT AUS.

Rolli: Was denn?

Susanne: Das da.

Rolli: Was hältst du nicht aus?

Anja: Dieses Scheißliebesleben. Ich halts einfach nicht mehr aus.

Susanne: Dann hab keins.

Rolli: Sie hat ein Liebesleben.

Susanne: Und das ist schwer zu organisiern.

Rolli: Und mit ziemlich viel Aufwand verbunden.

Susanne: Scheißleben sind mit Aufwand verbunden.

⎛‾‾‾‾‾‾‾‾‾‾‾⎞
Clip
⎝_____⎠

Susanne: Wir sind alle obdachlos. Wir wollen auch kein Zuhause. Wir stöpseln uns mit unseren notebooks irgendwo ein, und da arbeiten wir dann. Obdachlose Telearbeiter.

Rolli: Telearbeit-Guerilleros.

Susanne: Da sind Häuser und irgendwo da draußen ihre Bewohner.

Rolli: Ja, gut, aber ich will nicht zu Hause sein.

Susanne: Da ist ein Haus, das denken kann, und das reduziert dich auf deine Natur.

Anja: Smarthouse.

Susanne: Frauen in prekären Arbeitsverhältnissen.

Rolli: Ich will nicht auf meinen Naturalismus reduziert werden. Niemand sollte auf seinen Naturalismus reduziert werden. Ich will nicht zu Hause sein. Und von einem computergesteuerten Schaubühnen-smarthouse auf meinen Naturalismus reduziert werden.

Susanne: Dieser Nacht- oder Fickclub hier ist dein Zuhause, das kann nicht das Schlechteste sein.

Anja: Sei nicht das Schlechteste!

Rolli: Ich will, dass das Leben nicht das Schlechteste ist.

Susanne: Sei nicht das Schlechteste, Leben!

Anja: Tätowiere diese @-Generation als engagierte.

Rolli: Ich wollte einfach nur surfen in L.A., und jetzt lande ich in einem Nebenjob in diesem Stripclub.

Anja: Hier landen lauter Nebenjobs.

Rolli: Ich bestelle jetzt sechs Milliarden Bücher, ist das ETWA ZU VIEL VERLANGT?

Anja: Wenn das alles ist, was du vom Leben willst, bestelle sechs Milliarden Bücher.

Rolli: Ja, das ist es.

Susanne: Bestelle sechs Milliarden Bücher und sieh zu, wie online Häuser krepiern.

Anja: AOL-TIME-Warner-Mega-Deal-Dissidenten.

Rolli: Dieses House ist online und ich will zusehn, wie es krepiert.

Anja: Ja gut, mach das.

Susanne: Heule unter deinem Körpercomputer.

Rolli: Diese Fickgesellschaft lebt Dogma, und sie macht das, und das will ich nicht leben.

Susanne: Dann lebe Anti-Dogma. Dann mach das.

Rolli: Diese Fickgesellschaft lebt eine Messe, die widerliche Dinge hypt. Bürgerliche Lebensstile, aber die will ich nicht leben. Widerliche Dinge. Die will ich nicht leben.

Anja: Und immer wenn ich Leute in Scheißjobs sehe, denke ich, dass ich es eigentlich ganz gut getroffen habe.

Rolli: JA, GUT, HALTS MAUL!

Susanne: Ja, du hast es wirklich sehr gut getroffen. Mit deinem Scheißjob! Und jetzt mach ihn!

Susanne: Lauf zwischen Mietwagen herum!

Anja: HALTS MAUL! HALTS MAUL! HALTET ENDLICH EUER MAUL!

Rolli: JA, HALTET EUER MAUL! HALTET ALLE ENDLICH EUER MAUL!

Susanne: HALTS MAUL!

Anja: ICH KANNS NICHT MEHR HÖRN! HALT DEIN VERDAMMTES MAUL!

Rolli: HALT DEIN MAUL! HALT DEIN MAUL, DU FICKSAU!

Susanne: Schreioper.

Rolli: Schreioperbuhkonzert.

Anja: WIR SIND SO VERZWEIFELT!

Susanne: UND ZWAR ALLE ZUR GLEICHEN ZEIT!

Rolli: MAN SIEHT NORMALERWEISE NIE VERZWEIFELTE LEUTE, AUF DER STRASSE.

Susanne: ABER JETZT PLÖTZLICH.

Rolli: TOTAL VIELE MENSCHEN SIND VERZWEIFELT!

Anja: O DIESER ANBLICK VERZWEIFELTER MENSCHEN.

Susanne: UND ES GIBT SO VIELE VON IHNEN!

Anja: HALTS MAUL!

Susanne: HALTS MAUL!

Anja: TOYOTA!

Rolli: HALTS MAUL!

Susanne: AVIS

Anja: PARKPLATZ!

Susanne: FICKSAU!

Rolli: BEAT-SUITE!

Susanne: DAIMLER

Rolli: CHRYSLER!
Anja: TOYOTA!

Susanne: HALTS MAUL!

Rolli: KEINER KANN AUFHÖRN!

Susanne: HÖR AUF, FICKSAU!

Anja: HÖRT AUF, AUF MIR RUMZUHACKEN! JA, GUT, ICH KANNS
JA VERSTEHN! ICH BIN EBEN WAS, AUF DEM MAN GUT RUMHA-
CKEN KANN! ABER KÖNNT IHR NICHT ENDLICH AUFHÖRN DAMIT!

Rolli: HACKT NICHT AUF IHR RUM!

Susanne: HALTS MAUL!

Rolli: HALTET ENDLICH EUER VERDAMMTES MAUL!

Konec

Texte

WORLD WIDE WEB-SLUMS

LEBENDE SERIE IN SIEBEN FOLGEN

Die sieben Folgen von *world wide web-slums* wurden in der Spielzeit 2000/2001 im Rangfoyer des Deutschen Schauspielhauses uraufgeführt.

Drahos Kuba	**Bernd** Moss
Frank Olyphant	**Stefan** Merki
Gong Titelbaum	**Catrin** Striebeck
Ostern Weihnachten	**Caroline** Peters
Bladerunner	**Marlen** Diekhoff
Regie	René Pollesch
Bühne und Kostüme	Janina Audick / Tabea Braun

Personen

DRAHOS KUBA (Bernd)

FRANK ØLYPHANT (Stefan)

GONG TITELBAUM (Catrin)

OSTERN WEIHNACHTEN (Caroline)

BLADERUNNER (Marlen)

SOAPS SEHN NUR LIVE RICHTIG GUT AUS

Catrin: Verdammte Scheiße. Ich bin in einer Soap gelandet!

Es war einmal vor langer langer Zeit, da gab es Orte, die waren irgendwie nur Orte der VERELENDUNG. Und die nannte man die world wide web-slums. Und in diesem globalen Dorf der Verelendung arbeiteten auch Leute, aber da Arbeit irgendwie nur ein Zombie war, und schon lange tot, konnte man die surrealen Beschäftigungen, denen die Leute nachgingen, eigentlich keine Arbeit mehr nennen, sondern nur Scheißarbeit. Und niemand handelte mehr. Gehandelt wurde nur noch elektronisch. GEHANDELT WURDE NUR NOCH ELEKTRONISCH! Alle handelten nur noch elektronisch und tauschten Platten im Netz und hatten tragbare Computer und Displays unter ihrer Haut, so groß wie Kreditkarten. SO EINE SCHEISSE!

In dieser Zeit lebte auch Drahos Kuba, unter slumdächern aus notebooks. Und er glaubt, er arbeitet für eine coole Firma. Aber so was gibt es gar nicht, eine coole Firma. DAS GEHT EINFACH NICHT!

Ostern Weihnachten kam vor langer Zeit von irgendwoher

in die world wide web-slums, als Erwerbsarbeit das entscheidende Kriterium zur Bewertung der gesellschaftlichen Position war. Und Computer auf dem GIPFEL IHRER TRAGBARKEIT! Und die gaben ihr Befehle und so was. Dinge von A nach B zu bringen und SO WAS!

Caroline zeigt @-Zeichen.

Frank Olyphant arbeitet am Highend der Hochtechnologie und dreht DNS-Chips in die Kamera, weil die Medien die so gerne sehn, oder sie drehn sich in seinem notebook.

Gong Titelbaum lebt in einer sozialen Dimension irgendwo zu Hause, zwischen Kühlschränken, die einkaufen und selbständig durch das web surfen. Und das hält niemand aus, KÜHLSCHRÄNKEN BEIM SURFEN ZUZUSEHN!

Catrin: Ich war nur kurz einkaufen. Zu Hause. In meinem Bett. Und jetzt muss ich kurz raus mit den Tüten vom Deliveryservice und wieder rein, sonst hab ich DAS GEFÜHL, ICH KOMM ÜBERHAUPT NICHT MEHR UNTER LEUTE!

Bernd: Du bist zu Hause ...

Catrin: Ja, KANN SEIN!

Caroline: Und da ist dieses notebook auf deinem Bett.

Stefan: Und da drin tobt ein Krieg zwischen zwei shopping-Seiten und du liegst in deinem Bett neben deinem notebook und da bist du dann.

Bernd: On-line-shopping.

Stefan: Und du kaufst ein in deinem Bett und da sind Kaufhäuser und Cookies, die dich nicht schlafen lassen, und du bestellst all diese Scheiße und machst klingelnden UPS-Leuten die Tür auf.

Caroline: Und du gehst homeshoppen auf dieser shopping-Meile in deinem Bett und wirfst Stöckchen in Suchmaschinen.

Catrin: *(wirft das Yahoo-Kissen)* Such dieses Scheiß-kaufhaus!

Caroline: Such dieses SCHEISSKAUFHAUS!

Bernd: Du suchst dieses Buch irgendwo im Netz, oder diese Platte und irgendeine Suchmaschine bringt dich in ein KAUFHOUSE.

Stefan: Such den Scheiß.

Caroline: Und dann bestell ihn!

Catrin: Aber nicht alle, die auf der Suche sind, wollen EINKAUFEN! Das ist nun mal nicht so. Nicht alle Suchenden wollen EINKAUFEN!

Caroline: Doch, das ist so.

Stefan: Wir suchen nach einem Sinn im Leben und werfen Stöckchen in Suchmaschinen. Und was die uns anschleppen, hat nichts mit unserem LEBEN ZU TUN!

Bernd: Wir werfen irgendwas in Suchmaschinen, damit die stehn bleiben. Aber die funktionieren einfach nur noch besser, wenn du was reinwirfst. Das ist ja die SCHEISSE. Die funktionieren noch BESSER!

Catrin: Und wenn du zehn Billionen Anfragen in diese Suchmaschine wirfst, dann funktionieren die vielleicht nicht mehr besser.

Stefan: Hacker werfen zehn Billionen Stöckchen in Suchmaschinen.

Bernd: Mit digitalen Stalinorgeln.

Caroline: Und dann fliegt diese Suchmaschine in die Luft.

Bernd: Hacker kaufen ein und das ist irgendwie surreal.

Catrin: Ich will surreal einkaufen!

Stefan: Aber das tust du. Und Hacker tun das jetzt irgendwie auch.

Caroline: Und das ist alles ganz gemütlich da in deinem Bett oder vor deinem Kühlschrank, der durchs Netz surft oder wo immer du einkaufst.

Bernd: Obwohl Krieg herrscht zwischen Barnes and Noble und Amazon.

Stefan: Und das Kapital holt sich da bei dir zu Hause seine Sinnlichkeit ab!

Caroline: Hol dir deine SINNLICHKEIT AB, KAPITAL!

Bernd: Das Kapital wirkt so sinnlich, da bei dir zu Hause.

Caroline: Und du kuckst in virtuelle Einkaufswagen. Und irgendwie ist das alles sehr surreal.

Stefan: Du bist zu Hause oder in einem Kaufhouse und alles wirkt so SINNLICH!

Caroline: Aber nicht alle, die auf der Suche sind, wollen EINKAUFEN!

Bernd: Da gibt es auch eine Suche nach irgendwas anderem, nach einem Forum oder Newsgruppen, da ist nicht

nur die Suche nach musikalischem Informationsaustausch!
Napster und so was.

Caroline: Sondern auch der Austausch zwischen Informationen, die nicht rhythmisch sind.

Stefan: Unrhythmische Informationen.

Catrin: Sei nicht rhythmisch, Information!

Caroline: Napster this!

Catrin: UND JETZT SUCH DIE SCHEISSE!

(Clip)

Das Yahoo-Kissen wird reihum geworfen, landet bei Catrin im Schlafsack, sie legt ihren Kopf drauf in ihrem Schlafsack und merkt, dass sie irgendwie nicht schlafen kann, holt Platten aus ihrem Schlafsack und schüttelt ihn aus, Popcorn kommt raus.

Caroline: Du bist in den slums und ...

Stefan: Da sind Hütten aus notebooks und ...

Catrin: Ich bin schwer besorgt über den Kapitalismus im Netz. ICH BIN SCHWER BESORGT ÜBER DEN KAPITALISMUS HIER DRINNEN! Ja, das BIN ich. *(ein Computer /Packung/ wird mit dem Baseball/Cricketschläger bearbeitet)* Der ist irgendwie hier drin und den krieg ich nicht mehr raus.

Bernd: KEINER KRIEGT DAS KAPITAL RAUS.

Caroline: Von mir aus!

Catrin: Hier drin sind irgendwie zwei Billionen Seiten, die die Demokratie verachten. JA, GUT, DAS IST SCHON

MAL NICHT SCHLECHT. Da drin tobt ein Krieg zwischen zwei shopping-Seiten und ich will nicht IN DIESES HAUS REIN!

Bernd: Sie will nicht in dieses Haus rein.

Catrin: *(zeigt auf das «Haus»)* Ich weiß nicht, was ich da drin eigentlich noch machen soll. Da drin gibt es eigentlich nichts, was man machen kann. Da drin gibt ES NICHTS! Das da ist nur ein Haus und da ist ÜBERHAUPT NICHTS DRIN! Da ist nur eine soziale Dimension, in der man einfach nichts produzieren kann. Da drin gibt es keine Produktion und da will ich auch nichts mehr machen. *(tritt gegen das «Haus»)*

Stefan: Haus ohne Produktion.

Bernd: Und da wird einfach nichts mehr gemacht.

Catrin: Da drinnen. Alles, was da drinnen gemacht wird, das kann ich auch hier draußen machen.

Caroline: Wer in dieser Gesellschaft seine Arbeitskraft nicht verkaufen kann, ist irgendwie überflüssig.

Catrin: Aber der Verkauf deiner Arbeitskraft ist nicht sehr AUSSICHTSREICH in dieser elektronischen Revolution, die von der Verwendung menschlicher Arbeitskraft irgendwie abgekoppelt ist.

Caroline: Du bist irgendwo in der Wüste und du liegst unter ...

Stefan: ... Hütten aus notebooks.

Bernd: Und da wächst ein slum, um dich herum.

Catrin: AAAAHHHHH!

Stefan: Wo sind wir hier?

Catrin: Voodoo-Lounge. Soaphouse.

Bernd: Und diese lounge hier ist ein SLUM!

Caroline: VOODOO-SLUM!

Catrin: Ich will zu Hause nichts mehr fühlen. Das wird einfach nicht bezahlt. Und ich will einfach nichts mehr machen zu Hause, WAS NICHT BEZAHLT WIRD!

Stefan: Die soziale Dimension da wird nicht bezahlt.

Bernd: In diesem Haus wird nichts produziert, da wird nur eine soziale Dimension reproduziert.

Stefan: Produziere was, soziale Dimension!

Catrin: Aber das GEHT NICHT!

Caroline: Da gibt es nur noch eine Produktion von Reichtum und die findet nicht in deinem Haus statt.

Catrin: Und da will ich auch NICHT MEHR REIN! ICH WILL NICHT MEHR IN DIESES HAUS REIN! Ich will da drin nicht mehr arbeiten. Allerdings komm ich mir da draußen auf dem Arbeitsmarkt, zum Beispiel in Top-Positionen von Handelsbanken oder so was so DEPLATZIERT VOR! Irgendwie gibt es da eine Atmosphäre, in der heterosexuelle Schwänze ziemlich hoch bewertet werden. Und weil die Chancen, es da irgendwie als Frau zu schaffen, mit so was wie einem «Schwanz ehrenhalber» *(Anführungszeichen als Geste)*, relativ gering sind, komm ich mir so DEPLATZIERT VOR. Auf diesem Arbeitsmarkt. Die software in diesem «denkenden» Haus von Panasonic stellt dich vor einen Kühlschrank und da surfst du und plötzlich bist du überall so deplatziert, nur da nicht. Und warum fühle ich

mich da drin nicht DEPLATZIERT? Mit den Kindern und all
dem SCHEISS! Sondern nur hier draußen IN DIESEM VERFICK-
TEN LEBEN ODER VERFICKTEN MARKT ODER SO WAS! Da bin ich
so deplatziert! Ich bin hier draußen so deplatziert,
aber ich will da auch nicht mehr rein. Ich WILL NICHT IN
DIESES HAUS REIN! Und ich will auch nicht mehr raus. Das
ist doch irgendwie irreal. DAS IST SO SCHEISSIRREAL! Und
so SCHEISSUNMÖGLICH! Ich will nicht draußen und nicht
DRINNEN SEIN! Alle Frauen sind irgendwie Stewardessen.
Kann das denn sein? KANN DAS DENN SEIN?!

Clip

Stefan: Du arbeitest zu Hause und ...

Caroline: Die Ökonomie hier drinnen würdigt nicht die
Scheißarbeit in deinem Gesicht.

Bernd: ... das deine Kinder in den Schlaf wiegt oder
kotzenden Flugpassagieren zulächelt, doch irgendwie da
schon, in Flugzeugen, aber nicht zu Hause, wenn dein
Gesicht zu Hause arbeitet, wird es von der Ökonomie
einfach nicht gewürdigt. Da ist es dann bloß.

Catrin: Mein nettes Gesicht wird nur in Flugzeugen ge-
würdigt.

Stefan: Und deshalb wird da auch oft reingeschlagen, in
die Arbeit in deinem Gesicht, zu Hause.

Caroline: Das Zuhause ist kein freundlicher Ort.

Catrin: Aber Gesichter sind doch nicht nur Geschäftsformen, da muss es doch mehr geben.

Bernd: Dein Gesicht ist eine Geschäftsform, Baby.

Catrin: Aber da muss es doch mehr geben in meinem Gesicht als Ökonomie. Was ist denn mit Gefühlen, die einfach so da sind, deregulierte Gefühle? Was ist denn mit denen?

Caroline: Deine soziale Dimension ist deplatziert in deinem Gesicht.

Bernd: Besonders beim Pokerspiel auf diesem Arbeitsmarkt.

Stefan: Und deshalb bist du da so deplatziert.

Catrin: ICH BIN KEINE SOZIALE DIMENSION IN DIESEM HAUS! ICH KANN AUCH WAS PRODUZIEREN.

Bernd: Produziere was, soziale Dimension!

Caroline: Oder mich verweigern.

Catrin: Aber das geht nicht. Als soziale Dimension kann ich nichts produziern. Ich erfülle hier nur irgendein Konzept von Entwicklungsarbeit. Ich bin irgendwie nett zu meinen Kindern und seh ihnen beim Aufwachsen zu und mache außerökonomische Arbeit! Und jetzt will ich lieber was hier draußen produziern.

Stefan: Du bist eine Dimension in diesem Haus. Und die ist EBEN SOZIAL, DU MISTSTÜCK. Das heißt, du arbeitest hier, oder du lebst eine soziale Dimension in diesem Haus.

Catrin: Warum bin ich zu Hause nicht DEPLATZIERT!!!!?!

Stefan: SEI DEPLATZIERT ZU HAUSE!

Catrin: WARUM BIN ICH DAS NICHT?

Bernd: Das bist du nicht.

Catrin: Ja, gut, aber ich will keine Hoffnungsträgerin sein in sozialen Krisensituationen. Ich versteh irgendwie nicht in dieser ganzen Wirtschaftstheorie, warum Frauen mehr unbezahlte Arbeit leisten als MÄNNER! Alles Soziale wird von Frauen erledigt. Und die ganze Ökonomie von Männern. Und das halt ich nicht aus.

Caroline: Männer erledigen die Ökonomie. *(strengt den Bizeps an, zeigt ihr @-Zeichen)*

Catrin: Du trägst diesen Computer auf deiner Haut.

Bernd: Und du arbeitest in Dienstleistungsjobs.

Stefan: Und du siehst aus wie ein notebook.

Caroline: Ja, genau.

Catrin: Und dieses Display sieht aus wie eine Tätowierung.

Musik Anfang Nobody 1/1

Caroline: JA GUT!

Clip:

Caroline zeigt Bizeps mit @-Zeichen drauf.

Caroline: Ein Computer ist kein Schreibtisch, sondern irgendwas zum Anziehn oder Unter-die-Haut-transplantiern.

Bernd: DAS IST EBEN SO.

Caroline: Dieser Computer ist dein unauffälliger Begleiter. Und KEIN SCHREIBTISCH. Normalerweise lassen dich Computer allein, wenn du unterwegs bist. Und auch diese

Dingsdas, notebooks sind irgendwie ziemlich schwer zu tragen. Das sind irgendwelche Shopping-Center, die so schwer sind wie volle Einkaufstüten. Ja, gut, du kannst Hütten damit baun, aus notebooks, aber wenn du unterwegs bist, sind sie ziemlich schwer. Und jetzt trägst du eben diese Computer, auf dem GIPFEL IHRER TRAGBARKEIT! Und du arbeitest in irgendeinem Dienstleistungsjob. Und da ist ALL DAS ZEUG AN DIR DRAN! Und dieses Funkmodem und diesen Handscanner und diesen Thermodrucker und du bist an eine unsichtbare Zentrale angeschlossen.

Bernd: Sind wir das nicht ALLE?! DA SIND ALL DIESE COMPUTER AN MIR DRAN, VERDAMMTE SCHEISSE!

Caroline: Und du trägst sie mit dir rum, und die sagen dir, was du zu tun hast. Dein gelehriger Körper sagt dir, was du zu tun hast. Aber ich bin doch nicht irgendein SCHEISSSKLAVE. Das BIN ICH DOCH NICHT! Was ist erst, wenn die Dinge so intelligent sind, dass sie per Funkmodem alle notwendigen Daten selbst übermitteln können? Pakete oder Mietwagen oder Dingsda. Ja, gut, das wär irgendwie Scheiße, aber noch bin ich billiger. Aber ist das denn der Sinn von dem ganzen, unserem Leben und so was, dass wir NOCH BILLIGER SIND? Noch billiger als was denn? Da ist doch gar nichts mehr. *(baut sich vor den Leuten auf)* ICH BIN SO BILLIG! ICH HALTS NICHT AUS! Vielleicht gibt es Arbeit gar nicht, wenn wir nur Sachen durch die Gegend tragen, die intelligenter funken als wir. Vielleicht gibt es sie dann überhaupt nicht.

Stefan: FUNKLE INTELLIGENTER!

Caroline: ES GIBT KEINE ARBEIT! All diese Displays funkeln und denken und wir laufen nur durch die Gegend wie HIRNLOSE LEMMINGE!

Bernd: LAUF HIRNLOS DURCH DIE GEGEND!

Caroline: WIR LAUFEN AUF EINEN A B G R U N D ZU WIE HIRNLOSE LEMMINGE! Und wir kriegen unsere Anweisungen über den COMPUTER! Und ich hab all das Zeug an mir dran! ICH HALTS NICHT AUS! So will ich einfach nicht LEBEN! Meinen Arbeitsplatz dauernd mit mir rumzuschleppen. Das kann es irgendwie nicht sein. Dass ich mein eigenes notebook bin. Ich kann MIT MIR NICHT ARBEITEN!

(Clipende)

Stefan: Diese Computer, die du mit dir rumträgst wie Kreditkarten, bessern deine Realität auf, in der deine Wirklichkeit mit irgendeinem virtuellen Datenraum gemixt wird.

Caroline: AAHHHHH!

Catrin: Und diese aufgebesserte Realität gibt dir irgendwie Anweisungen und du kannst Dinge reparieren, die du vorher noch nie gesehen hast.

Bernd: Du reparierst Dinge, die du nie zu sehen bekommst.

Caroline: O JA, BITTE!

Stefan: Und der Computer, den du mit dir herumträgst, gibt dir Befehle.

Caroline: Und das macht mich so EFFIZIENT!

Stefan: Ungelernte Arbeitskräfte reparieren komplizierte Maschinen.

Caroline: Das ist doch toll. ICH KANN ÜBERHAUPT NICHTS UND REPARIERE KOMPLIZIERTE MASCHINEN! ICH HALTS NICHT AUS!

Catrin: Ja, gut, halts aus und HALTS MAUL! Du kannst nichts und Computer bessern deine Realität auf, aber das kannst du auch mit Drogen haben. Herumsitzen und deine Realität aufbessern, aber kein verfickter Konzern verwandelt dabei DEINE ARBEITSKRAFT IN KAPITAL! Du kannst Drogen nehmen und nutzlos herumhängen und der eigene Unternehmer deines Highseins sein.

Stefan: Deine Realität wird aufgebessert und du hast selber was davon.

Bernd: Das ist doch auch was.

Catrin: Nimm dieses Zeug und bessere deine Realität auf!

Bernd: Upgrade deine Realität. *(wirft was ein)*

Caroline: Da ist dieser Computer, der so groß ist wie eine KREDITKARTE, und dieser Mix aus Wirklichkeits- und Datenraum, den ich nicht sehe, ist mein Arbeitsplatz! Das kann doch nicht sein.

Catrin: Doch. So ist es.

Bernd: Diese Drogen sind mein Arbeitsplatz. *(wirft ein)*

Stefan: Und deshalb ist es so unglaublich schwer, nach Wirklichkeitsräumen zu suchen, und nach einem politischen Verhältnis zu ihnen.

Catrin: Wirklichkeit kommt nur noch als Mix vor.

Bernd: Und du brauchst ein politisches Verhältnis zu deinem Datenraum.

Caroline: Irgendeine sonderbare Mischung aus Sichtbarem und Unsichtbarem ist mein Arbeitsplatz? VERDAMMTE SCHEISSE!

Stefan: Ja, genau.

Catrin: Nimm DROGEN!

Caroline: In dieser Voodoo-Lounge.

(*Clip*)

Mit Kamera wird gefilmt, wie Catrin auf Carolines Ge-
sicht eine Linie zieht. Und sie sich dann durch die
Nase zieht. Sehr zärtliche Szene.

Stefan: Die Technologiebranche beschäftigt sich mit dem
Zuhause.

Bernd: Und Zuhause ist Zuwachsbranche.

Caroline: Und da gibt es Kühlschränke mit Displays, die
einkaufen, und Leute von UPS, die dir das Zeug bringen.

Bernd: Und du kannst mit deinem Kühlschrank durchs Internet surfen.

Stefan: Denkende Kühlschränke.

Bernd: Und diese Kühlschränke mixen deinen Wirklich-
keits- und irgendeinen Datenraum und das ist dann auch
nur wieder eine soziale Dimension.

Caroline: Die Dimension deines Datenraums hat irgendwie nur mit Haushalt zu tun. Und Kochrezepten und so'n
Scheiß.

Bernd: Kuck Pornos auf dem Display an deinem Kühlschrank!

Catrin: Ja, das würd ich ja gerne, aber dieser Scheiß-
kühlschrank kauft immer nur Scheißfilme ein. Wie kann

denn das sein? Dass mein Datenraum auch nur wieder eine soziale Dimension ist. WIE KANN DAS DENN SEIN?

Caroline: Du bist zu Hause und ...

Stefan: Zuhause ist Zuwachsbranche.

Catrin: Ja, gut für Technologie vielleicht, für Alltagstechnologie, aber nicht für diese BEKNACKTE HAUS-ARBEIT! DAS KANN NICHT SEIN!

Caroline: Hausarbeit ist Zuwachsbranche.

Catrin: Nein. NEIN! Arbeit ist einfach keine Zuwachsbranche. Es wird nur noch elektronisch gehandelt, überall da draußen und hier drinnen, überall. Wie könnte Arbeit dann Zuwachsbranche sein? WIE DENN?

Stefan: Soziale unbezahlte Arbeit ist Zuwachsbranche.

Bernd: Aber vielleicht ist Scheißarbeit Zuwachsbranche und dazu gehört auch deine verfickte Hausarbeit.

Caroline: Scheißarbeit ist Zuwachsbranche.

Catrin: Aber wie kann denn dieser Scheiß hier Zuwachsbranche sein? Dass ich an diesem Kühlschrank stehe und Sachen bestelle und auf irgendwelche Displays tippe und Leute mit Displays unter der Haut stehn dann vor meiner Haustür und klingeln und bringen sie mir und ich bin nur noch am AUSPACKEN! ICH PACKE NUR NOCH AUS! O GOTT! DIESE SCHEISSARBEIT IST ZUWACHSBRANCHE!!

Stefan: Und ich wünschte, die Leute von UPS hätten Verweigerungsstrategien und ein politisches Verhältnis zu ihrem Mix aus Wirklichkeits- und Datenraum und klingeln sozial unbeholfen an deiner Haustür und drücken dir irgendeine bestellte SCHEISS-GEBURTSTAGSTORTE INS GE-SICHT.

Caroline: AU JA.

Stefan: Du hast dir was gewünscht zu deinem Geburtstag.

Bernd: Und da gibt es plötzlich eine Demo oder einen Streik oder Verweigerungsstrategien oder wildes Wünschen von UPS-Leuten vor deiner Haustür.

Caroline: Dereguliertes Wünschen.

Bernd: UND DA WIRD WILD GEWÜNSCHT VOR DEINER HAUSTÜR.

Stefan: Und dein Gesicht ist ein soziales Display, das einkauft.

Bernd: Sei ein Display, Gesicht!

Stefan: Und da drücken sie dir dann deine Geburtstagstorte rein. Da kannst du dich noch so sehr freun oder freundlich sein. Das landet einfach DEREGULIERT IN DEINEM GESICHT.

Caroline: Dereguliertes soziales Verhalten. So fängt irgendwie der Aufstand an.

Catrin: MEIN GESICHT IST EIN DISPLAY, DAS EINKAUFT! Und das nennt man HAUSFRAU! ABER DAS BIN ICH NICHT!

Caroline: Habe Verweigerungsstrategien deinen Kindern gegenüber!

Catrin: Ja, gut, und ja wie denn?

Stefan: Etwas zwingt dich, so zu sein, wie du bist.

Catrin: So? Was denn? Da gibt es diesen Film «Faces» und da wollte ich nicht reinschlagen, sondern reingehn. Ich wollte mal wieder ins Kino. Und dann fragte ich

mich, was mir Gesichter eigentlich noch erzählen können. Du ziehst Kokslinien auf meinem Gesicht oder Display, oder mein Gesicht ist ein Display, auf dem sich
deregulierte Emotionen drehn. Und da ist auch irgendwo
eine soziale Dimension in meinem Gesicht, das in der
Dritten Welt oder zu Hause als «gute» Mutter arbeitet.
(Geste Anführungszeichen)

Bernd: In Faces reinschlagen.

Catrin: Nein, ich wollte REINGEHN! ICH WILL ENDLICH INS
KINO!

Stefan: Irgendjemand will in Gesichter reingehn oder
reinschlagen. Das ist irgendwie surreal.

Catrin: Das ist es nicht mehr, wenn du mir einfach nur
zuhören würdest. ICH WOLLTE INS KINO!

Caroline: Dieser Kühlschrank hat ein Display und du
hast auch eins.

Stefan: Du bist zu Hause ...

Bernd: Aber in dieser sozialen Dimension, die dein lächelndes Gesicht ist, kannst du einfach nichts produziern.

Caroline: Dereguliere dein Gesicht, Baby!

Bernd: Du arbeitest in Hochtechnologie-Jobs, Frank, und
du drehst diesen Chip in die Kamera.

Stefan: Ja, genau.

Caroline: Medien sind geil auf Bilder von Chips, auf
denen dein genetischer Code gespeichert ist. Und Frank
dreht sie in die Kamera.

Bernd: Medien sind geil auf Gentechnologie und dann machen sie Bilder von Chips und zeigen sie allen.

Catrin: Chips und Ficksoaps.

Caroline: Und in deinem notebook drehn sich DNS-Chips und eine Doppelhelix, Frank.

Stefan: Und die dreht sich da, in den world wide web-slums.

Bernd: Doppelhelix.

Catrin: Und das kann sich jeder ansehn in den slums, mit von Konzernen gesponserten Anschlüssen an die WELT.

Caroline: VERDAMMTE SCHEISSE!

Bernd: Dein Existenzminimum wurde entschlüsselt und im Internet veröffentlicht. Als Gensequenz.

Catrin: Und diese neue Besitzform definiert Leben als Kapital.

Caroline: Und das kann sich jetzt jeder ansehn. Und wie gesund man sein kann. Und wo die Fehler bei einem liegen. Such die Fehler bei dir selber! Konzerne sponsern dir Anschlüsse an die Welt, damit du die Fehler bei dir selber suchen kannst. NEIN, NIEMALS!

Bernd: Das ist doch ganz nett.

Catrin: Und über diesem Bauplan wird erwünschtes soziales Funktionieren vorgeschrieben. Aber ohne MICH!

Bernd: Du arbeitest in Bereichen am highend von Hochtechnologie und du liebst deinen Job, Frank.

Stefan: Ja, genau.

Catrin: Frank hat seinem Job einen heißen Antrag gemacht. Und jetzt liegt er bei ihm wie bei einem Geliebten. Und er campt auch da.

Caroline: Frank liegt bei seinem JOB WIE BEI EINER GELIEBTEN!

Bernd: Du liebst deinen Job und ...

Caroline: Der soziale Bereich von Männlichkeit ist die Vernunft.

Catrin: Und die ist eben eher in Laboratorien zu Hause als ZU HAUSE!

Stefan: Ich liebe meine Arbeit! Ja, gut. ICH LIEBE MEINE ARBEIT! Aber manchmal frage ich mich, ob Liebe wirklich das Wichtigste ist in meinem Leben.

Caroline: Ja, gut, kann sein.

Catrin: Moment mal, aber wolltest du nicht gerade von deiner Arbeit reden. Ich dachte ... also ... ich nahm an, du hast gerade von deiner Arbeit geredet und nicht von der LIEBE!

Caroline: Vielleicht solltest du dich fragen, ob die Arbeit wirklich das Wichtigste ist in deinem Leben.

Bernd: Vielleicht wolltest du dich das fragen!

Stefan: Ja, gut, vielleicht, aber Arbeit ist so verdammt SELTEN.

Catrin: Ja, gut, es ist ein seltenes Tier und so was, und Liebe gibt es so verdammt viel auf der Welt. VERDAMMTE SCHEISSE! NEIN! O MEIN GOTT!

Stefan: Aber zu lieben, was auch immer, das ist doch irgendwie wichtig.

Caroline: Und dann liebst du eben deine Arbeit, und das scheint die irgendwie wichtig zu machen.

Bernd: Liebe macht Arbeit wichtig.

Stefan: Diese Kultur glorifiziert lange Arbeitstage.

Catrin: Und der bist du verfallen.

Caroline: Frank will ein dereguliertes Leben. Er will immer das, was der Markt auch hat.

Stefan: Meine Arbeit stellt sehr sehr hohe Anforderungen an meine zeitliche und räumliche Flexibilität. Dem bin ich auch gewachsen, aber ich will auch was fühlen. ICH WILL ENDLICH WAS FÜHLEN!

Catrin: HALTS MAUL!

Bernd: Dein Job ist mit einem Mehraufwand verbunden, der sich einfach nicht mehr rechtfertigen lässt.

Stefan: Deshalb bin ich ja so verzweifelt. Es gibt einen Zwang, sehr viel zu arbeiten. Ja gut, und dem bin ich erlegen. Jeder erwartet von mir, dass ich sehr viel arbeite, und da arbeite ich am highend des Hightech-Bereichs da oben und das geht einfach nicht mit einer sozialen Dimension zu Hause. Da bin ich einfach nie.

Caroline: In deinem notebook dreht sich eine Doppelhelix, Frank, und zu Hause, da hast du diese free-climbing-Gebirgswand ...

Catrin: Und dein computerkontrolliertes Haus dreht zu Hause die Heizung hoch und macht Popcorn.

Bernd: Du bist nie zu Hause und dein Haus ist nur eine Popcornmaschine.

Caroline: Und so unbewohnbar wie der Mond.

Stefan: Ich dachte, ich brauche ein Hobby, und jetzt habe ich eben dieses free-climbing-Dingsda bei mir zu Hause. Aber meine Arbeit ist mein Hobby. Also komm ich auch nie ins Gebirge.

Bernd: Du hast diese Gebirgswand in deinem Zimmer stehn, dieses free-climbing-Dingsda, und da bewegt sich nichts, da hängst du nur. An einem ziemlich sportlichen Berg. Aber der bewegt sich nicht.

Stefan: Ja, aber er sieht sehr gut aus, wenn es schneit. Ich will doch nur wissen, was das LEBEN ist und ob es eventuell an mir vorbeigehen könnte. Das wäre doch eine ziemliche Scheiße. Wenn es einfach so an mir vorbeigehen könnte, weil ich den Müll von Liebe nicht richtig ausgekostet hätte. Wenn ich sterben würde und denken könnte, dass der ganze Müll von Liebe einfach so an mir vorbeigegangen sein könnte.

Bernd: Der ganze Müll von Liebe.

Caroline: Schluss. Danach gibt es einfach nichts mehr.

Stefan: Und irgendwie könnte ich mir vorstellen, was anderes zu machen. Ich könnte mir vorstellen, einen Müllwagen zu fahrn. Vielleicht komm ich dann wieder in Kontakt mit meinen Gefühlen.

Catrin: Ja, fahr einen Müllwagen. Arbeite in der Tieftechnologie und komm wieder in Kontakt mit dem Müll der Gefühle.

Caroline: Konzerne sponsern die Anschlüsse an die Welt und alle leben in Hütten aus notebooks und potenzielle Jobs drehn sich da auf ihren Monitoren und von mir aus auch virtuelle Arbeitsämter und irgendwie sieht es so aus, als hätten plötzlich alle die Möglichkeit zu ARBEITEN! Aber der Verkauf deiner Arbeitskraft ist nicht sehr aussichtsreich in dieser elektronischen Revolution, die von der Verwendung menschlicher Arbeitskraft irgendwie abgekoppelt ist. Dieser Ruck durch die Gesellschaft und Hype der elektronischen Medien hat irgendwie übersehn, dass die Arbeitskraft ein ZOMBIE ist. So was wie Arbeit, das gibt es gar nicht mehr. Und jetzt versagen alle in den Jobs im Netz. Und suchen die Fehler bei sich oder ihren Hütten. Aber die Arbeit ist ein Untoter. Und das Internet hält sie am Leben. Aber die elektronische Revolution hat sie auf dem Gewissen. Ich persönlich traure ihr auch nicht nach. Ich will mir nur nicht einreden lassen, dass ich in irgendwas VERSAGT HÄTTE, DAS ES ÜBERHAUPT NICHT GIBT! Alle wollen da am Internet arbeiten. Aber irgendwie sind alle nur Abonnenten. Dieses Netzwerk von Arbeitern ist eigentlich ein Netzwerk von Abonnenten. Da sind lauter slums von Abonnenten und die können jetzt vielleicht ein paar Informationen über das Netz verkaufen, wie: sich beim Strippen zusehen lassen oder 'ne andere nette Geschäftsidee. Und dieses ganze Netz ist ein Porno. Auf meinem Kühlschrank läuft ein Porno. Es sieht aus wie ein Küchenrezept, aber es reduziert mich auf mein Geschlecht, also ist es ein Porno. Auf meinem Display am Kühlschrank laufen nur Pornos. Irgendwelche Scheißfilme und so was. UND DIE WILL ICH NICHT MEHR SEHN!

Stefan: Du trägst diese Kreditkarte mit dir rum ...

Bernd: Oder Tätowierung oder Dingsda und das ist alles Computer.

Catrin: Du bist dein eigenes notebook.

Caroline: Ja, das BIN ICH! Und ich weiß irgendwie nicht mehr, was Computer an mir ist und WAS NICHT!

Catrin: Und zu diesem Mix aus Wirklichkeits- und Datenraum findest du irgendwie kein politisches Verhältnis!

Caroline: Da sind überall diese programmierbaren Tätowierungen.

Stefan: Displays, die durch deine Haut leuchten. Implantierte Minicomputer.

Bernd: Du hast dieses notebook und Display unter deiner Haut ...

Caroline: ... Computer auf dem Gipfel ihrer Tragbarkeit ...

Stefan: Und die sind überall.

Catrin: Und jetzt leuchtet alles, was an dir denkt.

Caroline: Alles, was an mir denkt, leuchtet.

Catrin: Und du tippst auf deine Displays.

Bernd: Und du bestellst Sachen oder jemand bestellt Sachen bei dir.

Catrin: Und du doppelklickst deinen Körper und irgendein Zentralcomputer, an den du angeschlossen bist, kickt deinen Körper jetzt dahin und dahin und dahin und da bist du dann und bringst Sachen oder so was.

Stefan: Lass uns doppelklicken. Alles, was an uns leuchtet!

Bernd: On-line-banking!

Caroline: Du doppelklickst deine Familie, wenn du zur Arbeit gehst, und eigentlich machst du on-line-banking.

Stefan: Doppelklicke deine Familie!

Bernd: Du doppelklickst deinen Mann oder deine Frau und dann kriegt ihr ein Baby und eigentlich bestellt ihr nur Windeln oder Dingsdas.

Caroline: Heterofrauen und -männer lieben sich in irgendeiner Sphäre der Sinnlichkeit oder Schlafsack und eigentlich bestellen sie nur Windeln.

Bernd: Eine heiße Affäre, die Windeln bestellt oder Bücher oder Dingsda.

Stefan: Da sind überall diese Körper, die sich klicken, und eigentlich bestellen die nur was.

Bernd: Da sind nur noch Körper, die klicken.

Stefan: Die Liebe ist eine Geschäftsform im Netz.

Catrin: Ja. Scheiße.

Bernd: Und da tippst du was ein auf deine Haut und dein gelehriger Körper macht das dann.

Stefan: Tipp deinen Körper ein!

Catrin: Und dann stehen Leute vor der Haustür, die dir irgendwas delivern und dann packt dein gelehriger Körper DIESES ZEUG AUS.

130

Bernd: Oder du suchst eine Platte am Ende der Welt.

Caroline: Ich tipp meinen Körper ans Ende der Welt!

Catrin: Und du kommst ganz schön rum.

Stefan: Tipp ihn oder kick ihn! Kick deinen Körper rum!

Bernd: Körperloser Einsatz.

Caroline: Und du gehst homeshoppen, das machst du alles in deinem Bett.

Bernd: Und da gibt es Technologie in deinem Bett und software, die dich regelt.

Catrin: Regele mich, Technologie!

Caroline: Und du wirfst sie ein, und es sind Tabletten und so was, oder du bist an sie angeschlossen.

Stefan: An dieses notebook zum Beispiel.

Catrin: Du gehst homeshoppen auf dieser shopping-Meile in deinem Bett und du tippst und dein Körper ist ein Display.

Stefan: Und wenn ihr euch anfasst, ihr beiden Verliebten, und touched auf eure Displays, bestellt ihr nur was.

Caroline: WIR BESTELLEN NUR WAS!

Bernd: Und jetzt such die Scheiße! *(wirft das Yahoo-Kissen)*

Clip:

Wildes Getümmel auf einem der Riesen-Kissen, 3er-Orgie, zeigen @-Zeichen.

Stefan: Das hier sieht mir ganz aus wie eine Massenbestellung von Büchern zu Fragen nach dem SINN DES LEBENS! Dieser Kaufrausch da ist eine Homeshoppingorgie. Und alle tippen auf ihren Displays herum und bestellen bei Amazon oder Dingsda. Oder werden bestellt. Und was aussieht wie ein Flower-Power-Treffen oder ein dot.com-ashram ist bloß eine MASSENBESTELLUNG VON BÜCHERN. Die bestellen Bücher und irgendwie ist ihnen klar geworden, dass man nur unendlich viel bestellen muss, um irgendwelche Kaufhäuser hochgehn zu lassen. Die KRAFT DER LIEBE LÄSST KAUFHÄUSER IN DIE LUFT FLIEGEN! Aber wenn die drei da jetzt sechs Milliarden Bücher bestellen würden während dieser Orgie, dann würde irgendwo ein Kaufhaus und on-line-Warenhouse zusammenbrechen und die drei da kreieren virtuelle Zusammenbruchsregionen. Von denen keiner weiß, wo die tatsächlich sind. Aber das muss man auch nicht mehr, um sein Ziel zu treffen. DAS MUSST DU NICHT MEHR! Du weißt nicht, wo die Kaufhäuser sind, aber du bestellst sechs Milliarden Bücher und machst aus Kaufhäusern Zusammenbruchsregionen. So viele Bücher kann überhaupt keiner bringen. Nicht mal der fleißigste und freundlichste UPS-Mann. So viel BÜCHER KANN KEINER BRINGEN, WIE DIE DREI DA BESTELLEN. TOUCHSCREENSORGIE. Computer auf dem Gipfel ihrer Tragbarkeit.

Catrin: SCHEISSBESTELLUNG!

Stefan: Da liegen diese drei Verliebten und bestellen sich eine Bibliothek zusammen. Und die bestellen sechs Milliarden Mal das Kamasutra und das Buch der Bücher. Und irgendein virtuelles Warenhouse fliegt in die Luft. Und wer bringt das jetzt? Das Zeug, das diese Orgie da bestellt? Diese Orgie bestellt Bücher und irgendwo fliegt ein Kaufhaus in die Luft.

Catrin: Such den Scheiß! *(wirft Yahoo-Kissen)*

Bernd: Bestell was! *(mit Baseballschläger)*

Caroline: UND ICH BRING DIR DIE SCHEISSE! *(droht auf Stefan einzuschlagen)*

Catrin: Touch mich nicht an!

Caroline: WORLD WIDE WRESTLING-SLUMS.

Stefan: SLUM-CATCHEN.

Catrin: HIPPIEORGIE.

Stefan: Die Liebe ist eine Geschäftsform, die auf dem Netz basiert.

Catrin: UND WIR KLICKEN ALLES, WAS AN UNS DENKT!

Caroline: IN DEN WORLD WIDE WRESTLING-SLUMS.

(Clipende)

Stefan: Du arbeitest am Computer für deine Firma, und zwar den ganzen Tag, Kuba, und irgendwie weiß jetzt niemand mehr, bist du online-süchtig oder bist du einfach nur süchtig nach deiner Arbeit.

Bernd: Ich bin online süchtig und offline irgendwie auch.

Caroline: DU sitzt da oder liegst neben deinem Job und nur die Aktien deiner coolen Firma performen.

Catrin: ES GIBT KEINE COOLE FIRMA!

Stefan: Du bist internetsüchtig und du bist bei dieser online-Suchtberatung.

Catrin: Und irgendwoanders performen deine Aktien und haben eine gute Party.

Caroline: Du bist onlinesüchtig. Und niemand mehr ist hier OFFLINESÜCHTIG! VERDAMMTE SCHEISSE!

Stefan: Und die Aktien deiner coolen Firma performen im Moment in einer Zusammenbruchsregion und irgendwie tust du das auch.

Catrin: ES GIBT KEINE COOLE FIRMA. Coole haben keine Firma. Das schließt sich irgendwie aus.

Stefan: Du brichst zusammen, aber das ist irgendwie keine Performance.

Bernd: Doch das ist es.

Caroline: Da ist ein Asien in dir und in Brokern. Und das ist jetzt Zusammenbruchsregion.

Bernd: Es wird doch immer wichtiger, sich zu fragen, ob ich zu Hause, auf meinem Bett, in meiner Hütte aus notebooks noch arbeite, weil ich gute Einfälle haben könnte, die meine Karriere fördern, über meine Zeit in der Firma hinaus, oder ob ich irgendein Gespräch mit irgendeinem Bekloppten an einer Bar führe. Was ist denn wichtiger? Das weiß ich nicht. Ich dachte immer, meine Arbeit wäre wichtiger als ein Gespräch mit einem Bekloppten. Weil ich da selten Einfälle habe, wenn ich mit einem Bekloppten rede.

Stefan: Rede mit Bekloppten!

Caroline: Du redest nur noch mit Leuten, die dich weiterbringen in deinem Job. Und das sind deine sozialen Beziehungen. Und die werden langsam zu einer reinen Geschäftsform. IST DIR DAS KLAR?!

Catrin: Outdoorfreak.

Caroline: Du liegst da bei deinem Job wie bei einem Geliebten, Drahos Kuba.

Bernd: Ja und?

Stefan: Aber das kann es doch nicht sein. Bei Jobs liegen und sich irgendwie emotional arrangiern und downsizen.

Catrin: Umarme einen Bekloppten! Das macht Spaß! Und du hättest wieder Kontakt zu deinen Gefühlen!

Caroline: Du hast deiner coolen Firma einen heißen Antrag gemacht.

Stefan: Und von dort aus arbeitest du, von den slums aus im Netz.

Caroline: HIER CAMPEN ALLE!

Stefan: In deiner coolen Firma.

Catrin: ... die dauernd behauptet, cool zu sein, aber das gibt es nicht.

Caroline: ES GIBT KEINE COOLE FIRMA!

Catrin: Da liegt eine coole Firma in einem Schlafsack auf deinem Bett und die macht Popcorn und das bist du.

Caroline: Coole haben keine Firma. Das schließt sich irgendwie aus.

Catrin: ES GIBT KEINE COOLE FIRMA!

Stefan: Aber du. Du bist eine coole Firma!

Bernd: Ja, das bin ich.

Caroline: Neue Märkte sind Zusammenbruchsregion.

Bernd: Und sie haben Ricardo.com auf die Todesliste gesetzt und jetzt sitzt er da und hat kaum Nasdaq-Punkte.

Stefan: Start-up in den Tod.

Caroline: Diesem Todeslistenkandidat wurde eine Finanzspritze verpasst.

Catrin: Ist das die Metaphorik der Neuen Märkte? Der verdammte Todestrakt? DER VERDAMMTE TODESTRAKT? Was hat denn das mit DEM LEBEN ZU TUN!

Bernd: Todestrakt ist neue Marktmetaphorik.

Caroline: ES GIBT KEINE COOLE FIRMA! DIE GIBT ES EINFACH NICHT! Auch nicht, wenn sie in den Neuen Märkten auf der Todesliste steht und von Scheißkonzernen Finanzspritzen kriegt. Diese Scheiße. DIE GIBT ES NICHT, EINE COOLE FIRMA!

Bernd: Und zwischen deinen Jobs, in deinem Schlafsack, tauschst du Platten aus mit headbangern.

Catrin: Tausche Platten! *(macht headbanging)*

Stefan: Diese Musik ist denkender Strom.

Caroline: Da ist diese MP3-Suchmaschine, Napster und so was, und die sucht Platten für dich.

Bernd: Suche Nirvana!

Catrin: Wir sitzen hier in dieser Voodoo-Lounge oder auf dem Highway und tauschen Platten und Informationen aus und wir warten darauf, dass Napster oder irgendeine verdammte software die Märkte verändert.

Bernd: Napster this!

Caroline macht in ihrem Körpercomputer Karateübungen.

Catrin: Ostern Weihnachten trägt einen Körpercomputer mit sich rum. Und kann Maschinen reparieren, die sie noch nie in ihrem Leben gesehen hat, weil ihr über Funkmodem ANWEISUNGEN erteilt werden. Leute von irgendwelchen Installationsfirmen mieten ihren Körper und geben ihr per Computer und FUNKMODEM das Gehirn eines Klempners und so befriedigt sie alle Bedürfnisse der Kunden, die sinnlichen, weil sie von SCHEISSHETEROS als recht niedlich angesehen und angesprochen wird und aufgrund ihrer Kompetenz, die als Schwanz auf ihrer blöden Chipkarte baumelt. Das bedeutet, dass die Kunden plötzlich ganz zufrieden sind, wenn eine Frau als Klempner reinkommt, denn ihr Gehirn ist ja MÄNNLICH! IHR SCHEISSGEHIRN IST MÄNNLICH! UND ES HAT EINEN SCHWANZ! Sie trägt einen Computer mit sich rum und jetzt ist ihr SCHEISSGEHIRN MÄNNLICH UND GIBT IHR ANWEISUNGEN, VERDAMMTE SCHEISSE!

Stefan: HALTS MAUL, GONG!

Bernd: JA, HALTS MAUL!

Stefan: Sie verhält sich sozial unbeholfen.

Caroline: JA, DAS MACHT SIE!

Catrin: Und das bedeutet, dass jetzt Scheißgogogirl-outfits Atomkraftwerke reparieren oder Panzer oder so'n Scheiß, weil sie einfach so ANSPRECHEND SIND! Und die Männer können ihre Körper zu Hause im Zentralcomputer lassen. Und diese Cyborgmädchen brauchen nicht mal 'nen SCHRAUBENZIEHER, DENN SIE HABEN JA LANGE FINGERNÄGEL! ABER AUCH EIN MÄNNLICHES FUNKMODEM! IHR VERDAMMTEN FICK-

SÄUE! DAS HÄTTET IHR WOHL GERN! UND WAS IST DENN MIT OSTERNS GEHIRN? IST DAS PLÖTZLICH WEG? IST IHR SCHEISS-GEHIRN PLÖTZLICH WEG? IHR SCHWEINE!?

Caroline: MEIN SCHEISSGEHIRN WAR PLÖTZLICH WEG.

Stefan: UND DA WAR ES DANN.

Bernd: ALLE SCHEISSGEHIRNE SIND PLÖTZLICH WEG UND SIND NUR NOCH FUNKMODEMS UND ZENTRALCOMPUTER.

(Clipende)

Stefan: Da gibt es Jobs in Handelsbanken ...

Caroline: Und da sind big swinging dicks und ...

Bernd: Darlings of the Dow Jones ...

Catrin: ... und Frauen bedienen nur in der Luft oder an Registrierkassen ...

Caroline: In den Handelsbanken bist du körperlos. Und das heißt in dieser Fick-Gesellschaft irgendwie «männlich».

Bernd: Körperlos heißt männlich.

Catrin: Sexualität wird vor allem in der Jobwelt gelebt. Dein Geschlecht ist da irgendwie so WICHTIG! Und entweder du bist männlich und körperlos oder weiblich und du wirst auf deinen Körper reduziert und der passt dann nicht in HANDELSBANKEN.

Bernd: Du lebst deine Sexualität auf dem Arbeitsmarkt oder in Banken.

Caroline: Da bist du deine Sexualität und bist ein big

swinging dick oder so was, oder Vernunft in Laboratorien oder eine soziale Dimension, die durch die Luft fliegt.

Bernd: Als Stewardess.

Stefan: Und wenn du da arbeitest, Ostern, wirst du als Frau angesprochen.

Caroline: ICH HALTS NICHT AUS!

Catrin: *(baut sich vorm Publikum auf)* Mein Körper PASST IN DEINE HANDELSBANK, DU FICKSAU!

Stefan: Hör auf, mit diesen DEREGULIERTEN ANFÄLLEN!

Bernd: Dieser Job braucht ein reguliertes Gesicht und da bist du gezwungen, dich als Frau ansprechen zu lassen, und dein Gesicht ist ein soziales Display.

Caroline: Ich werde dauernd als sexuell aktive Frau angesprochen und alle Männer setzen voraus, dass ich heterosexuell bin. DAS IST MIR SO UNANGENEHM!

Catrin: Du rennst in dieser Handelsbank nur als Geschlecht herum.

Bernd: Hier rennen nur Geschlechter rum.

Catrin: Und deshalb ist dieses Unternehmen ein PORNO! DIESES SCHEISSHANDELSBANKUNTERNEHMEN IST EIN PORNO!

Bernd: Zuhause ist auch ein Porno, da wirst du auch als Frau angesprochen.

Catrin: ZUHAUSE IST EIN PORNO.

Caroline: Du wirst überall als Frau angesprochen.

Bernd: Stewardessen leben dauernd in einem Heteroporno.

Caroline: IGITT!

Catrin: Meine Identität wird irgendwie reguliert. Warum darf nur der Markt dereguliert sein und nicht meine beschissene Identität? Oder mein Körper. Oder nicht ICH? Warum darf ich nicht dereguliert sein? Mein Körper wird dauernd als weiblich reguliert. Und ich halte MEINEN GELEHRIGEN KÖRPER IN DIESES SCHEISSHAUS ODER HANDELSBANK! *(baut sich auf)*

Caroline: Dereguliere deinen Körper!

Catrin: JA, ICH WILL MEINEN KÖRPER DEREGULIERN!

Caroline: Geh dereguliert durch eine Geschäftsbank!

Stefan: Boogie through diese Geschäftsbank.

(Clip)

... in dem das gemacht wird. Dereguliert durch eine Geschäftsbank gehen.

Catrin: In einem Stamm in Afrika machen die Männer mit ihren Schwänzen die Küche sauber und pissen im Bad die Scheißreste weg, das prädestiniert sie für die Arbeit in der Küche, weil sie dieses geile Gerät haben, mit dem sie alles wegspülen können, und die Frauen sitzen in der obersten Chefetage ihres Wigwams und deregulieren die Märkte. Aber das ist doch mal ein Grund, Geschlechter mit Hausarbeit zu identifizieren, weil sie dieses geile Küchengerät besitzen.

Bernd: Voodoo-Slum.

Caroline: Der Schwanz ist ein Küchengerät. Und das hat NICHTS IN HANDELSBANKEN ZU SUCHEN!

140

Catrin: Warum ist der Schwanz eine Metapher für den Markt?

Caroline: Und kein Küchengerät? WARUM IST DAS SO?

Stefan: Ja, gut, du kannst mit deinen langen Haaren und Dauerwelle den Boden wischen. Aber Männer können das einfach viel besser.

Bernd: Männer pissen im Haushalt die Essensreste weg.

Catrin: Und Männer lassen sich auch besser ficken, das ist einfach so.

Stefan: MÄNNER LASSEN SICH BESSER FICKEN!

Caroline: Und in diesem Stamm in Afrika, da gibt es diese Aufsicht über sich selbst und die zwingt Männer einfach dazu, als Spülbürsten tätig zu werden. Die sehen sich ihre Schwänze an und sagen sich, ja, das ist das perfekte Gerät für die Küche und das ist eben naturgewollt und so'n Scheiß. Und ihre big swinging dicks sind Küchengeräte. Und KEINE VERFICKTEN METAPHERN!

Stefan: Werte Küchengerät um!

Bernd: Werte Natur um!

Catrin: Eine Bank voller Küchengeräte in Top-Positionen.

Caroline: Ja, das ist es.

Stefan: Gib mir diese Top-Position! Ich bin ein Küchengerät.

Catrin: Aber du bist ein Küchengerät, mein Schatz. Wie soll das gehen? HALTS MAUL!

Caroline: Und deshalb glaub ich einfach nicht, dass Kinderkriegen jetzt notwendigerweise mein natürliches Scheißding ist. DAS GLAUB ICH EINFACH NICHT!

Clip

Caroline: Da gibt es Häuser und irgendwo da draußen sind jetzt ihre Bewohner und die werfen ihre Sättel über der Wüste ab, oder Hütten aus notebooks werden dort abgeworfen, weil die Wüste ein so viel versprechender Arbeitsmarkt ist.

Catrin: Sattel die Wüste!

Caroline: Du bist irgendwo in der Wüste und liegst unter ...

Stefan: ... slumdächern aus notebooks.

Bernd: Und da wächst ein slum, um dich herum.

Catrin: AHHHHH!

Caroline: Und da arbeiten jetzt alle.

Stefan: Und ihre Jobs drehn sich in notebooks.

Catrin: VERDAMMTE SCHEISSE!

Bernd: Voodoo-Lounge.

Caroline: Aber die Arbeit ist ein Untoter.

Stefan: ES GIBT ÜBERHAUPT KEINE ARBEIT!

Bernd: Und da liegen lauter Menschenopfer auf dem Arbeitsmarkt. Aber das ist überhaupt kein Markt mehr der Arbeit. Das ist irgendwas anderes.

Caroline: Du liegst da, bei deinem Job, und der ist eigentlich tot und er flüstert dir nur zu, dass du versagt hast auf dem Markt oder dass du dich einfach nur zusammenreißen musst.

Catrin: *(zum Publikum)* REISST EUCH ZUSAMMEN, VERDAMMTE SCHEISSE!

Caroline: AAAHHHHH!

Bernd: Aber was heißt das, «wir müssen uns nur ZUSAMMEN-REISSEN»!?! *(Geste Anführungszeichen)* Heißt das, dass alle sich nur zusammennehmen müssen, und nur noch mehr grinsen müssen in ihren Dienstleistungsjobs? HEISST ES DAS?

Caroline: Du wirst geräuschlos an den Rand gedrängt ...

Stefan: Von einem Arbeitsmarkt, der irgendwie behauptet, es gäbe was zu tun, aber da ist eigentlich nichts mehr. Und da wirst du GERÄUSCHLOS AN DEN RAND GEDRÄNGT.

Bernd: Alle simulieren Arbeit. Alle simulieren, dass es was zu tun gibt. Und irgendwie ist es wichtig zu behaupten, es gäbe da Arbeit, dann kannst du alle, die keine haben, auf den Müll werfen.

Caroline: Wirf alle, die nichts von dem haben, was es nicht gibt, auf den Müll.

Catrin: Das ist alles so SURREAL!

Stefan: Simulierte Arbeitsgesellschaft.

Catrin: Alle reden immer von der Zukunft der Arbeit. Aber da in der Zukunft da gibt es gar keine Arbeit. Da denkt sich nur jemand aus, dass es da Arbeit gibt. Zum Beispiel, dir völlig surreal deine Dreckwäsche hinterherzutragen. Aber das ist doch keine Arbeit. Das ist so eine Scheiße und ICH WILL SCHEISSE NICHT ARBEITEN.

Bernd: Da gibt es nur noch reproduktive Arbeit und das Einzige, was produziert wird, ist Reichtum.

Catrin: Die Arbeit ist tot und ich will sie jetzt ENDGÜLTIG ERLEDIGEN.

Caroline: ERLEDIGE ARBEIT!

Stefan: Deine Arbeit ist ein Untoter, da oben in der Luft, wo du Kotztüten durch die Gegend trägst für Leute am highend der Hochtechnologie.

Caroline: Du arbeitest in diesem Dienstleistungsjob ...

Bernd: Als Stewardess oder Dingsda.

Caroline: Und die Nasa oder Lufthansa können sich eine soziale Dimension vorstellen in deinem Gesicht. In diesem Display. Dein FREUNDLICHES GETUE bezahlt das Kerosin da oben in der Luft, und diese soziale Dimension nimmt da irgendwie Warencharakter an.

Stefan: Aber du musst eben nicht bedingungslos serviern. Du kannst auch manchmal zuschlagen.

Bernd: Schlag Gäste zusammen.

Stefan: Als Signal deiner Arbeitsbereitschaft.

Caroline: Du bedienst Leute, aber eben nicht bedingungslos.

Stefan: Bring ihnen, was sie bestellt haben, und dann schlag sie zusammen.

Catrin: Überall stehen Leute rum auf dem Arbeitsmarkt und signalisieren ihre Arbeitsbereitschaft durch völlig surreale Handlungen, obwohl es überhaupt nichts mehr zu tun gibt. Und DAS KANN ES DOCH NICHT SEIN!

Caroline: DIESES DOGMA VON ARBEIT.

Stefan: Dann kannst du auch Gäste zusammenschlagen.

Bernd: Verweigerungsstrategien im Dienstleistungsgewerbe.

Catrin: Und bevor ich lodernd in Trinkgeld aufgehe, will ich lieber asozial und unbeholfen Dienstleistungsjobs machen.

Caroline: Sei sozial unbeholfen.

Catrin: Ich will sozial unbeholfen sein und als Bedienung arbeiten. Das muss doch irgendwie gehn!

Stefan: Sei sozial unbeholfen und arbeite in Dienstleistungsjobs.

Bernd: Arbeite als Stewardess und piss Vielflieger an!

Caroline: Dein Job ist sowieso ungesichert und jetzt piss Gäste an!

Stefan: Eine unfreundliche Bedienung oder Platzanweiserin, die mit Taschenlampen um sich schlägt.

Bernd: Und wer sagt überhaupt, dass du sozial sein musst, um Leute zu bedienen.

Stefan: Beleg Gäste mit einem Fluch, wenn du ihnen DIE SCHEISSE BRINGST!

Caroline: Du bist besessen, aber nicht von deiner Arbeit, sondern von irgendeinem Dämon und belegst Gäste mit einem Fluch. Da ist ein Dämon in dir und der bedient Leute.

Stefan: Diese Dienstleistungsgesellschaft glorifiziert freundliche Erscheinungen, die sich irgendein bürgerlicher Geschmacksterror vorstellt, aber du bist nicht besessen von Dienstleistung, sondern von einem Dämon. Das ist doch irgendwie was.

Catrin: Bedienungen servieren mit Exorzisten.

Stefan: Und diese Geschäftsführer oder Exorzisten versuchen, dir den Teufel auszutreiben, aber du musst einfach nur stark sein.

Bernd: SEI STARK, BABY.

Caroline: Und dann räum auf, in diesem Restaurant oder Flugzeug durch soziales Unbeholfensein. Versuch, freundlich zu sein, und schlag den Gästen das Geschirr um die Ohren und ihre Kotztüten und entwickle Verweigerungsstrategien.

Bernd: Bedienungen, die AUFRÄUMEN!

Caroline: RÄUM AUF!

Stefan: Freundliche Frauen in Dienstleistungsjobs mit brutalen Verweigerungsstrategien.

Catrin: SCHEISSLEBEN SIND MIT AUFWAND VERBUNDEN.

$\big($ Clip $\big)$

Tablettwagen ausräumen! Catrin bedient Leute und schreit sie an, wirft Teller herum etc. und schießt mit einem Revolver.

Catrin: Dauernd sieht es so aus, als würde ich überreagiern, nur weil nichts passiert, ich aber so viel fühle.

Caroline: Voodoo-Lounge.

Catrin: Das kann doch nicht sein. Dass nichts passiert, aber man fühlt so viel, und ich hab noch nicht mal TECHNOLOGIE EINGEWORFEN.

Bernd: Wirf Technologie ein!

Stefan: Ja, gut, Dingsda.

Caroline: Wirf Technologie ein und dann passiert was, und dann sieht es auch nicht so aus, als würdest du surreal durchdrehn.

Catrin: *(wirft was ein)* Ich bin eine unfreundliche Bedienung und schlag Gäste zusammen und plötzlich fühl ich mich nicht mehr so DEPLATZIERT.

Bernd: Du arbeitest hier und schlägst Gäste zusammen.

Catrin: Da ist ein deregulierter Markt und ich reagiere mit deregulierten Gefühlen. IST DAS JETZT KLAR! IST DAS JETZT KLAR! IST DAS JETZT KLAR???!!!

Stefan: Sie benimmt sich dereguliert.

Caroline: Collapse and relax, Dingsda!

Catrin: Diese Stewardess benimmt sich sozial unbeholfen.

Bernd: Du willst eine sozial unbeholfene Flugbegleiterin sein und bringst den Passagieren dereguliert ihr Essen und so was.

147

Caroline: Und reichst ihnen dereguliert Kotztüten.

Stefan: Du hast jetzt 24 Stunden dereguliert in diesem Flugzeug herumgeschrien und die Passagiere gleichzeitig als Geiseln gehalten und ihnen das Essen serviert und alle kotzen hier, weil du sie zusammenschlägst. Aber jedenfalls bedienst du hier nicht BEDINGUNGSLOS!

Catrin: JA GUT! WENIGSTENS E T W A S ! Aber das ist mit so viel Aufwand verbunden, nicht bedingungslos zu serviern. Das SCHAFF ICH EINFACH NICHT!

Caroline: AUFSTAND IST ARBEIT!

Catrin: Ich will einfach mal entspannt nichts tun und nicht «nichts tun» und dabei meine Arbeitsbereitschaft signalisiern. Das ist mir einfach zu surreal.

Caroline: Ich bin ja nur noch damit beschäftigt zu signalisieren, dass ich arbeiten will. Und dabei vergess ich schon selber, ob ich überhaupt arbeiten will oder nicht. DAS VERGESS ICH SCHON SELBER.

Bernd: Sie signalisiert die ganze Zeit und kommt nicht dazu, nichts zu tun.

Stefan: Du sagst, die Arbeit ist tot, aber in bestimmten Bereichen ist die Arbeit Zuwachsbranche. Da gibt es all diese Displays und Computer und Gipfel der Tragbarkeit, die du mit dir herumträgst ...

Bernd: DU ROBOTER!

Stefan: Und die erhöhen die Effizienz deiner Arbeit.

Caroline: Aber was für eine Effizienz? Ich laufe ja nur durch die Gegend mit einem Computer an mir dran. Der Einzige, der effektiver wird, ist der Computer. Ich laufe immer nur durch die Gegend. Da HAT SICH NICHTS GEÄNDERT! Ich laufe nicht plötzlich effizienter durch die Gegend. Das tu ich ja gar nicht. Das scheint nur so. DAS SCHEINT NUR SO! Ich weiß ja auch gar nicht, was es für einen Grund geben sollte, effizient zu sein. Das trägt absolut nichts zu meiner Lebensqualität bei.

Stefan: Und du weißt nicht mehr, was an dir ist Computer und was nicht.

Bernd: UND EFFIZIENZ TRÄGT NICHTS ZU DEINER LEBENSQUALITÄT BEI!

Caroline: Diese denkenden Tätowierungen machen dich effizienter, wenn du das Zeug durch die Gegend trägst, das irgendwelche Kühlschränke zu Hause bestellt haben.

Bernd: Du fragst nach dem Sinn deiner Arbeit und du wirst verrückt.

Catrin: ICH WERDE VERRÜCKT!

Stefan: Oder zum Störfaktor.

Catrin: Ja, gut, dann werde ich lieber das. Dann werde ich lieber zum Störfaktor, als einfach NUR VERRÜCKT ZU WERDEN!

(*Clip*)

Caroline wird von Bernd ans Bett/Kissen gefesselt/oder mit vier Pflöcken wie Linda Blair in der Exorzist.

Catrin moderiert:

Catrin: Ostern Weihnachten ist von einem Körpercomputer besessen. Oder ihr Körpercomputer hat sich einen Virus gefangen. Im Kino. Als wir uns den Exorzisten

149

angesehn haben. Wir wollten in dieses Kino reingehn oder reinschlagen. Ich weiß das nicht mehr so genau. Und plötzlich verwandelte sich das Kino in eine Voodoo-Lounge. Und Ostern Weihnachten spuckte wie besessen Popcorn aus, so als hätte sie ihr Körpercomputer in eine Popcornmaschine verwandelt. Aber der hatte nur einen Virus. Und sie machte ein besessenes dereguliertes Gesicht und dann war auch das Popcorn besessen und verwandelte sich in grünen Schleim und so was. Und Frank muss sie jetzt exorziern.

Caroline spuckt Popcorn aus.

Caroline: NEOLIBERALISMUS IST DIE HÖLLE!

Stefan: Die Kraft Jesu Christi bezwingt dich!

Caroline: *(stöhnt unter dem Weihwasser auf)* Ieeehhhh! DEINE MUTTER LECKT BANKERSCHWÄNZE IN DER HÖLLE!

Stefan: Die Kraft Jesu Christi bezwingt dich!

Caroline: EURE KLEINE VERFICKTE GLOBALISIERUNG IST IRGENDWIE HIER BEI UNS UND DIE KRIEGT IHR AUCH NICHT RAUS MIT EINEM VERFICKTEN EXORZISMUS. GENTECHNIK PRODUZIERT KRANKHEITEN!

Catrin: Ja, es ist wirklich ein guter Tag für einen Exorzismus heute. Und man könnte Ostern Weihnachten auch als Popcornmaschine weiterarbeiten lassen. Aber sie ist uns lieb und teuer und was kann sie dafür, dass das blöde Ding sich einen Virus gefangen hat.

Stefan: Die Kraft Jesu Christi bezwingt dich!

Caroline: DA GIBT ES NUR NOCH USA IM NETZ. UND ICH MACH DAS JETZT ZU AFRIKA!

Catrin: Die Kraft Jesu Christi bezwingt dich!

Caroline: DIE MACH ICH ZU AFRIKA. ICH MACH DEN BUSH ZU AFRIKA!

Bernd: Die Kraft Jesu Christi bezwingt dich.

Catrin: So, das reicht. Dann ist sie eben eine Popcornmaschine. Die gute Ostern Weihnachten. Und ihr Körpercomputer trägt jetzt eine Popcornmaschine mit sich rum.

(*Clipende*)

Abspann

HÜTTEN AUS NOTEBOOKS

Catrin: Verdammte Scheiße! Schon wieder!

Es war einmal vor langer langer Zeit, da gab es Orte,
die waren irgendwie nur Orte der VERELENDUNG. Und die
nannte man die world wide web-slums. Und jeder in den
world wide web-slums war der Unternehmer seiner eigenen
Arbeitskraft, aber da Arbeit nichts mehr wert war und
tot, waren alle nur irgendwelche Scheißunternehmer.
Denn es gab überhaupt nichts mehr zu tun. ES GAB NICHTS
MEHR ZU TUN, IN DIESER SCHEISSWELT!

Drahos Kuba lebt in einem Schlafsack und tauscht auf
Napster Platten. Und er weiß nie, liegt der Schlafsack
jetzt in einem Hotel California oder im Nirvana oder
auf einer Treppe zur Hölle.

In Frank Olyphants notebook dreht sich eine Doppelhelix
und er dreht DNS-Chips in die Kamera, weil Medien die
so gerne sehn, die SCHEISSE!

In der letzten Folge war der Körpercomputer von Ostern
Weihnachten vom Teufel besessen und Frank hat versucht,

sie zu exorziern. Aber wir wissen alle noch nicht so genau, ob das wirklich die richtige Methode ist, mit neuen Technologien fertig zu werden.

Gong Titelbaum hat entdeckt, dass sie auf einem Pornoplaneten lebt, der dauernd zwei Geschlechter reproduziert und aus Geschlechter-Differenzen Kapital schlägt. Nachdem sie angefangen hat, sich sozial unbeholfen zu verhalten, in Dienstleistungsjobs, wird auch ihr Zuhause zum slum. Und jetzt ist eigentlich alles ein slum und man fragt sich, wie sollen wir da noch rauskommen? Aus diesen weltweiten slums.

Caroline: Im Netz da hast du überhaupt keine Ahnung, mit wem du es zu tun hast. Ja, gut, du hast es mit dem Turbokapitalismus zu tun, aber SONST WEISST DU NICHTS.

Stefan: Da unterhält sich jemand oder e-mails mit dir und du denkst, das ist die und die, aber da hat jemand schon längst die Identität deiner Mutter angenommen und schickt dir blöde Viren und so'n Scheiß.

Catrin: Mutter schickt Virus.

Bernd: Da nimmt jemand im Netz die Identität von jemandem an, der dich zur Welt gebracht hat, und sagt HEY WIE GEHTS und schickt dir einen Virus!

Catrin: Und deine Mutter, das war nur irgendein Fremder.

Caroline: Die dir Viren schickt.

Stefan: Deine Mutter, das war nur irgendein FREMDER.

Catrin: Und du weißt nicht mehr, was an dir Computer ist und was nicht.

Caroline: Das weiß ich doch.

Bernd: Ich sitze zu Hause rum und arbeite unter diesen slumdächern aus notebooks in meinem Bett und ich weiß nicht mehr, was an mir Computer ist und was nicht. ALLES IN MIR RECHNET.

Caroline: ALLES AN MIR RECHNET NUR NOCH!

Catrin: Ja, gut, kein Grund auszurasten. Alles an dir rechnet. Ja, gut, von mir aus. VON MIR AUS!

Stefan: Ostern Weihnachtens Körpercomputer hat einen Virus.

Caroline: Dieses Zeug an mir dran hat einen VIRUS!

Catrin: Sie hat einen Gen- oder Computerfehler. Und jemand, der sich als ihre Mutter ausgibt, hat ihr einen Virus geschickt.

Bernd: Und dann gab es diese Gen-Chip- oder DNS-Analyse, die sich in Franks notebook dreht und die sagt, Ostern hat einen Genfehler. Und auch Weihnachten. Weihnachten wurde mit einem Genfehler geboren. Weihnachten hat einen VERFICKTEN GENFEHLER!

Catrin: Ostern Weihnachten wird von einem Genfehler gefickt.

Caroline: Irgendjemand fickt mich hier gerade. Die Pharmaindustrie oder diese DNS-Analyse oder mein Genfehler. MEINE DNS FICKT MICH! Oder irgendein Programmierfehler. Oder Virus. IRGENDEIN PROGRAMMIERFEHLER FICKT MICH!

Stefan: Dann lass ihn reparieren!

Caroline: Ich werde gefickt, ob ich ihn reparieren lasse oder nicht. Entweder mein Genfehler fickt mich oder irgendwelche Fickkonzerne, die ihn reparieren wollen.

Catrin: Und da fährt eine Genfähre hin und die fickt dich.

Stefan: Da fahren Fähren zu Genfehlern und ficken dich.

Bernd: Ich weiß nicht, was produzieren denn Gensequenzen? Was haben die denn bis jetzt produziert? Doch nur Modelle für das, was krank ist und was nicht.

Catrin: Gentechnik produziert Zement.

Caroline: Und BÜRGERLICHE LEBENSSTILE.

Bernd: Und die fahren mit Fähren zu deinen Genen.

Caroline: Bürger fahren mit Fähren zu deinen Genen und reparieren sie da irgendwie.

Catrin: Und alles, was anders ist, ist krank. Und wegen diesem BÜRGERLICHEN GESCHMACKSTERROR gibt es jetzt eben die Gentechnik.

Bernd: GESCHMACKSTERROR PRODUZIERT GENTECHNIK!

Caroline: Aber ich bin kein Computer: Ich lass mich nicht einfach umprogrammieren.

Stefan: Lass dich umprogrammieren, du Körpercomputer. Du hast einen Virus und da fährt jetzt eine Genfähre hin, das ist nun mal so.

Caroline: ICH HALT DAS NICHT AUS! Da dreht sich diese Doppelhelix in deinem notebook, Frank, und ein Virus dreht sich in meinem Körpercomputer und ich weiß jetzt nicht, wird der jetzt umprogrammiert oder soll ich repariert werden. Ich kann da keinen UNTERSCHIED MEHR SEHN!

Stefan: Umprogrammiere deinen Körpercomputer.

Catrin: Wissenschaftler betonen immer, dass sie Dinge entdecken wollen, die sie weder wissen noch vermuten. Wie um alles in der Welt kommt es dann, dass es immer gleich darum geht, irgendwas reparieren zu wollen. Warum reparieren sie nicht endlich mal den Geschmacksterror dieser Gesellschaft statt irgendein SCHWULEN-GEN, DIESE SCHEISSER!

Stefan: REPARIERE GESCHMACKSTERROR!

Caroline: Wissenschaftler sind immer Scheißer und Ficksäue!

Bernd: Jeder Wissenschaftler ist eine Ficksau, ohne Ausnahme! Sie entdecken und machen Heilsversprechungen, dass das Entdeckte irgendwas ändert. Aber diese Entdeckungen ändern rein gar nichts. Sie zementiern bloß das, was an Geschmacksterror eh da ist.

Catrin: Die wollen gar nichts entdecken. Die wollen immer nur finden und zementiern.

Caroline: Und das ist doch kein Leben, von Fähren repariert zu werden. Oder von SCHEISSBÜRGERN!

Catrin: Überhaupt repariert zu werden. Das kann doch nicht sein. ICH WILL NICHT REPARIERT WERDEN!

Stefan: Die werden als Erste repariert, die nicht wollen.

Caroline: Kann mir endlich mal jemand sagen, was KRANK IST? WAS IST KRANK? KANN MIR DAS MAL JEMAND SAGEN, IHR FICKSÄUE?!

Bernd: Alle wissen, was krank ist, und da holt sie die Gentechnik ab.

Caroline: Alle außer mir! Ich weiß nicht, was krank ist! Ich bin irgendein verfickter Kranker und ich weiß nicht, WAS KRANK IST!

Catrin: DEIN KÖRPERCOMPUTER IST KRANK!

Bernd: Gensequenzen produzieren nur Modelle für das, was krank ist und was nicht. Modelle, die bloß bestätigen, was alle immer schon für krank hielten. Aber was ist denn das Scheißkriterium für diese Krankheiten! Doch nur, dass man irgendwie anders ist.

Stefan: Du bist wie ein Computer. Denke einfach, du wirst umprogrammiert. Denke einfach nicht daran, dass du repariert wirst. Denke wie ein Computer. Und irgendwas umzuprogrammiern ist ETHISCH DOCH IRGENDWIE ZU VERTRETEN!

Catrin: Alles was anders ist, ist krank. Und wegen diesem Geschmacksterror gibt es jetzt eben die Gentechnik.

Caroline: *(baut sich auf)* Und jetzt repariert mich, IHR VERDAMMTEN FICKSÄUE! *(setzt sich wieder)*

Stefan: Ja, gut, Ostern. Halts Maul, Weihnachten.

Bernd: Los, repariert mich, IHR DRECKSNAZIS!

Stefan: Jetzt mach aber mal HALBLANG!

Catrin: Dein Körpercomputer hat einen Programmierfehler und es ist irgendwie besser, du lässt dich umprogrammieren.

Caroline: Ja, los, Programmiert mich um! IHR SCHEISS-GESCHMACKSTERRORISTEN!

Caroline: Wo BIN ICH DENN HIER?

Bernd: Das hier ist ein Netz und wir tauschen Platten.

Catrin: Wir sitzen in dieser Voodoo-Lounge oder auf einem Highway und wir tauschen Platten.

Bernd: Platten auf dem Highway tauschen.

Stefan: Napster.

Caroline: Dauerkaraoke.

Bernd: Ich tausche elektronische Platten mit dir, mein Schatz, und da sitzen wir dann und sind Disco.

Catrin: Du sitzt in deinem Bett oder Schlafsack und du bist Disco.

Bernd: Ich bin Disco.

Stefan: Und hörst Musik in deinem notebook, Kuba!

Bernd: Dieser Schlafsack spielt Hotel California!

Caroline: Und du tauschst Platten.

Catrin: Und dann spielt dieser Schlafsack Nirvana. Und das ist er dann auch.

Stefan: Dein Schlafsack ist Nirwana. Jedenfalls spielt er das ab.

Bernd: Ich bin Nirwana. ICH HALTS NICHT AUS!

Caroline: Da sind so viele Räume, in denen wir immer

andere sind und die plötzlich so dicht beieinander liegen, wenn wir in unseren Betten campen oder bei unseren Jobs liegen, wie bei einem Geliebten, und unsere Köpfe sind HOTELS, oder die Schlafsäcke, in denen wir campen und Musik hörn. Und wir liegen in einem Hotel California und plötzlich liegen wir im Nirwana, nur weil wir Platten tauschen.

Bernd: Da sind so viele Räume und mein Kopf ist ein Hotel, in dem alle Räume nebeneinander liegen, in denen ich bin, wie in einem Computer. Und ich muss keine Wege mehr zurücklegen von einer Identität zur anderen. Wo ich arbeite oder liebe oder Musik höre und irgendwas mit meiner Freizeit anfange. Ich bin dauernd ein anderer ohne irgendwelche Wechsel dazwischen. Und ich will keine Pausen zwischen meiner Arbeit. Ich meine, irgendwas dazwischen, DAS BRAUCH ICH NICHT! Ich brauch keine Pausen.

Stefan: Ja, gut, Dingsda.

Catrin: Du gehst von einer Arbeit zur anderen ohne irgendwas dazwischen.

Caroline: Arbeit ohne irgendwas dazwischen.

Stefan: Du bist in deinem Kopfhotel immer eine andere!

Catrin: Ja, das BIN ICH! Und in diesem e i n e n Raum lüge ich meinen Vermieter an und in dem andern meinen Arbeitgeber und in dem andern sag ich jemandem, den ich liebe, die Wahrheit, was ein verdammter FEHLER IST! DAS SAGT MAN NUN MAL NICHT! DU DARFST NIEMANDEM, DEN DU LIEBST, DIE WAHRHEIT SAGEN! DAS IST EINE SCHEISSSACHE!

Bernd: Woher soll man wissen, ob jemand einen liebt, woher soll man das wissen?

Caroline: Da gibt es keinen Anhaltspunkt.

Stefan: Du gibst jemandem Geld, um dich zu lieben, das ist vielleicht ein Anhaltspunkt, aber sonst gibt es da nichts, da ist reines Nirwana.

Catrin: Und so lebst du dauernd irgendwie ein anderes Leben, auch wenn man an dem einen festhalten will. Aber das will einen nicht, also lebt man dauernd ein anderes Leben.

Stefan: Weil einen das Leben NICHT WILL.

Bernd: Du WILLST MICH NICHT, LEBEN!

Stefan: In einem Hotel sind die Räume so dicht wie ein Netz. Die Räume, in denen du immer eine andere bist.

Caroline: Hotel California.

Bernd: Ein Netzwerk an Räumen ist dieses Kopfhotel. Und dann wünschte ich, ich könnte endlich auschecken und ganz ich selbst sein.

Catrin: Sei du selbst, du Stück Scheiße.

Stefan: Du glaubst an Ufos und ...

Bernd: Da gibt es ein Leben, irgendwo da draußen in meinem Kopf. Da muss es doch ein LEBEN GEBEN!

Stefan: Mein Kopf ist ein Hotel und ich bin in jedem Zimmer gleichzeitig. Ich bin nur noch ein link zu mehreren Räumen gleichzeitig oder so was, und wenn ich mich anklicke, bin ich gleichzeitig im Frühstücks-, im Fitnessraum und stehe an der Hotelrezeption herum. NUR UM ETWAS ZU FÜHLEN. In der Wirklichkeit will ich in allen Räumen gleichzeitig sein.

Bernd: Da ist nur noch was los, wenn du überall gleichzeitig bist.

Stefan: VERDAMMTE SCHEISSE!

Caroline: Die Eagles schenkten sich gegenseitig Kettensägen und machten Müll aus Hotel California. Müll aus ihrer Suite und Müll aus ihrem eigenen Lied.

Catrin: Mach Müll aus diesem Lied!

(Clip)

Bernd: Musik liegt digital als reine Information vor im Netz und die kann man tauschen.

Catrin: Bob Dylan liegt hier als reine Information vor.

Bernd: Ja, der auch. Protestinformation. Aber Techno liegt als reine Information vor ohne Proteste. Und die kann man tauschen und als Abonnent dafür bezahlen.

Stefan: Protestinformationen, die musst du schon selber machen in diesem Haus, einen Aufstand, eine Demo oder so was und Pappschilder durch die Zimmer tragen in deinem Haus oder in deinem Schlafsack.

Bernd: Trag Protestschilder bei dir zu Hause rum, von einem Zimmer ins andere, und warte drauf, das irgendwas passiert.

Caroline: Da wird wild gewünscht bei dir zu Hause.

Catrin: Du tauschst Platten im Netz mit dieser MP3-Suchmaschine und ...

Bernd: Sie spielen immer nur die A-Seite und nie tun sie den Scheiß umdrehn.

161

Caroline: Du denkst Vinyl.

Bernd: Und ich denke MP3. Und das kann man nun mal nicht umdrehn.

Stefan: Dreh MP3 um!

Caroline: Napster dreht die Märkte um. Aber Napster hat keine B-Seite. Und das kann doch nicht sein ...

Stefan: Dass wir die Märkte töten mit Modellen des Informationsaustauschs. Wenn wir uns überhaupt nichts zu sagen haben.

Catrin: Wir revolutionieren die Märkte, weil wir uns nichts mehr zu sagen haben.

Bernd: Wir tauschen Platten auf dem Highway und das produziert Reichtum.

Catrin: Aber es wird nichts mehr hergestellt.

Caroline: Aber die Platten, die produziert doch jemand.

Bernd: Nein. NEIN! Die produziert niemand. Und wenn du denkst wie eine Vinylplatte oder Elvis, dann bist du irgendwie noch nicht ANGEKOMMEN AUF DIESEM HIGHWAY!

Catrin: Denke wie Elvis.

Caroline: Wir leben alle längst in den slums, ohne es zu wissen. Unsere Arbeitsverhältnisse sind mehr als prekär, aber wir arrangieren uns damit und campen bei unseren Jobs und regulieren uns unter der Aufsicht von deregulierten Märkten.

Stefan: Du lebst in einem slum bei dir zu Hause.

Caroline: Und in deiner Wohnung oder Schlafsack gibt es eine Hochburg, die dein Computer ist, und drum herum sind plötzlich alle diese slums entstanden.

Bernd: Globalisierung ist Verslumisierung. Und dieses globale Dorf ist ein world wide web-slum.

Caroline: Aber auch in deinem Computer ...

Stefan: Da kannst du dir slums ansehn im Netz. In São Paulo, Fotos von Rioslums. Und ganz Afrika ist ein slum. Afrikaslum. Und das ist er auch im Netz. Afrika ist auch im Netz ein slum.

Bernd: Und das kann man nicht umdrehn.

Caroline: Wie eine Platte.

Stefan: Mach USA im Netz zu Afrika.

Caroline: Voodoo-Lounge.

Catrin: Da gibt es plötzlich diese CDs und MP3s und man kann plötzlich nichts mehr umdrehn. Weil es einfach keine B-SEITEN MEHR GIBT!

Bernd: Als wir alle noch Vinyl dachten, konnte man wenigstens was umdrehn. Niemand hat was umgedreht, aber man konnte es. NIEMAND DREHT DIE SCHEISSE UM!

Catrin: Ab wann wird Profit sinnlos?

Bernd: Keine Ahnung. KEINE AHNUNG!

Catrin: Aber das Leben wird so leicht sinnlos. Das kann doch nicht sein, dass alles sinnlos wird, nur der verdammte PROFIT NICHT!

Caroline: DAS GEHT DOCH NICHT!

Stefan: Werde leicht sinnlos!

Bernd: Es gibt nur noch diese Produktion von Reichtum, in der niemand mehr gebraucht wird, weil überhaupt nichts mehr hergestellt wird. Es wird nur noch Information hergestellt. Und dafür wird niemand gebraucht.

Catrin: So? Wer denn?

(*Clip*)

Caroline: WO BIN ICH HIER?

Bernd: World wide web.

Catrin: Aber wir sind irgendwie nur das Rahmenprogramm für diese Produktionsstätte von Reichtum. Also irgendwie sind wir hier nur: WORLD WIDE WEB-SLUMS.

Stefan: Überall wurden diese Hütten abgeworfen.

Bernd: Aus notebooks.

Catrin: Von irgendwoher wurden Orte der Verelendung abgeworfen. Und da sind sie dann.

Caroline: Und alle sind vernetzt, aber keiner nutzt das für einen Aufstand.

Bernd: Netzwerke von Nutzern werden nur zu Abonnenten.

Stefan: Bei Napster oder so was. Netzwerke werden nur für Abos genutzt.

Caroline: Aber kein Netzwerk da drin wird ein sozialer Aufstand.

Bernd: Und kein sozialer Aufstand nutzt Netzwerkabonnenten.

Caroline: Das sollten wir aber tun. Wir machen einen SOZIALEN AUFSTAND MIT ABONNENTEN! Das wär doch mal was!

Catrin: Netzwerke verslumen zu Abos. VERDAMMTE SCHEISSE!

Stefan: Du campst hier draußen in der Wüste, Gong, und da klingelt niemand mehr an deiner Haustür.

Catrin: Ich bin nur noch draußen, ich bin nur noch: nicht-in-Häusern und da bin ich dann ...

Caroline: Weg von den Gefühlen!

Catrin: JA, GUT! Aber Gefühle ... die hab ich gar nicht zu verantworten. Das waren außerdem nicht meine. Kinder- oder Nächstenliebe oder so'n Scheiß. Jemand hat sie bloß in meine Verantwortung gegeben. Und ich sollte irgendwie darauf aufpassen, aber das will ich nicht.

Stefan: Pass auf die Gefühle auf!

Catrin: *(zeigt auf das «Haus»)* ICH KOCHE DA DRIN FÜR SEX. ABER DEN WILL ICH GAR NICHT!

Bernd: Du verhältst dich sozial unbeholfen in deinem Haus, und bist einfach nicht da. Und deine Kinder und dein Haushalt da drin verslumen.

Catrin: Ja, gut, von mir aus. VON MIR AUS!

Caroline: Und dein sozialer Aufstand oder dein sozial unbeholfenes Verhalten als Stewardess machen jetzt auch einen slum aus deinem Zuhause.

Stefan: Du solltest auf die Gefühle aufpassen zu Hause, in diesem Haus, das nichts produziert.

Bernd: Aber das hast du nicht und jetzt sind deine Kinder verwahrlost und all der Scheiß.

Caroline: ... ist verwahrlost.

Catrin: Kinder verwahrlosen wie Scheiße. Und ich markiere jetzt Arbeit, indem ich sie nicht mache. Ich lass meine Kinder verwahrlosen. Aber ICH PASS NICHT AUF GEFÜHLE AUF! Das MACH ICH NICHT!

Caroline: Irgendwo anders gibt es diese Produktion von Reichtum und zu Hause wird unbezahlt soziale Arbeit erledigt und was für eine SCHEISSGELDWASCHANLAGE IST DANN DIESES ZUHAUSE?

Bernd: Dieses Haus bezahlt keine Arbeit und der Reichtum, der irgendwo produziert wird, arbeitet nicht. Was ist DAS FÜR EINE SURREALE SCHEISSE!

Catrin: Wenn da drin alles an Gefühlen und Kindern und Humankapital außerhalb von Wirtschaft produziert wird und irgendwo anders wird nur Reichtum produziert und NICHTS SONST! Dann campe ich lieber hier draußen.

Caroline: Deregulierte soziale Dimension.

Bernd: Da steht ein Haus in einer unternehmerisch operierenden Wüste und da fragst du dich ...

Catrin: ... warum ich nicht in der Wüste campe. So einfach ist das. In dieser deregulierten Dimension in der Wüste. Da gibt es auch nichts Soziales. Das soll alles zu Hause stattfinden, aber das MACH ICH NICHT MEHR MIT! Wenn es hier draußen nichts SOZIALES MEHR GIBT, DANN WILL ICH DA DRIN AUCH KEINE SOZIALE DIMENSION REPRODUZIERN!

Catrin: Wir simulieren Räume der Arbeit. Wir simulieren Räume der Sinnlichkeit. Und wir simulieren Räume der Gesundheit durch Gentechnik. Da ist überall nur noch Simulation. SO EINE SCHEISSE! Und dann glaubt man irgendwie selber, da gäbe es noch was zu tun. Wenn ich hier diese ganzen Leute bediene und diese Scheiße arbeite, dann erscheint es mir plötzlich nicht mehr so surreal in meinen TRÄUMEN VON EXISTENZGRÜNDUNG, lieber selber eine Würstchenbude aufzumachen oder irgendein Scheißgeschäft, als Unternehmer meiner Arbeitskraft. Dann bin ich der Unternehmer meiner Arbeitskraft und grille den ganzen Tag Würstchen, und rieche nach Fett, das ist vielleicht besser, als hier die Tabletts durch die Gegend zu tragen. Und mir fällt noch nicht mal auf, dass SCHEISSE GRILLEN EIGENTLICH AUCH NUR EIN SCHEISSJOB IST! ICH BIN IMMER DEPLAT-ZIERT. Ja, gut, all die negativen Anreize auf dem Arbeitsmarkt könnten mich jetzt vielleicht dazu bewegen, weitere Kinder zu kriegen. Aber das ist alles, was ich in dieser Männerökonomie da drinnen produzieren kann? Ist das alles? KINDER!? Humankapital? Und die werden groß, und wenn Typen dabei rauskommen, werden sie mal sehr viel Geld verdienen. Was für eine Scheiß-Ökonomie- und Pornoausbildung ist das da in diesem Haus? Und diese gigantische Geld-Umverteilungsmaschine zugunsten von weißen Männern ist doch kein Zuhause. Warum kriegt immer nur der SCHEISSTYP DAS GELD! Geld kriegen immer SCHEISSTYPEN! SCHEISSTYPEN KRIEGEN GELD! Wie in diesem Scheißhaus. Hier kriegen auch nur Scheißtypen richtig viel Geld! Und ich, was krieg ich für Geld? Ich krieg ein bisschen Kinder- oder Spielgeld, aber es gibt einfach kein KONTO FÜR SCHEISSSOZIALE ARBEIT!

Caroline: In dieser sozialen Dimension da drinnen kannst du nichts produziern.

Bernd: Und bei der Produktion von Kindern hilft dir jetzt die Gentechnik. Und die verkauft deine genetische Information und produziert damit Reichtum.

Catrin: Frank hilft dir, Kinder zu produzieren. Männer arbeiten in Hochtechnologie-Jobs oder in Gentechnik-Labors und die helfen dir, Kinder zu produzieren.

Stefan: Und das produziert Reichtum. Aber nur in Genlabors, nicht zu Hause. Da produziert: «Kinder zu produziern» einfach überhaupt nichts.

Bernd: DU BIST IMMER DEPLATZIERT!

Catrin: Ja, gut, aber jetzt nicht mehr. Jetzt liege ich in der Wüste rum und verhalte mich sozial unbeholfen in Dienstleistungsjobs. Ich markiere Arbeit, indem ich sie nicht mehr mache, und da verslumt alles um mich herum.

Caroline: World wide web-slums ...

Bernd: ... ist die Mutter aller slums.

Stefan: Dieses Haus ist eine Jukebox und MP3-Suchmaschinen im Haus tauschen Platten. Aber da lebt niemand mehr.

Bernd: Alle leben in Hütten aus notebooks.

Caroline: Da sind nur noch Maschinen, die suchen, aber da lebt niemand mehr, und die Suchmaschinen suchen auch nicht nach denen, die da mal lebten, die suchen einfach nur nach Platten.

Stefan: In dieser verwaisten Hochburg zu Hause.

Bernd: Da lebt niemand mehr in diesem Haus, das Platten tauscht und einen Kühlschrank hat, der Dinge bestellt.

Catrin: Das Haus spielt nur noch Musik. Housemusic. Und tauscht auf Napster Platten.

Bernd: Napster this!

(*Clip*)

Stöckchen werfen und Platten suchen inkl. Headbanging.

Bernd: Du bist zu Hause ...

Caroline: AAAHHHH!

Catrin: Und da liegt dieser Körpercomputer in deinem Bett. Und das bist du.

Stefan: Und in dir tobt ein Krieg zwischen zwei shopping-Seiten, und da bist du dann.

Caroline: Ich bin ein Krieg zwischen zwei SHOPPING-SEITEN!

Stefan: Du liegst in deinem Bett wie ein notebook und du bist ein Kaufhouse, Ostern.

Bernd: Und du drehst dich.

Catrin: Und dir wird schlecht.

Caroline: Ostern Weihnachten ist auf der Suche nach einem Wirklichkeitsraum und nach einem politischen Verhältnis zu ihm. Aber da ist immer nur ein Mix aus Datenraum und Wirklichkeit. Und sie steht immer neben sich und ihrem Körpercomputer und hat überhaupt keinen Standpunkt!

Catrin: Ja, rede von dir selbst in der dritten Person, du Stück Scheiße.

Bernd: Das ist dann doch mal ein STANDPUNKT!

Caroline: Diese slums sind ein Mix aus Wirklichkeits- und Datenräumen.

Bernd: Bewohnte net-slums.

Catrin: Und irgendwie ist es verdammt schwer, irgendein politisches Verhältnis dazu zu finden.

Caroline: World wide west-slums.

⸺⸺⸺⸺
(*Clip*)
⸺⸺⸺⸺

Caroline wird ihren Computer los!

Bernd: Du hast in diesem Körpercomputer gearbeitet, Weihnachten. In Teilzeitjobs.

Stefan: Oder der Körpercomputer in dir ...

Bernd: Und dann bekam er einen Virus und war nur noch eine Popcornmaschine. Und Frank hat Ostern Weihnachten exorziert.

Catrin: Und jetzt arbeitest du in diesem Call-Center und da steht ein Computer vor dir rum und du musst ihn nicht mehr durch die Gegend tragen.

Caroline: Die Leute wollen mein Lächeln am Telefon sehn, aber da gibt es keins. Ich meine, ich hab schon begriffen, worum es geht. Ich lächle, um meine Arbeits- bereitschaft zu signalisieren, aber niemand sieht es.

Stefan: Dieses headset will dich lächeln sehn.

Caroline: AAAHHHH! Aber ich lächle eigentlich nur für meine Kolleginnen und für eine Aufsicht, die ich selbst bin in diesem Job. Ich lächle, um meine Arbeitsbereitschaft zu signalisieren. Aber für welche ARBEIT! DA IST ÜBERHAUPT KEINE!

Catrin: Verweigerungsstrategien.

Caroline: JA GENAU! Wenn ich sozial unbeholfen wäre am Telefon, könnte ich mich dieser Aufforderung an mich, freundlich zu sein, vielleicht widersetzen. Und dann lächele ich unbeholfen und vielleicht geht das AAHHHHH und es ist so eine Art sozialer Aufstand.

Bernd: Schreie und lächle am Telefon, aber ruf mich BLOSS NICHT AN!

Stefan: Wer sagt denn, dass du freundlich sein musst in deinem Job?

Bernd: In diesen Scheißjobs ist es plötzlich SO WICHTIG, SCHEISSFREUNDLICH ZU SEIN.

Catrin: Aber das SCHAFF ICH NICHT!

Stefan: Ich muss nicht freundlich sein.

Catrin: Nein, du musst nicht freundlich sein, AN DEINEM SCHEISS-HIGH-END DA OBEN der Hochtechnologie! Schließlich trägst du irgend so eine VERFICKTE VERANTWORTUNG UND SO'N SCHEISS, DU VERDAMMTES MISTSTÜCK!

Caroline: *(zu Catrin)* Ja, gut, und du hast diese Verweigerungsstrategien in deinem Scheißjob bei Dingsda, Leute bedienen ... Indem du mit Sachen wirfst in einem Restaurant oder Flugzeug. Aber ich, was soll ich machen, ich kann mit Computern werfen in diesem Call-Center, aber damit wäre mein Arbeitsplatz vernichtet.

Bernd: JA GUT!

Catrin: Wirf mit Computern!

Stefan: Vernichte deinen Arbeitsplatz.

Bernd: Das ist überhaupt keine Arbeit zu lächeln. Irgendjemand verwandelt dein Lächeln in Kapital, aber das bist nicht du.

Catrin: Freundlichkeit ist die Bedingung für eine Beschäftigung, das ist dein Kapital.

Stefan: Kapital ist das, wie wir miteinander umgehn. KAPITAL IST, WIE WIR MITEINANDER UMGEHN!

Caroline: Aber Freundlichkeit, das hat doch was mit mir zu tun, das kann doch nicht plötzlich die Bedingung dafür sein, Geld zu verdienen.

Stefan: Du lächelst in Scheißjobs und du hast keine Verweigerungsstrategien!

Bernd: Du lebst nun mal in einer SCHEISSDIENSTLEISTUNGSGESELLSCHAFT. Und die will GEFÜHLE!

Caroline: Aber ich bin doch keine Nutte.

Catrin: Nutten haben Verweigerungsstrategien, zum Beispiel diese Art der Vergewaltigung, die ihr Job ist, nicht allzu persönlich zu nehmen.

Stefan: Nimm dein Lächeln am Telefon nicht allzu persönlich.

Catrin: Dieses Marketing persönlicher Attribute.

Stefan: Nimm es nicht persönlich.

Caroline: Aber es ist nun mal persönlich. DAUERND RUM-
ZULAUFEN UND ZU GRINSEN IST NUN MAL EINE SEHR PERSÖN-
LICHE SACHE! IHR VERDAMMTEN FICKSÄUE!

Stefan: Sag deinen Kunden, sie sollen es nicht persönlich nehmen. Vielleicht ist es dann nicht persönlich.

Caroline: Ich muss dauernd freundlich sein.

Bernd: Und schließlich wird dein Geschlecht mit einge-
kauft. Deine Sexualität wird immer wichtiger für Dienstleistungsjobs. Und es wird immer wichtiger, sie zu verkörpern. Und Frauen lächeln nun mal die ganze Zeit und
verkörpern sexuelle Aktivität.

Caroline: Nein, das TUN SIE NICHT!

Stefan: Verkörpere deine Sexualität.

Caroline: Nein, das MACH ICH NICHT!

Stefan: Und Freundlichkeit ist nun mal an Weiblichkeit
gekoppelt.

Bernd: Das hier ist ein Pornoplanet ...

Stefan: ... der aus Geschlechterdifferenzen Kapital
schlägt.

Catrin: Dabei liegt dem Kapital die Unterscheidung in
zwei Geschlechter SO SEHR AM HERZEN!

Stefan: Und das Kapital holt sich im Call-Center seine
Sinnlichkeit ab!

Caroline: Aber ich WILL NICHT FÜR DEINE SINNLICHKEIT
VERANTWORTLICH SEIN. *(baut sich auf vorm Publikum)* DIE-
SER SCHEISSKÖRPER UND DIESES SCHEISSLÄCHELN SIND NICHT
FÜR DEINE VERFICKTE SINNLICHKEIT VERANTWORTLICH.

Musikeinsatz.

Catrin: Ja, gut, HALTS MAUL!

Clip

Vienna Calling

Stefan: Da ist ein Service in deinem Gesicht ...

Catrin: Und der muss da wieder raus.

Bernd: Dein Gesicht ist ein Service.

Stefan: Besonders jetzt, wo alles nach Hause geliefert wird. Da klingelt ein Gesicht an deiner Haustür und das ist Service.

Bernd: Und dann öffnet dein Servicegesicht da drinnen und du lächelst wie eine Entwicklungshelferin in world wide web-slums, wenn du die Tür aufmachst.

Catrin: Ja, gut, aber JETZT NICHT MEHR!

Caroline: VERDAMMTE SCHEISSE!

Catrin: Da gibt es diesen Film «Faces» und da wollte ich nicht reinschlagen, sondern reingehn. Ich wollte mal wieder ins Kino. Und dann fragte ich mich, was mir Gesichter eigentlich noch erzählen können. Da ziehst du Kokslinien auf meinem Gesicht oder Display und da ist auch eine soziale Dimension irgendwo da in meinem Gesicht, die in der Dritten Welt als Entwicklungshelferin oder Lady Diana oder auch nur als «gute» Mutter arbeitet.

Caroline: Aber mein Gesicht ist doch nicht nur lächelnd in der Dritten Welt zu Hause, das ist doch auch irgendwie HIER!

Catrin: Dein lächelndes Gesicht ist in der Dritten Welt zu Hause.

Bernd: Und macht irgendeinen Service in den slums.

Caroline: Ja, gut, ich bin als Frau irgendwie engagiert in sozialen und ökonomischen Krisen in der Dritten Welt, aber ich muss auch ab und zu was einwerfen, in meine soziale Dimension, in mein Scheißgesicht, das muss doch gehen. Sonst kann ich einfach nicht glücklich sein.

Bernd: Wirf dein Gesicht ein!

Catrin: Mit Tabletten!

Stefan: Wirf dein soziales Display ein mit Ekstase.

Bernd: Diese Entwicklungshelferin will glücklich sein und ekstatisch und deregulierte Gefühle fühlen in den slums und deshalb wirft sie öfters was ein ...

Caroline: Ich fühle mich verantwortlich für all diese Kinder in der Dritten Welt und für meine Kinder, die ich irgendwann mal haben werde, und für alles Soziale, aber ich will jetzt ein paar Ekstasepillen einwerfen und diese soziale Dimension in meinem Gesicht deregulieren, denn da ist doch nicht nur DIESES SANFTE LÄ-CHELN! Diese Freundlichkeit! Dieses Kümmern!

Catrin: Da arbeiten doch nicht nur Stewardessen in der Dritten Welt, als wär das eine Airline. Und statt Kotztüten geb ich irgendwelche Spritzen aus und so was. WARUM IST MEIN FREUNDLICHES GESICHT IMMER NOCH DIE EINZIGE LÖSUNG FÜR DIE KRISEN IN DER DRITTEN WELT?

Bernd: Keine Ahnung. Wirf dein Gesicht ein mit Ekstase!

Stefan: Du verkaufst diese Nettigkeiten.

Catrin: Die an Weiblichkeit gekoppelt sind.

Bernd: DU LÄCHELST UND SCHREIST AM TELEFON!

Caroline: Und auf diesem Pornoplaneten wird aus Dualismen und Geschlechterdifferenzen Kapital geschlagen.

Stefan: Aber auch aus der Differenzierung in Rassen wird Kapital geschlagen, in Todeszellen zum Beispiel wird Kapital geschlagen, aus Zwangs-Arbeitslosen.

Catrin: Irgendwo werden Leute hingerichtet, bloß weil sie arbeiten wollen.

Stefan: MORD IST ARBEIT!

Catrin: Der Todestrakt ist ein Arbeitsamt, das niemand mehr vermitteln kann, und das lässt den Markt irgendwie gut aussehn.

Bernd: DER TODESTRAKT LÄSST DEN MARKT IRGENDWIE GUT AUSSEHN!

Stefan: Du willst arbeiten und das ist dein Todesurteil.

Catrin: In Todeszellen sitzen Zwangs-Arbeitslose.

Caroline: Zwangs-Arbeitslose fordern Entschädigungszahlungen.

Bernd: Aber diese Forderungen stagnieren in der Gegenwart.

Stefan: In Gefängnissen arbeiten Zwangs-Arbeitslose.

Catrin: Und dieser Job ist einfach unterbewertet.

Bernd: GEFANGENSCHAFT IST ARBEIT!

Stefan: ... die einfach nicht hoch bewertet wird.

Caroline: Dieser Job von ZWANGS-ARBEITSLOSEN WIRD IN UNSERER GESELLSCHAFT EINFACH UNTERBEWERTET.

Stefan: Wir sind alle Zwangs-Arbeitslose, weil es einfach nichts zu tun gibt auf diesem Scheißplaneten, der nur Informationen produziert und Reichtum.

(Clip)

Todesstrafenclip zu «I never promised you a rosegarden»

Caroline: Da hältst du an deinem highend der Gentechnologie einen DNS-Chip in die Kamera und ich FRAGE MICH, WAS DAS MIT MEINEM LEBEN ZU TUN HAT!

Bernd: Du hast diesen Job, und der dreht sich in deinem notebook, Frank.

Catrin: Dein Job dreht sich in deinem notebook und ihm wird schlecht und ...

Caroline: Dieser DNS-Chip da drinnen. Das kann doch nicht DEIN LEBEN SEIN, FRANK!

Stefan: Das ist doch kein LEBEN!

Catrin: Dein Job dreht sich in der WÜSTE! So eine SCHEISSE!

Bernd: JOBS DREHN SICH IN DER WÜSTE!

Catrin: Jobs drehn sich in der Wüste und simulieren Arbeit ...

177

Bernd: UND DAS KANN DOCH KEIN LEBEN SEIN!

Stefan: Napster oder die Neuen Märkte spielen Nirvana und ...

Caroline: Wo BIN ICH HIER? Ich bin so desorientiert ohne Körpercomputer. Mein Körper weiß jetzt einfach nicht mehr, wo er ist!

Catrin: Egal, wo er ist, er ist DEPLATZIERT!

Caroline: Wo sind wir hier?

Bernd: Zusammenbruchsraum! UND DER SPIELT HOUSEMUSIC!

Stefan: Dein Schlafsack spielt Housemusic. Dein slumdach aus einem notebook spielt MP3s ab.

Bernd: Ich lebe in einem Zusammenbruchsraum und ich bin da irgendwie deprimiert und so was, wie der Markt, ja, gut, aber ich könnte doch auch ganz glücklich sein in diesem Zusammenbruchsraum.

Stefan: Sei glücklich in Zusammenbruchsräumen!

Bernd: Da passiert doch wenigstens was, Zusammenbruch oder so was. Da gibt es DOCH WENIGSTENS ETWAS! Da campen Leute, die bei ihren Jobs schlafen und denken, es GÄBE IRGENDWAS ZU TUN, ARBEIT ODER SO WAS. Aber die Arbeit, die ist irgendwie auf einen anderen Planeten geflohen.

Stefan: Die Ökonomie ist Zusammenbruchsraum. Aber irgendwie wird sie mit Hilfe einer virtuellen Gegenwelt oder globalen Dorf wegsimuliert.

Bernd: Der Zusammenbruch der Ökonomie wird als florierende FICKSOAP wegsimuliert!

178

Caroline: Und irgendwie sieht es so aus, als würde es florieren. Aber irgendwie empfindest du das globale Dorf als einen SLUM.

Bernd: World wide web-slums sind Zusammenbruchsregionen. Und das wird im Internet wegsimuliert.

Caroline: Surfe den Zusammenbruch weg.

Bernd: Die Verelendung wird in den Medien irgendwie wegsimuliert. Du siehst dir diese FICKSOAP an und die simuliert dir deine Verelendung weg. Aber das ist doch kein LEBEN! Das ist der TOD, DEN ICH DA LEBE.

Caroline: Du lebst den Tod in deinem Schlafsack.

Stefan: Und Todestrakt ist Marktmetaphorik.

Bernd: DAS IST DER TOD, DEN ICH HIER LEBE.

Stefan: LEBE DEN TOD, DU FICKSAU.

Bernd: Die Wüste verslumt hier und irgendwie hab ich das kommen sehn, dass die Wüste verslumt oder diese lounge und Dingsda. DAS HAB ICH KOMMEN SEHN! Diese Zusammenbruchsregionen verslumen und ich mache irgendwelche surrealen oder elektronischen Handlungen in einem Netz oder so was. Und denke, das wäre Arbeit und dass es hier noch was zu tun gäbe außer Reichtum zu produzieren.

Caroline: Und da bin ich dann.

Bernd: Und da gibt es nichts.

Caroline: Und in bin in einem Netz, das verslumt.

Stefan: ICH BIN IN SO VIELEN RÄUMEN.

Bernd: Und alle verslumen.

Caroline: Und alle brechen zusammen.

Bernd: Und jeder simuliert nur, dass sie irgendwie nicht zusammenbrechen, sondern dass es da irgendwas gibt. Aber DIE BRECHEN ZUSAMMEN!

Stefan: So was wie Arbeit. SO WAS WIE LIEBE. Das muss es da doch geben. SO WAS WIE LEBEN.

Bernd: Aber es gibt nur Räume, die zusammenbrechen.

Clip

Bernd: On-line hab ich eine Scheißadresse. Und auch wirklich. Off-line hab ich auch eine Scheißadresse.

Catrin: Die hattest du schon IMMER!

Stefan: Offline ist die lounge ein slum und online ist sie irgendein Job, der sich in einem notebook dreht. Aber jetzt ist da Zusammenbruchsraum.

Bernd: Dieser Wirklichkeitsraum ist eine Scheißadresse. Aber auch virtuell sitz ich jetzt in der Scheiße.

Caroline: Und dieser Mix aus Wirklichkeits- und Datenraum ist eine Scheißadresse.

Stefan: Jeder sitzt in der Scheiße und hat eine Adresse.

Catrin: Jeder, der in der Scheiße sitzt ...

Caroline: ... hat eine Adresse. Das ist doch schon mal was.

Bernd: Irgendwie sitz ich nur in SLUMS FEST! Da sind überall nur SCHEISSADRESSEN!

180

Stefan: Virtuelle Scheißadressen.

Catrin: Du hast eine Gebirgswand bei dir zu Hause, Frank, und das Haus dreht die Heizung rauf und runter, wenn du nicht da bist, und du siehst dir da in deinem notebook, wenn du arbeitest irgendwo, dein Zuhause an.

Bernd: Dein Zuhause dreht sich in einem notebook.

Caroline: Aber da lebt niemand.

Bernd: In deinem notebook dreht sich ein Zuhause.

Caroline: Um irgendwie nichts. Nur eine Gebirgswand.

Bernd: Du lebst in diesem computerkontrollierten smart-house, das den Fernseher leiser dreht, wenn das Telefon klingelt. Aber das Telefon klingelt, und da ist nur ein Gebirge, das drangehn kann.

Caroline: Aber dieser sportliche Berg will nicht. Der will EINFACH NICHT!

Catrin: Kein Gebirge geht dran, wenns klingelt.

Caroline: Und Drahos Kuba lebt in diesem Zusammen-bruchsraum.

Stefan: Und er kann sich nicht mehr in seine coole Firma einstöpseln, weil die ein Zusammenbruchsraum ist.

Bernd: VERDAMMTE SCHEISSE!

Catrin: Stöpsle dich in Franks Haus ein, Kuba.

Caroline: Kuba hat eine Scheißadresse und Frank hat eine Adresse, an der niemand ist.

Catrin: Deine Adresse ist nicht in dir zu Hause, Frank.

Bernd: Du bist irgendwie nicht in dir zu Hause, also bist du eine Adresse, in der niemand mehr wohnt.

Caroline: Du hast dir den Bewohner aus deinem Hirn gekokst, Frank.

Catrin: Dein Hirn oder Haus, da wohnt keiner.

Caroline: Die Häuser und irgendwo da draußen ihre Bewohner.

Catrin: Und jetzt kann sich Kuba da einstöpseln.

Caroline: Kuba lebt in deinem smarthouse, Frank, und du schreibst ihm Schecks aus, weil er in dein Haus eingesteckt ist.

Stefan: Stöpsle dich in dieses Haus ein.

Bernd: Und ich bin bei dir zu Hause.

Caroline: Und das Haus misst deine Körpertemperatur und dreht die Heizung hoch.

Stefan: Und das ist nicht mehr körperlos, mein Zuhause. Da wohnt jetzt jemand. Ich HALTS NICHT AUS!

Catrin: Das Haus dreht die Heizung hoch und macht Popcorn. Dein computerkontrolliertes Zuhause.

Stefan: Und du kämpfst gegen das Popcorn, Kuba, und dann sind das ...

Caroline: World wide wrestling-slums.

Catrin: Wir sind in Franks Haus.

Stefan: Ja, genau.

Bernd: Und manchmal macht das Haus Popcorn und füttert dich und es schneit über deiner free-climbing-Gebirgswand, da in deinem Zuhause, Frank.

Stefan: Und dann haben wir einen Berg im Zimmer stehn und aus unseren Computern ...

Caroline: ... unseren Gipfeln der Tragbarkeit SCHNEIT ES. WEIL IRGENDWIE ALLES HEISS GELAUFEN IST. Das Haus schneit und füttert dich, Kuba, und es sieht irgendwie aus, als wäre es besessen.

Bernd: Exorziere dieses Haus.

Catrin: Exorziere die Voodoo-Lounge.

Stefan: Oder feng-shui sie, feng-shui die Voodoo-Lounge.

Clip:

Bernds Schlafsack macht Popcorn und er kämpft dagegen.

Catrin: Es war Ostern oder Weihnachten und wir saßen in Franks Haus rum und haben uns den Exorzisten angesehn. Ich weiß das nicht mehr so genau. Und plötzlich verwandelte sich das Haus in eine Voodoo-Lounge. Und die spuckte wie besessen Popcorn aus, als hätte sie irgendeine Mutter, die Viren verschickt, in eine Popcornmaschine verwandelt. Und wir mussten die Möbel verrücken und das House wurde gefeng-shuit oder exorziert, ich weiß das nicht mehr so genau. VERDAMMTE SCHEISSE. SCHON WIEDER. DAUERND MÜSSEN WIR HIER IRGENDJEMANDEM DEN TEUFEL AUSTREIBEN!

Stefan: Die Kraft Jesu Christi bezwingt dich! ...

Sie spritzen Weihwasser an die Wände.

Bernd: Ieeehhhh! FENG-SHUI DIESES SMARTHOUSE!

Stefan: Die Kraft Jesu Christi bezwingt dich!

Caroline: DER VERFICKTE KAPITALISMUS IST IRGENDWIE HIER BEI UNS UND DEN KRIEGEN WIR IRGENDWIE NICHT MEHR RAUS!

Catrin: Ja, es ist wirklich ein guter Tag für einen Exorzismus. Und ich könnte mir an Ostern oder Weihnachten auch was Besseres vorstellen, als ein Haus zu exorziern. Aber Weihnachten und Ostern sind uns lieb und teuer und was können die dafür, dass ein Haus und 'ne blöde Kleinfamilie sich 'nen Virus gefangen haben.

Stefan: Die Kraft Jesu Christi bezwingt dich!

Bernd: Proletarier aller Länder, MACHT SCHLUSS!

(*Clipende*)

Abspann

BEVOR ICH LODERND
IN BARGELD AUFGING ...

Catrin: AAAAHHHH!

Es war einmal vor langer langer Zeit, da gab es Orte, die waren irgendwie nur Orte der VERELENDUNG. Und die nannte man die world wide web-slums. Und in diesem globalen Dorf der Verelendung arbeiteten auch Leute, aber da Arbeit irgendwie nur ein Zombie war, und schon lange tot, konnte man die surrealen Beschäftigungen, denen die Leute nachgingen, eigentlich keine Arbeit mehr nennen, sondern nur Scheißarbeit. Und niemand handelte mehr. Gehandelt wurde nur noch elektronisch. GEHANDELT WURDE NUR NOCH ELEKTRONISCH! Alle handelten nur noch elektronisch und tauschten Platten im Netz und hatten tragbare Computer und Displays unter ihrer Haut, so groß wie Kreditkarten. SO EINE SCHEISSE!

Frank lebt in einem Haus mit mehreren Leuten, denen er Schecks ausschreibt und die ihm die Sphäre des Emotionalen erhalten, und er stellt sie als seine Sekretärin oder Buchhalterin oder Freundinnen vor. Aber FREUNDIN-NEN SIND KEINE BUCHHALTERINNEN!

Gong will eine sozial unbeholfene Flugbegleiterin sein. Dieses Begleiterinnendasein macht nur Spaß mit den entsprechenden Verweigerungsstrategien: wie Passagieren Angst einjagen, ihnen ihre Kotztüten um die Ohren haun etc.

Drahos Kuba ist bei Frank eingezogen und das smarthouse dreht die Heizung hoch und Kubas Schlafsack produzierte Popcorn.

Catrin: Da ist ein Virus in dem notebook in deinem Schlafsack und das Ganze sieht aus wie eine deregulierte Popcornfabrik.

Stefan: Und du kämpfst gegen das Popcorn, Kuba, und dann sind das ...

Bernd: World wide wrestling-slums.

Caroline: Ich will nichts mehr fühlen. Ich fühle irgendwie so dereguliert und DAS WILL ICH NICHT! Ich wünschte, ich wäre ein Dummy auf einem Sofa in einer sozialen Dimension zwischen vier Wänden, und ich müsste nicht diese DEREGULIERTEN GEFÜHLE fühlen. Die mich einfach so völlig fertig machen.

Bernd: Reguliere deine Gefühle!

Caroline: Ich würde immer auf einem Sofa sitzen und Honey I like your love vor mich hin summen und mein Gesicht hätte eine soziale Dimension, mit der jeder was anfangen kann, meine Kinder, mein Mann, die Nachbarn ... Und ich könnte das alles AUSHALTEN!!

Stefan: Reguliere deine Gefühle!

Caroline: Ich könnte auf meine weiblichen Ressourcen zurückgreifen, bei allen möglichen Problemlösungen, und

würde mit einem Lächeln und einer vollen Kotztüte in
der Hand durch ein Flugzeug laufen. Und da wäre eine
soziale Dimension da oben, für die ich allein mit meinen Kolleginnen verantwortlich wäre. Und wenn es wirklich nicht mehr anders geht, würde irgendein kräftiger
Co-Pilot einen durchgedrehten Passagier an seinen Sitz
fesseln, wo ich den dann weiter wie eine Durchgedrehte
anlächle, aber ich bin doch nicht nur eine BERUHIGUNGS-
SPRITZE! DAS KANN DOCH NICHT SEIN!

Bernd: Frank bezahlt Leute, die in seinem Haus leben
und ihm Gesellschaft leisten, obwohl er nicht da ist,
er ist nie zu Hause.

Catrin: Und Kuba lebt da, in diesem sozialen Zusammenbruchsraum, und hängt in seinem Schlafsack an einer
free-climbing-Wand und ist da jetzt zu Hause.

Stefan: Und ich schreibe ihm Schecks aus, weil er bei
mir zu Hause lebt.

Bernd: Als was denn?

Caroline: In diesem House wird nur Popcorn produziert
und nichts sonst.

Catrin: Aber ich will da nicht mehr rein. Ich will
nicht in dieses HAUS REIN!

Bernd: Aber Frank bezahlt dich. Und dann wirst du zu
Hause für eine soziale Dimension bezahlt ... Das ist
doch mal was ANDERES!

Catrin: Du bist nie zu Hause, Frank.

Stefan: Ja, und?

Bernd: Ja, gut, Frank will was fühlen, da oben am highend von Hochtechnologie, und Gong will nichts mehr fühlen und Ostern nur reguliert. Das ist doch wenigstens mal ein STANDPUNKT!

Caroline: Statements der Gefühle.

Stefan: ... Also gibt es all diese Leute in meinem Haus, denen ich Schecks ausschreibe, weil sie da sind.

Bernd: Du bezahlst uns dafür, dass wir in deinem Haus sind. Und du ...

Caroline: ... bist irgendwo anders.

Catrin: Du organisierst das Soziale in deinem Haus, indem du Schecks ausschreibst an mehrere Leute, die dir da Gesellschaft leisten oder Sexarbeit.

Caroline: Und das sind wir hier.

Catrin: VERDAMMTE SCHEISSE!

Bernd: Aber was für eine Gesellschaft? Du bist überhaupt nicht zu Hause. Da ist nur das Haus und wir leisten ihm Gesellschaft.

Stefan: Leiste dem Haus Gesellschaft und da bist du dann. Zu Hause.

Catrin: Aber das ist keine soziale Dimension. Das ist nur Männerökonomie und du reproduzierst nur einen Dualismus von Arbeit und Zuhause. Und weil du zu Hause nicht arbeitest und da auch keine Freizeit hast, lässt du eben Zuhause arbeiten.

Bernd: Frank handelt körperlos.

Catrin: Und du handelst körperlos zu Hause, Frank ...

Bernd: Dein körperloser Einsatz in deinem Leben ist Teil deines Jobs!

Catrin: Und dein körperloser Einsatz in deinem Zuhause ist auch Teil deines Jobs.

Caroline: Da gibt es das Ende der Welt und das highend der Hochtechnologie und du bist irgendwie an beidem.

Catrin: An beiden zu Hause.

Stefan: Ich bin am highend der Welt zu Hause.

Caroline: Da liegst du und träumst und bist am Ende der Welt und kommst in keinen Kontakt mit deinen Gefühlen.

(Clip)

Bernd: Dieses denkende Haus, dem wir Gesellschaft leisten, reguliert unser Leben.

Caroline: Du bist in diesem Haus und da gibt es denkende Kühlschränke und denkende Plattenspieler, und so was, und Computer, die das Haus regulieren, und ihre software ist sozial orientiert an Männerökonomie und daran, dass Frauen den Haushalt machen.

Catrin: Und dieser denkende Kühlschrank spricht dich als Frau an und schickt dir Küchenrezepte per E-Mail.

Stefan: Da surft ein Kühlschrank bei dir zu Hause durch das world wide web und der transportiert Wertesysteme.

Caroline: Dass «Frauen den Haushalt machen», diese smart-house-software ist von Panasonic. *(Geste Anführungszeichen)*

Stefan: Und diese software oder Kühlschrank ist orien-

tiert an bürgerlichen Lebensstilen, und dass zu Hause
nichts produziert werden kann.

Caroline: In diesem denkenden House.

Catrin: Ich will nicht, dass eine software mein Leben
reguliert. WAS IST DENN DAS FÜR EIN LEBEN!

Caroline: Du regulierst deine Gefühle für einen deregulierten Markt, und das macht dann eben auch die software ...

Stefan: Du benimmst dich zwanghaft heterosexuell in
diesem Haus.

Catrin: *(baut sich auf, dieser Körper etc.)* JA, GUT.
ICH WEISS, ABER ICH WERDE GEZWUNGEN, DAS ZU TUN!

Bernd: Verhalte dich sozial unbeholfen in diesem Haus.
Dann kriegt die software einen Schlag oder einen Virus
oder einen Molotow an den Kopf und das wars dann mit der
software in deinem Haus.

Caroline: Verhalte dich sozial unbeholfen!

Catrin: Die software von Panasonic wertet Vernunft sozial als männlich.

Caroline: Vernunft wird von diesem smarthouse als männlich gewertet.

Bernd: Und Emotionen als weiblich.

Catrin: Ja, gut, aber das war auch schon so, BEVOR
HÄUSER DENKEN KONNTEN!

Caroline: JA, GENAU! O MEIN GOTT!

Stefan: Aus dem Verständnis von Technologie wird weit-
gehend ausgeklammert, dass das dort entstehende Wissen
kulturell vermittelt ist.

Bernd: Und Technologie festigt bürgerliche Lebensstile.

Caroline: Und da gibt es keine Zukunft für irgendeinen
anderen Lebensstil.

Bernd: Aber ich würde gerne einmal einen Hype sehn, wo
antibürgerliche Lebensstile gehpyt werden. Rumhängen
und das Leben genießen ohne Geld oder so was. Leben,
das nicht in Freizeit und Arbeit organisiert ist. Einfach zu sagen, gut, die Arbeit ist tot und die steht
auch nicht wieder auf und es gibt nur noch Produktionsstätten von Reichtum und diese Webadressen werden wir
aus Langeweile mit DIGITALEN STALINORGELN BOMBARDIERN!

Caroline: Weil ...

Stefan: Scheißleben sind mit Aufwand verbunden.

Clip

Catrin: Du hast lauter Leute in deinem Haus, denen du
Schecks ausschreibst oder so was, und die hängen da rum ...

Bernd: Du versuchst auf eine surreale Art, dein Leben,
deinen Beruf und irgendwie zu lieben in den Griff zu
kriegen, aber das Ganze ist so voller Widersprüche.

Stefan: Ja, gut, da gibt es Widersprüche, die ich einfach nicht leben kann. Und das macht mein Leben so
surreal.

Caroline: Drahos Kuba hängt in den slums in deinem Haus
rum und sein Leben ist so surreal.

191

Stefan: Warum ist es so schwer in dieser Welt, was zu fühlen. Gleichzeitig was zu fühlen und einer verdammten hoch qualifizierten Arbeit nachzugehn. Warum ist das so schwer?

Caroline: Ist es mit viel Aufwand verbunden, noch irgendetwas zu empfinden? Große Gefühle!

Stefan: Ich glaube schon. Wenn ich etwas empfinden will, große Gefühle, muss ich gleich mein ganzes LEBEN ÄNDERN! Aber das kann es doch nicht sein. DAS KANN ES NICHT SEIN! Ich bin völlig durch den Wind hier oben. ICH BIN VÖLLIG DURCH DEN WIND HIER OBEN! Ich kann unmöglich in beidem gut sein, Wissenschaft und in Gefühlsarbeit da unten, zu Hause. Das geht einfach nicht! DAS GEHT EINFACH NICHT!

Bernd: Du arbeitest in hochtechnologisierten Bereichen und ...

Caroline: Du hast deine Arbeit und das Begehren des Kapitals spaltet dich von den Bereichen des Emotionalen ab, weil man damit nun mal keine Geschichte schreibt, sondern nur bei sich bleibt.

Catrin: Und daran sind keinerlei Erlösungsversprechen gekoppelt.

Bernd: Also bleiben andere Leute bei dir zu Hause, die du dafür bezahlst, und die stagnieren in deinem Haus in der Gegenwart.

Catrin: Du schickst Sekretärinnen mit ihrem notebook zu dir nach Hause. Und Mitarbeiter und da sollen sie arbeiten. Bei dir zu Hause. Da sind all diese Leute, nur du bist nicht da.

Stefan: Und da gibt es all diese Leute in meinem Haus,

die ich bezahle, und ich hab überhaupt keine Zeit für
sie.

Caroline: Du bezahlst Leute in deinem Haus.

Bernd: Und die arbeiten hier als Sekretärin oder Buchhalterin oder als Krankenschwester oder als Nutte.

Caroline: Aber du hast deinen Körper von alldem abgekoppelt.

Stefan: Die Leute in meinem Haus sind sozial tätig
und . . .

Catrin: Du bist sozial überdimensioniert zu Hause. Da
gibt es all diese Leute und die bezahlst du und reproduzierst Bilder von Frauen als Stewardessen und Krankenschwestern und all das Zeug. Ist dir DAS KLAR!

Caroline: Da ist eine Männerökonomie bei dir zu Hause.

Bernd: Gut, Frank. Du bezahlst all diese Leute, die in
deinem Haus leben, und du bist nie zu Hause.

Caroline: Du schreibst uns diese Schecks aus. Und das
ist auch ganz gut hier, diese Messe für neue Technologie in deinem smarthouse.

Catrin: Und diese KÜHLSCHRÄNKE, DIE EINKAUFEN!

Bernd: Aber wir sind irgendwie auch nicht die VERSUCHS-
KANINCHEN FÜR DEIN COMPUTERKONTROLLIERTES SMARTHOUSE!

Clip

Stefan: Ich muss mit den richtigen Leuten reden und
dann kann ich eben nicht mit dir reden. Das geht einfach nicht.

Caroline: Ja, gut, dann bin ich eben nicht richtig. Dann tick ich eben NICHT RICHTIG!

Bernd: Dann bin ich das eben nicht.

Catrin: Halts Maul, Drahos Kuba!

Stefan: Ich muss dauernd den Wert meiner Arbeit steigern und das reicht irgendwie nicht: mit dir zu reden. Mit dir fühlen, das geht irgendwie schon. Das erhöht auch den Wert meiner Arbeit, aber nicht mit dir zu REDEN. DAS WILL ICH EINFACH NICHT.

Bernd: FRANK WILL NICHT MIT DIR REDEN.

Stefan: Ich will nur ab und zu wissen, was ihr in meinem Haus macht.

Bernd: Von mir aus!

Catrin: Aber ich will dir das nicht erzählen. Wir hängen hier in deinem Zuhause rum und du willst, dass wir ihm effektive Gesellschaft leisten, aber das geht dich ÜBERHAUPT NICHTS AN!

Caroline: Ich schreib Gedichte und die sing ich dann. Ich weiß einfach nicht, was ich in diesem SCHEISSZUHAUSE ANDERES PRODUZIEREN SOLL!

Stefan: Du könntest sie einfach so sagen.

Caroline: Ja, das könnte ich, aber ich will sie eben singen.

Catrin: Du könntest sie auch schreien.

Caroline: Ich will sie aber SINGEN!

Bernd: Zu einer E-Gitarre.

Catrin: Schrei Gedichte zu deiner E-Gitarre!

Stefan: Sag mir, was dir Spaß macht!

Bernd: SAG MIR, WAS DIR SPASS MACHT!

Caroline: Das hier macht mir Spaß, dieses ewige Frage-
und Antwortspiel. NEIN, ÜBERHAUPT NICHT!

Catrin: Hör auf zu antworten.

Stefan: Aber das Leben, das stellt nun mal Fragen an
mich und irgendwie will es auch Antworten.

Catrin: Und du willst irgendwie in Kontakt mit deinen
Gefühlen kommen, aber die kannst du dir irgendwie nicht
züchten, Frank!

Bernd: Da ist eine soziale Dimension in deinem computergesteuerten smarthouse und der schreibst du Schecks
aus und ...

Caroline: Du kannst dir Liebe nicht kaufen. Ist dir das
eigentlich klar, Frank?

Stefan: Ja, gut, aber ich kann mir Gesellschaft kaufen,
und zwar so viel ich will.

Caroline: Frank kauft Liebe.

Bernd: Du wolltest wieder in Kontakt mit deinen Gefühlen kommen und hast nur Leute angestellt, die zu Hause
bei dir leben.

Catrin: Smarthouse.

Stefan: Das ist ein intelligentes House.

Bernd: Und es dreht die Heizung hoch.

Caroline: Aber diese Leute hier alle in diesem Haus ... Du gibst all diesen Leuten Schecks und sie spielen alles Mögliche, Krankenschwestern, Hausfrauen, Geliebte, und sie passen auf deine Kinder auf. Aber du hast keine Kinder, oder die sind nicht da.

Catrin: Und wir gehen hier lodernd in Bargeld auf.

Bernd: Alles ist dereguliert auf diesem Markt und ich kann mich nicht MEHR ORIENTIERN!

Caroline: Diese deregulierte soziale Dimension in deinem computergesteuerten Haus, da kann ich mich einfach nicht ORIENTIERN!

Catrin: Die Gesellschaft ist irgendwie auf den Mars umgezogen und wir müssen uns jetzt dereguliert orientiern. Der Markt ist meine deregulierte zweite Natur. ABER ICH WEISS EINFACH NICHT, WO ICH HIER BIN!

Bernd: Du brauchst Schecks und Gesellschaft.

Caroline: Ich brauche Schecks und Gesellschaft.

Catrin: Frank schreibt einen Scheck aus, der sein Leben ist.

Caroline: Und wir simulieren hier EIN ZUHAUSE!

(Clip)

Catrin: Dein Mann oder Frank kommt nicht nach Hause, weil er zu viel Arbeit hat, und dann sitzt du zu Hause rum und merkst, du bist bloß eine Nutte oder escort für dieses Haus, aber das will einfach nicht ausgehen.

Caroline: Das Haus geht irgendwie nie aus.

Bernd: Und Frank kommt nie nach Hause!

Catrin: Und dann ziehst du los und bist eine Nutte, weil dich die Arbeitswelt da draußen nur deplatziert vorkommen lässt.

Caroline: Ich komm irgendwie nur deplatziert vor.

Stefan: Jemand kommt nur deplatziert vor und da ist er dann.

Bernd: Frank kommt zum Denken nicht nach Hause, weil da sein Haus denkt, und jetzt sitzt du da und denkst, du bist eine Nutte, und ziehst los und arbeitest als Nutte.

Caroline: Ja, gut, dann mach ich eben das. WARUM REDEN WIR ALLE NUR SO EIN VERZWEIFELTES ZEUG!

Stefan: Die Liebe ist auf den Mars umgezogen! Jedenfalls kommt mir das so vor. Und es gibt überhaupt nur noch ein Haus, in dem ein Licht brennt. Es gibt einfach nur noch EIN VERFICKTES HAUS, IN DEM EIN VERFICKTES FICKLICHT BRENNT.

Catrin: Voodoo-Lounge.

Caroline: Und da sind wir dann.

Bernd: Und wir sind irgendwie Nutten.

Caroline: Dein Haus hier, Frank, das ist irgendwie surreal.

Catrin: Und du lebst da mit lauter Leuten hier. Und denen schreibst du Schecks aus, die dein Leben sind.

Stefan: Die Liebe oder das Kapital sind auf den Mars umgezogen. Und ich weiß nicht, was von beidem. Und wem ich hinterherziehen soll.

Catrin: Die Liebe auf dem Mars ist vielleicht wieder was wert. Hier ist die Liebe was wert, hier auf dem Mars. Weil irgendwo anders ist die Liebe nur noch ein richtiger Horror, dem man nicht gewachsen ist.

Caroline: Man ist der Liebe nur noch gewachsen, wenn man Schecks schreiben kann.

Stefan: NEIN! Gerade das nicht.

Catrin: Nur noch die sind der Liebe gewachsen, die Schecks schreiben können.

Stefan: NEIN, das ist es ja gerade, ich bin der Liebe NICHT GEWACHSEN und ich schreibe jede Menge Schecks aus.

Caroline: Zieh dem Geld hinterher, auf den Mars.

Bernd: Das ist nur ein Mythos, dass man auf dem Mars nicht leben kann, man kann da sehr gut leben. Ich finde, hier kann man nicht leben, hier auf diesem scheck-ausschreibenden Scheißheimatplaneten.

Caroline: Der dein Haus ist.

Catrin: Dieses Haus ist ein scheckausschreibender Heimatplanet.

Bernd: Und du kannst hier nicht leben.

Stefan: Hier sind so viele Leute und ich schreibe ihre Namen auf Schecks und dann sind sie da irgendwie zusammen mit mir. Und irgendwie lieb ich sie auch. Meine schönste Zeit hatte ich mit dir, mein Schatz, ist das nicht verrückt, so ein Scheiß. Da war ich und ich war so glücklich, obwohl ich überhaupt keinen Grund dazu hatte. Habe keinen Grund zum Gücklichsein und da bist du dann. Ich war nicht zu Hause und schreibe all diese Schecks für die Leute, die bei mir zu Hause leben, und ICH WAR EINFACH NUR GLÜCKLICH.

Caroline: Als du die Schecks geschrieben hast, die dein Leben sind.

Catrin: Dieses Haus ist so verwaist, obwohl so viele Leute hier rumhängen, aber sie hängen eben nur rum und so was, für Schecks aber sie sind hier nicht zu Hause.

Bernd: Häng in verwaisten Hochburgen rum. In dieser Voodoo-Lounge.

Catrin: ICH BIN HIER NICHT ZU HAUSE!

Stefan: Aber es ist ein Mythos, nur zu Hause zu sein, wo keine Schecks ausgeschrieben werden, dass du da zu Hause bist, ist irgendwie nur Mythos.

Caroline: Es muss doch etwas in den Wörtern sein, die wir sprechen, die uns etwas über unsere eigene Verzweiflung sagen, aber wir hören uns nur sprechen und da ist nichts, keine Antworten in dem, was wir so von uns geben, und ES MACHT EINFACH KEINEN SINN, GEDICHTE ZU SCHREIEN. Die kann man nicht schreien, die muss man singen.

Stefan: Schrei deine Gedichte zur Gitarre.

Catrin: SCHREI DEINE GEDICHTE ZUR E-GITARRE.

Stefan: Du liebst nicht und du hast keine Gefühle.

Caroline: Ich liebe sehr wohl, deshalb schreib ich Gedichte.

Stefan: Die du nicht singen kannst.

Caroline: Ich kann sie nicht SCHREIEN! Ich sing sie sehr wohl. Ich sagte nur, ich will sie nicht SCHREIEN!

Stefan: Aber du musst mich doch lieben, ich bin deine Mutter! Irgendein scheckausschreibender Heimatplanet.

Caroline: Aber ich liebe dich doch.

Stefan: Du musst mich doch anfassen können, das gehört doch dazu.

Caroline: Ja, gut, ich liebe dich, aber ich kann dich nicht anfassen. DAS KANN ICH EINFACH NICHT!

Catrin: Warum sich Liebende nicht mehr anfassen, ist ein so großes Rätsel auf dieser Welt geworden. DAS GEHÖRTE DOCH MAL ZUR LIEBE DAZU!

Stefan: Warum fassen sich Liebende nicht an?

Catrin: Sie reichen Schecks ein und stecken sich Geld zu und so was. Das ist ja auch gut so, denn von irgendwas muss man leben.

Caroline: Und von irgendwas muss man auch nicht leben. Das muss doch auch möglich sein, nicht zu leben.

Bernd: ICH WILL NICHT LEBEN!

Caroline: Das ist so eine Überwindung geworden, ich meine Sex, das kann fast keiner mehr ohne Geld. Und immer wenn ich an Sex denke, denk ich an Geld, das ist einfach so.

Catrin: Ich liebe meinen Hund genauso wie dich. Das ist doch nichts Schlimmes?

(Clip)

Caroline: Dein Haus ist voller Leute und du schreibst ihnen Schecks aus und da sind sie dann.

Stefan: Da sind Leute im Haus ...

Bernd: Aber die leben hier nicht, die arbeiten hier, und auf ihrem Heimatplaneten da draußen in den slums lösen sie die Schecks ein.

Caroline: Und die machen verschiedene Arbeiten, zum Beispiel Sexarbeit oder sie kochen, oder sie schreiben Gedichte.

Catrin: Frauen, die Gedichte schreiben. VERDAMMTE SCHEISSE!

Caroline: Leute lösen Schecks ein.

Bernd: Scheckausschreibender Heimatplanet.

Caroline: Scheckausschreibende Raumstation.

Catrin: Ja, gut, aber du bist kein Planet. Du bist Dings und Dingsda, aber du bist kein Planet.

Bernd: Und du hast Nutten im Haus.

Caroline: Die dir die Sphäre der Sinnlichkeit erhalten.

Bernd: Schreibe Schecks aus. Sei ein Planet!

Catrin: Du arbeitest in hochtechnologischen oder IT-Bereichen oder in Handelsbanken da oben in den Vernunftbereichen und hier brauchst du Liebe, zu Hause, wo du deinen Körper gelassen hast, den du von deiner Arbeit abkoppelst, und schreibst Frauen Schecks aus, und arbeitest körperlos in Laboratorien. Aber zu Hause bist du nie und da bist du jetzt auch körperlos.

Bernd: Frank ist völlig körperlos.

Caroline: Kannst du mir ein paar von deinen speedpillen überlassen?

Bernd: Ja, klar. Bitte schön.

Catrin: Wer will noch was?

Stefan: Nein, ich denk nicht dran, hier herumzuspeeden. Das will ich einfach nicht.

Caroline: In speedos herumspeeden, wär das nicht was. Wir ziehn uns unsere guten speedo-Badesachen an und dann speeden wir durch den Pool. Wir besonders schönen Motorboote. WÄR DAS NICHT WAS? Da ist doch einer. Das ist doch ein Pool oder was ist das hier? *(wälzt sich im Koks)*

Bernd: Motorspeedboote.

Caroline: Wir sind Motorspeedboote in einer Petrischale, mein Schatz.

Catrin: Du sitzt in deinem Labor und experimentierst an Gegenwartsflucht.

Caroline: Dabei könnten wir in unseren speedos hier an dem Pool liegen, speed nehmen und geben wie Motorboote.

Bernd: Gib speed, Darling.

Caroline: Gib mir speed!

Stefan: Ich weiß nicht, irgendwie liebst du mich heute nicht.

Caroline: Das tu ich doch, meine Sinnlichkeit ist nur manchmal an Kokain gekoppelt oder so was. Und das vermittelt mir den Eindruck, dass meine Sinnlichkeit nicht so zersplittert ist. Ich bin immer im selben Raum. Ich liege eigentlich immer in einem Bett oder ich stehe in irgendeinem Nachtclub rum. Na gut, das sind jetzt zwei Räume.

Bernd: Keiner kann mehr schlafen. Entweder man arbeitet da oder man macht was anderes, aber keiner schläft mehr ein in seinem Bett.

Catrin: Betten sind Orte erhöhter Wachsamkeit.

Caroline: Und das HALT ICH NICHT MEHR AUS!

Bernd: Lieben und Schecks ausschreiben.

Caroline: Schreibe diesen Scheck, der dein Leben ist.

Bernd: Da ist ein Scheck und der muss noch geschrieben werden, der über dein Leben.

Catrin: Du liebst und du bezahlst und da bist du dann in einem Haus voller Leute, die Schecks einlösen.

Caroline: Aber ich will diese Arbeit nicht machen.

Bernd: Das Leben ist ein ungeschriebener Scheck.

Catrin: Und dann fragst du dich eben ...

Stefan: Warum komm ich nicht an dich RAN!

Bernd: Keine Ahnung. Wieso auch?

Catrin: Frank gibt dir Geld, aber er kommt nicht an dich ran.

Stefan: Ich würde so gerne irgendwie an dich rankommen, aber ich komm verdammt nochmal nicht an dich RAN! Da gibt es so viele Dinge, die wir machen könnten. Aber das geht irgendwie nicht, weil ich einfach nicht an dich RANKOMME!

Catrin: Lass ihn an dich ran!

Bernd: Das ist mir alles zu abstrakt. Du liebst jemanden, aber der ist gar nicht da. Und du sitzt irgendwo rum und in deinem notebook oder Petrischale dreht sich eine Doppelhelix und du bist nie zu Hause.

Caroline: Und man verführt sich immer nur selbst.

Catrin: Und du bist gar nicht hier, und dann frage ich mich, warum du nicht bei dem bist, den du liebst.

Stefan: Ich bin im Moment nicht bei dem, den ich liebe.

Caroline: Sondern du liegst bei deinem Job, wie bei einer Geliebten. Und diese Gummipuppe da in deinem Laboratorium, diese Jobsimulation wird bald zerplatzen wie ein SCHEISSTRAUM!

Bernd: Wenn du nur einen Versuch hättest, deinen hoch bewerteten Job und dein irgendwie weniger als das des Kapitals bewertetes Begehren, eines von den beiden zu treffen für alle Ewigkeit, wofür würdest du dich entscheiden? Also von all den Räumen, die durch dich hindurchwandern, den einen anzuhalten und dein ganzes Leben darauf aufzubaun und dich da einzurichten? Welcher wäre das?

Stefan: KEINE AHNUNG!

Catrin: Liebe ist Müll. Und es ist wichtiger, seine Arbeitsbereitschaft zu signalisieren als seine Liebesbereitschaft. VERDAMMTE SCHEISSE! O MEIN GOTT!

Stefan: Und ich wünschte, ich könnte dir endlich diesen Scheck schreiben, der mein Leben ist!

Caroline: Ja, mach mal.

(Clip)

Catrin: Dieses smarthouse macht dich zur Nutte, Ostern Weihnachten!

Bernd: Ostern Weihnachten lebt als Nutte in Franks smarthouse und Frank kommt nicht nach Hause von der Arbeit und Ostern ist da eh auf die Existenz einer Nutte reduziert oder von Frauen, die für Sex zur Verfügung stehn, und dann fängt sie eben an, übers Internet ihre Sexarbeit zu organisiern.

Catrin: Du bist eine Puppe, die von Existenzgründung träumt, wenn du diesen Scheißjob machst bei Frank.

Caroline: Ja, das tu ich.

Bernd: Aber es gibt keine Arbeit und die ist tot. Du tanzt in einem Stripclub oder bei Frank zu Hause und träumst von Existenzgründung.

Catrin: Und plötzlich in diesem Scheißjob kommt es dir erträglicher vor, als Unternehmer deiner eigenen Arbeitskraft eine verfickte Würstchenbude aufzumachen, als als Nutte zu arbeiten.

Stefan: Du träumst davon, dein eigenes Geschäft aufzumachen. Aber das da ist ja dein eigenes Geschäft. Aber deine Selbstaufsicht sagt dir, das wäre nichts wert, weil du bei Sexarbeit keine gesellschaftlich akzeptierte Arbeitsbereitschaft signalisierst wie in Scheißjobs in Pizzahütten.

Catrin: Da auf der Straße rumzustehen in diesem Angst-Raum von Frauen ist keine gesellschaftlich akzeptierte Form, seine Arbeitsbereitschaft zu signalisiern.

Caroline: Aber wenn ich als SCHEISSPROSTITUIERTE arbeite, geht es ja gar nicht darum, meinen Arbeitswillen zu signalisieren, meine Arbeit ist eh völlig surreal und was will ich da signalisiern?

Catrin: Arbeitswillen zu signalisiern, wo es keine Arbeit gibt, ist surreal und nur mit surrealen Handlungen verbunden.

Bernd: Und du organisierst Sexarbeit über deine Hütte aus einem notebook. Und du handelst elektronisch.

Stefan: Sexarbeit ist ja nicht besonders hoch bewertet in dieser Gesellschaft, außer sie findet in der Ehe statt.

Catrin: Und da tauschst du oft Sex gegen deinen Lebensunterhalt. Und du hast nicht mal ein Unternehmen.

Bernd: Du verkaufst deinen gelehrigen Körper ...

Catrin: Und all die Stricher DA DRAUSSEN AUCH! *(zeigt nach draußen)*

Caroline: ... den die Ökonomie durch die Gegend kickt.

Catrin: Du bist ein Körpercomputer.

Caroline: JA, DAS BIN ICH! *(zeigt ihren Bizeps)*

Bernd: Und du organisierst Sexarbeit mit deinem notebook.

Stefan: Signalisiere deinen Arbeitswillen.

Bernd: Und du glaubst an Ufos.

Caroline: Da muss es doch Leben geben, irgendwo da draußen in meinem Kopf. *(zeigt nach draußen)*

Catrin: Dein Mann oder Frank kommt zum Denken nicht nach Hause mit Arbeit, die er mitgebracht hat, und jetzt sitzt du da und bist auf die Bereitschaft reduziert, für Sex zur Verfügung zu stehn.

Caroline: Ich will aus diesem Haus raus, FRANK. DAS HALT ICH NICHT AUS!

Bernd: Oder aus dieser SEXARBEIT in diesem Haus!

Catrin: Die Arbeit in deinem Nuttengesicht wird vom Schwarzmarkt gewürdigt.

Caroline: MEIN NUTTENGESICHT WIRD VOM SCHWARZMARKT GE-WÜRDIGT!

Catrin: Und deine Stricherfresse, mein Schatz.

Caroline: VERDAMMTE SCHEISSE, WÜRDIGE MEINE SCHEISSAR-BEIT IN MEINEM SCHEISSGESICHT, DU SCHEISSSCHWARZMARKT!

Bernd: UND JETZT WÜRDIGT ENDLICH DIE SCHEISSARBEIT IN MEINEM SCHEISSGESICHT, IHR VERDAMMTEN FICKSÄUE!

Catrin: Halts Maul, Kuba!

Caroline: Die negativen Anreize auf dem Arbeitsmarkt ...

Stefan: Haben dich dazu bewegt zu lieben, und Kinder in die Welt zu setzen und damit dein Leben auszufüllen. Aber was mache ich? Ich arbeite am highend der Hochtechnologie und verliebe mich in jemanden und ich kann das alles nicht organisiern.

Caroline: Dann hör auf, am highend zu leben.

Catrin: Was für eine Scheiß-Ökonomie- und Pornoausbildung ist das hier in diesem Haus oder auf diesem Markt? Auf dem dauernd zwei Geschlechter reproduziert werden. Wie in Heteropornos.

Stefan: Honey I like your love.

Caroline: Ja, gut, aber ICH NICHT!

Clip:

Caroline: Ich hab mich entschieden, ab sofort für Pornos zur Verfügung zu stehn. Da wird man wenigstens nicht zusammengeschlagen BEIM FICKEN! Wie zum Beispiel ZU HAUSE! Und irgendwie werde ich das Gefühl nicht los, diese Körpercomputer sind auch nur Porno und während mein Körper Autos repariert und mein Hirn ein Automechaniker ist, signalisiere ich doch bloß, dass ich andauernd sexuell aktiv bin, und das ist das Kapital dieser Firma, bei der ich gearbeitet habe. KÖRPERCOMPUTER SIND PORNOS! Und in einem Porno gibt es doch eine soziale Dimension! DIE GIBT ES DA DOCH! Das ist doch nicht nur FICKEN! Da gibt es doch mehr als das. Das ist doch auch Arbeit und Liebe. Zwischen zwei Menschen. Da wird wenigstens was produziert. Sexarbeit, die man weiterverkaufen kann. Ja, gut, das ist 'ne Scheißarbeit, aber das ist wenigstens was, womit man den Tag totschlagen kann.

Clipende

Bernd: Das Zuhause ist kein freundlicher Ort.

Catrin: Und Gesichter sind doch nicht nur Geschäftsformen, da muss es doch mehr geben.

Bernd: Dein Gesicht ist ein Geschäft, Liebling.

Caroline: Und Ostern Weihnachten arbeitet jetzt in diesem Stripclub.

Stefan: Ich liebe dich!

Caroline: HALTS MAUL!

Catrin: Da ist keine Liebe in deinem Gesicht. Dein Gesicht ist nur eine Geschäftsform.

Stefan: Die Kommerzialisierung aller sozialen Beziehungen.

Catrin: Schlag in diese Geschäftsform.

Caroline: Die auf dem Netz basiert.

Stefan: Wie kann SCHEISSE NUR SO GUT AUSSEHN!?

Bernd: Scheiße kann gut aussehn.

Catrin: Und wenn nicht, muss man sie umdrehn.

Bernd: Dreh die Scheiße um. Sie sieht zu gut aus.

Caroline: Ja, das mach mal.

Stefan: Dein Gesicht ist ein Porno, Baby. Und ich seh ihn mir an und werde ganz gefühlvoll, so eine SCHEISSE, dabei weiß ich, dass das nur ein Porno ist, dein Gesicht. NUR EIN VERFICKTER PORNO! Und es gibt überhaupt keinen Grund, so gefühlvoll zu werden, bloß wegen einem Gesicht, das sich für den Arbeitsmarkt manipuliert, und an Babys zu denken, und an den Genetikmarkt, Baby. Da gibt es keinen Grund, dass wir beide uns lieben, aber die Liebe ist nun mal ein Fluss und der muss fließen. Die Liebe ist ein Fluss und der hört niemals auf! Und dein Gesicht ist ein Emotionsunternehmen. Und ich weiß nicht, ob ich das noch lieben soll. Dein Gesicht. ICH WEISS NICHT, OB ICH DEIN VERDAMMTES GESICHT NOCH LIEBEN SOLL! DA WILL ICH AUCH REINSCHLAGEN IN DIE SOZIALE DI-MENSION, DIE DEIN GESICHT IST!

Catrin: Du willst Nutten schlagen, du Drecksau. Und du weißt, die nehmen das nicht persönlich.

Bernd: Nutten und Stricher liegen in Schlafsäcken rum ...

Caroline: Auf neuen Märkten ...

Bernd: Und da sind sie dann!

Stefan: Wenn mich diese Hure lieben würde, würde ich nicht hier sitzen am highend der Hochtechnologie, sondern ihr beim Pornodreh in irgendeinem verdammten Pornoland zusehn.
ICH WILL ES JETZT WISSEN? LIEBST DU MICH?!!!

Caroline: NEIN! NEIN!

Stefan: Weil ich dich FÜR DAS HIER bezahle, führt jeder Gedanke in die Irre, du könntest IRGENDWAS FÜR MICH EMPFINDEN!

Caroline: Ja, gut, aber man bezahlt für so viele Dinge, die einen auch nicht zurücklieben.

Catrin: Dein Leben liebt dich auch nicht zurück, Frank.

Bernd: Und diese DNS.

Stefan: Doch, das TUT SIE!

Bernd: Ja, gut, das tut sie, aber sie FICKT DICH NICHT!

Caroline: DNS fickt dich nicht, aber UNS! Und die dreht sich in deinem notebook, Frank.

Catrin: Wir werden alle von unserer DNS gefickt und deshalb wird sie ja auch entschlüsselt, und die Scheiße repariert, damit sich das irgendwie ändert und wir alle von irgendwelchen KONZERNEN GEFICKT WERDEN!

Bernd: Ändere dich, Situation!

Caroline: Aber sie spielen die ganze Zeit die A-Seite, den ganzen bürgerlichen Hype.

Catrin: Und nie tun sie den Scheiß umdrehn!

Stefan: Bevor ich dich traf, mein Engel, war Gentechnologie alles, was mich interessierte. Und Sex-Orgien.

Bernd: Ja, gut, und was jetzt?

Catrin: Sein hochtechnologisierter Wissenschaftsjob und milliardenschwerer Spielzeugcomputer hat ihn von jeder Form von Sinnlichkeit abgespalten. Trotzdem sind Sex-Orgien das Einzige, was ihn interessiert.

Stefan: Bevor ich dich traf, war meine wissenschaftliche Arbeit das Einzige, was mich interessierte. Klonen und Sex-Orgien. Das war alles und jetzt gibt es da dich. Das ist so wundervoll.

Bernd: Irgendwas sieht nur live richtig gut aus, ich weiß nicht, nein, warte, doch ...

Catrin: Das Leben. Oder eine Soap oder was weiß ich.

Caroline: Du brauchst irgendwie Gesellschaft, Frank, oder wenigstens dein smarthouse!

Bernd: DU BRAUCHST EIN BABY!

Stefan: Nein, das brauch ich nicht. ICH BRAUCHE KEIN BABY!

Bernd: Oder Tiere im Haus!

Clip

Catrin mit ausgestopftem Schäferhund auf dem Arm, zu cat stevens «here comes my baby».

Catrin: Hier kommt dein Baby! Das war gar nicht so einfach zu kriegen. Dieses Scheißbaby. Man musste es erst umprogrammiern.

Stefan: Programmiere dieses Baby um!

Caroline: Hier kommt dein Baby!

Bernd: Jeder braucht ein verdammtes Baby!

Caroline: Aber nicht jeder kriegt ein verdammtes Baby!

Stefan: Du hast einen Genfehler.

Catrin: Und du kriegst einfach keine deregulierten Babys mehr auf dem deregulierten Markt.

Stefan: Genetikmarkt.

Caroline: DU KRIEGST NUR NOCH REGULIERTE BABYS. UND DU WILLST JA AUCH NUR NOCH REGULIERTE BABYS! Deregulierte

Märkte gebären regulierte Babys. ABER WENN DU LIEBER KEINE REGULIERTEN BABYS HABEN WILLST. VIELLEICHT TUNS JA AUCH KLEINE SÜSSE BABYS AUS DEM PET-SHOP!

Bernd: Hier kommt dein Baby!

Clip:

Catrin: Tiere im smarthouse.

Stefan: Du kannst dir Tiere über das Netz bestellen und da sind sie dann, bei dir zu Hause. Im smarthouse.

Bernd: Und werden auf ihre Natur reduziert.

Stefan: Bestell Tiere im Netz!

Bernd: Und niedliches Haustier leckt deine soziale Dimension.

Stefan/Hund leckt Catrins Wange.

Caroline: Tiere bevölkern Franks Haus.

Catrin: Und ein Gebirge.

Caroline: Und jetzt sind irgendwie auch wir hier.

Bernd: Wir sind wie Tiere in deinem Haus Frank.

Catrin: Ostern Weihnachten ist eine Nutte und das House machte sie irgendwie schizophren und jetzt sind Ostern und Weihnachten Nutten. Ich HALTS NICHT AUS!

Clipende

Abspann

DEREGULIERTE MÄRKTE BRAUCHEN DEREGULIERTE EMOTIONEN

(DIE HAMBURGER MÜLLNACHT)

Catrin: Es war einmal vor langer langer Zeit, da gab es Orte, die waren irgendwie nur Orte der Verelendung. Und die nannte man die world wide web-slums. Und in diesem globalen Dorf der Verelendung arbeiteten auch Leute, aber da Arbeit irgendwie nur ein Zombie war, und schon lange tot, konnte man die surrealen Beschäftigungen, denen die Leute nachgingen, eigentlich keine Arbeit mehr nennen, sondern nur Scheißarbeit. Und niemand handelte mehr. Gehandelt wurde nur noch elektronisch. *(ohne Mikro)* GEHANDELT WURDE NUR NOCH ELEKTRONISCH! Alle handelten nur noch elektronisch und tauschten Platten im Netz aus und hatten tragbare Computer und Displays unter ihrer Haut, so groß wie Kreditkarten. SO EINE SCHEISSE!

In dieser Zeit lebte auch Drahos Kuba. Drahos Kuba ist bei Frank eingezogen oder hat sich da eingestöpselt oder macht da Camping, ich WEISS DAS NICHT MEHR SO GENAU! Und Frank bezahlt ihn dafür, dass er in seinem Haus lebt. Was für ein CHAOS!

Frank Olyphant arbeitet am highend der Hochtechnologie und dreht DNS-Chips in die Kamera, weil die Medien die SO GERNE SEHN, und jetzt schreibt er Schecks aus für

Leute, damit die in seinem Haus leben. Weil: er ist ÜBERHAUPT NIE MEHR DA! Er hängt immer nur bei der AR- BEIT RUM! Und er will endlich WAS FÜHLEN!

Ostern Weihnachten. Ostern Weihnachten organisiert Sex- arbeit über ein notebook und wird zur Prostituierten durch die Arbeit in Franks Haus. Dieses SCHEISSHAUS HAT EINE NUTTE AUS OSTERN GEMACHT!

Gong Titelbaum hat schon lange entdeckt, dass sie auf einem Pornoplaneten lebt, dem die Unterscheidung in Geschlechter SO SEHR AM HERZEN LIEGT! Und sie hält es nicht aus, Kühlschränken beim Surfen zuzusehn, auch wenn sie DAFÜR BEZAHLT WIRD!

Catrin: *(überm Intel-inside-Zeichen zieht es sich rein und zeigt bei «Jobmaschine» auf notebook-Packung oder Intel-Zeichen)* Wir sind alles emotionale Wesen, aber da eigentlich nicht viel passiert in unserem Leben, sieht es im Moment so aus, als würden wir nur plötzlich über- reagiern, wenn wir Gefühle zeigen.

Caroline: AAAHHH!

Bernd: AAAHHH!

Stefan: AAHHHH!

Bernd: Der verfickte Kapitalismus ist da drin, und der muss irgendwie da raus. Irgendeine verfickte Job-Ma- schine soll da drin sein in diesem notebook. USA oder Job-Maschine. Aber die gibt es nicht: die USA. Die mach ich jetzt zu Afrika. Diese JOB-MASCHINE MACH ICH JETZT ZU AFRIKA! Da bin ich in einem Netz oder Internet und lerne, Webseiten zu cracken, statt zu shoppen oder Sex- arbeit zu organisiern. Und dann mach ich die USA zu Afrika im Netz. AAAHHHHH! Und dann sind meine Gefühle und meine soziale Dimension nicht mehr nur diese Ent-

wicklungshelferin, die mir INS GESICHT GESCHRIEBEN
IST!

Stefan: Du fühlst zu viel und du stehst unter diesem
Einfluss. Und dir ist die Entwicklungshelferin ins Gesicht geschrieben, du Stück Scheiße.

Catrin: AAAHHH! Und dann mach ich eben Entwicklungshilfe und lern, Webseiten zu cracken, und mach die USA ZU
AFRIKA IM INTERNET!

Bernd: Umwertung von ENTWICKLUNGSHILFE!

Catrin: Ich dreh die Scheißentwicklungshilfe um. Und
zeig euch allen mal die B-Seite dieser Scheißplatte.
Weil die soziale Dimension in meinem Gesicht, dieses
soziale Display kann doch nicht die EINZIGE LÖSUNG SEIN
FÜR DIE KRISEN IN DER DRITTEN WELT?

Caroline: NEEEIIIINNNN!

Stefan: NIEMALS!

Bernd: IIEEHHH!

Catrin: ACH GOTT!

(*Clip*)

Catrin: Sie musste im Haus dauernd ihre Sexualität verkörpern und Bilder von Frauen reproduziern zu Hausmusik
und jetzt schlägt sie sich in Franks Haus mit Sexarbeit
durch.

Caroline: Ostern ist eine Nutte!

Stefan: Ostern Weihnachten ist eine verfickte Nutte.

Bernd: Du bist eine Nutte, Ostern, und du organisierst Sexarbeit in Franks Haus über dein notebook.

Catrin: Irgendwo in den slums im Netz.

Bernd: Und da sind ...

Caroline: ... Scheißadressen.

Stefan: Und da verkaufst du deinen körperlosen Körper. Denn da ist ja keiner.

Caroline: Ich bin völlig körperlos im Netz. Und ich verkaufe meinen Körper.

Catrin: Das ist verrückt. N'est-ce pas?

Caroline: Das ist so VERDAMMT VERRÜCKT! Ich bin völlig körperlos im Netz und VERKAUFE DA MEINEN KÖRPER! ICH HALTS NICHT AUS!

Bernd: Dein Existenzminimum wurde entschlüsselt und im Internet veröffentlicht. Als Gensequenz.

Catrin: Und da ist dann deine Gensequenz und du hast keinen Körper.

Stefan: Du handelst körperlos im Netz.

Alle werfen dauernd Yahookissen.

Catrin: Und jetzt such das, du Ficksau!

Bernd: Such deinen Körper!

Caroline: Ja, gut, ich suche irgendwas. Meinen Körper auf einer Sexkaufhausadresse im Netz. Und da ist irgendwer, der ihn für mich findet. Yahoo!

Bernd: Such das!

Caroline: Such deinen Körper. Yahoo!

Stefan: Ich hab ihn irgendwo verloren und auch den Kontakt mit meinen Gefühlen. Den hab ich auch irgendwo verloren.

Bernd: Such das!

Catrin: YA-HOO.

Caroline: Such die Gefühle!

Stefan: Fireball.

Bernd: Scheinbar können wir, wenn wir Aussagen über Arbeitsverhältnisse machen, kaum genaue über ein darüber hinaus zu organisierendes Gefühlsleben treffen und umgekehrt.

Catrin: Ostern Weihnachten lebt in Franks House gegen Bargeld und wenn Frank nicht nach Hause kommt, weil er zu viel zu tun hat, denkt Ostern Weihnachten, dann kann sie auch gleich auf den Strich gehen.

Bernd: Haus in einer unternehmerisch operierenden Geisterstadt.

Catrin: Das ist dein Haus, Frank, und das ist ein Stripclub! Und Ostern Weihnachten organisiert hier in ihrem notebook irgendeine verdammte Sexarbeit.

Bernd: Haus ist bloß ein blöder Porno oder Bordell.

Catrin: Und Ostern arbeitet hier.

Caroline: Ich will keine Pausen zwischen meiner Arbeit.

Ich meine, irgendwas dazwischen, DAS BRAUCH ICH NICHT! Ich brauch keine Pausen.

Bernd: Ja, gut, Dingsda.

Stefan: Du gehst von einer Arbeit zur anderen ohne irgendwas dazwischen.

Caroline: Arbeit ohne irgendwas dazwischen.

Catrin: Auf diesem speed-Markt ist einfach keine Zeit für Pausen.

Caroline: Ja, die ist da nicht.

Bernd: Keine Zeit für PAUSEN!

Catrin: Und du gehst von einem Raum in den andern ohne irgendwas dazwischen. Ohne eine Pause oder so was.

Caroline: Ich bin eine NUTTE! Ich brauch keine PAUSEN! Und ich fahr mit diesem Auto rum, das meine Pussy mir verdient hat.

Catrin: Deine Pussy verdient Geld, so was will ich auch haben.

Bernd: Zeig mir das Auto, das deine Pussy dir verdient hat!

Catrin: Red Corvette.

Caroline: HALTS MAUL! Und ich will nicht darüber nachdenken, welcher Freier mich liebt und für wen mein Gesicht irgendetwas anderes ist als die Simulation einer sozialen Sphäre. Das will ich EINFACH NICHT!

Bernd: Die Freier denken, da gäbe es eine soziale Sphäre, aber da gibt es nur GELD.

Caroline: UND SO WAS.

Stefan: YAHOO!

Bernd: Zeig mir dein Auto!

CAROLINE: LYCOS!

Catrin: Zeig mir deine Pussy!

Bernd: YAHOO!

(*Clip*)

Stefan: *(zu Caroline)* Ich sollte dir eigentlich eine Menge Geld geben, so wie du fickst oder liebst oder was weiß ich, jedenfalls eine Menge ...

Caroline: Ja, gut.

Stefan: ... aber ich weiß noch nicht so genau, was du wert bist, und das ist alles so außerökonomisch: Gefühle. Und das ist doch ganz nett, dass man wenigstens für irgendwas nicht bezahlen muss.

Caroline: ACH, HALTS MAUL!

Stefan: Was ich wirklich an dir liebe, ist, dass du mich so verliebt in dich machst.

Caroline: Ja, gut, dann hör ich eben auf damit.

Stefan: Ja, gut, aber das kannst du nicht, dafür bist du einfach nicht genug ICH SELBST! DU FICKSAU!

Bernd: *(zu Stefan)* Und das bist du schon gar nicht.

Caroline: ICH BIN KEINE NUTTE! DAS BIN ICH NICHT!

220

Catrin: Du liebst diese Nutte, zu der dein smarthouse Ostern Weihnachten gemacht hat, und Ostern geht auf den Strich und Weihnachten, die geht auch auf den Strich und jetzt liebst du sie, aber sie kann dich nicht lieben.

Stefan: Da ist die Liebe und so was und ich würde jetzt gerne alles hinwerfen ...

Bernd: Verhalte dich unbeholfen in deiner Arbeit.

Stefan: Ja, gut, aber ich bin chairman oder Oberboss bei Dingsda und ich bin verliebt und ich würde jetzt auch gerne meine Arbeit verweigern, weil ich einfach Besseres zu tun habe in meinem Leben. Aber ich kann diese ganzen GEFÜHLSKONTAKTE EINFACH NICHT ORGANI-SIERN.

Bernd: Suche nach Verweigerungsstrategien.

Catrin: Bekämpfe deinen scheiß-inneren Schweinehund, der immerzu arbeiten will, und entwickle Verweigerungsstrategien!

Caroline: Bekämpfe Scheiß-Inneres!

Stefan: Ich kann nicht meine Mitarbeiter zusammenschlagen, die Gensequenzen entschlüsseln, das geht einfach nicht, was sind denn das für Verweigerungsstrategien?

Catrin: Schlage Gentechniker zusammen!

Stefan: Ich bin am highend der Hochtechnologie und in einem Labor und meine Mitarbeiter entschlüsseln Gensequenzen, und ich brauche Verweigerungsstrategien, weil ich endlich leben will oder lieben, aber ich kann doch nicht meine Mitarbeiter zusammenschlagen.

Bernd: Schlage Mitarbeiter zusammen!

Caroline: DU MISTFOTZE!

Catrin: Dein Haus hat eine Hure aus Ostern Weihnachten gemacht und jetzt geht sie da draußen auf den Strich und organisiert ihre Freier mit einem notebook.

Bernd: Sie geht auf den Strich in deinem HAUS! Und du denkst, du liebst, oder sie liebt dich, aber ...

Catrin: Deine große Liebe oder Nutte oder so was signalisiert dir nur Arbeitsbereitschaft. Das ist alles. Und das tun wir alle. Wir simulieren Arbeit, aber es gibt nichts zu tun.

Caroline: Ich weiß nur, da ist irgendwie ein Kapitalismus im Netz und der dreht einen Porno mit mir auf meiner Webadresse. Und jetzt dreh ich mich beim Ficken ums Geld. Und irgendeine Bewegung kann doch nicht das Schlechteste sein.

Bernd: Sei nicht das schlechteste Drehn beim Ficken.

Caroline: Da ist eine Bewegung beim Ficken. Da kreist die Liebe ums Geld.

Bernd: Bewegung beim Ficken kann doch nicht das Schlechteste sein. Dein Kopf dreht sich ums Geld. Und die Bewegung kann da doch nicht das Schlechteste sein.

Caroline: Aber um was dreh ich mich überhaupt beim Ficken? Um irgendeinen Kapitalismus im Netz? Oder um irgendeine Liebe? Oder dreh ich mich um einen scheckausschreibenden Heimatplaneten. DAS WÜRDE ICH JETZT GERNE WISSEN, DU FICKSAU! Das würde ich jetzt gerne wissen.

Stefan: Da dreht jemand einen DNS-Chip in die Kamera, und das war mal ich. Aber dieser Chip hat überhaupt nichts mit dem Bauplan MEINES LEBENS ZU TUN!

Bernd: Wenn sich das Kapital bewegt und das Herz stillsteht, da verreise ich lieber auf den Mars.

Catrin: Dieses Haus hat eine Nutte aus uns gemacht und aus Ostern und Weihnachten.

Stefan: Du bist so schön und ich bin so völlig fertig von dir und was dir Geld bedeutet. Das ist einfach zu viel für mich, da will ich einfach nur neben dir liegen und Schecks schreiben und dir beim Schlafen zusehen und wie sich der Tod von dir inspirieren lässt.

Caroline: Von mir aus.

Stefan: Das Leben lässt sich vom Kapital inspiriern und das ist dann da irgendwo und wir beide lieben uns.

Bernd: Ja, gut, mach mal.

Stefan: Du arbeitest zu viel und von deinem Schlaf lässt sich irgendwie der Tod inspiriern.

Bernd: JA, GUT, MACH MAL!

Clip:

Schlafen zu «Spiel mir das Lied vom Tod»
Dann Dauerkaraoke

Catrin: Liebe und Müll! Das sind die Themen dieser Nacht! Gefühle, Müll, Liebe und deregulierte Märkte. Die slums zeigen ein paar erbärmliche Gefühle, Gefühle, die irgendwer noch übrig hat. Gefühle, die irgendwo noch übrig geblieben sind und für die zu leben man

gleich sein ganzes GOTTVERDAMMTES LEBEN ÄNDERN MÜSSTE.
Gefühle, die dein Leben deregulieren. Aber das will hier
niemand. Niemand wird hier für ein paar erbärmliche
Gefühle sein Leben opfern. Und seine Liebe zur Arbeit.
Und sich aus der Laufbahn werfen oder sich vom Arbeitsmarkt kicken lassen ODER AN DEN HERD STELLEN! Frank hat
seinem Job einen heißen Antrag gemacht. Und jetzt liegt
er bei ihm wie bei einem Geliebten. FRANK LIEGT BEI
SEINEM JOB WIE BEI EINEM GELIEBTEN!

Stefan: JA, DAS TU ICH!

Catrin: Und da liegt er dann. Bei seinem Job wie bei
seinem verfickten Geliebten. Und diese Nacht hier mit
seinem Geliebten wird sehr sehr lang werden. Am besten
ihr holt euch noch irgendwas zu trinken, und kauft irgendwas, oder handelt elektronisch, denn das hier wird
eine lange Hamburger Gefühls- und Müllnacht. Bei Gott!
Wir sind in den world wide web-slums und JEDER KANN
HIER SEIN SCHEISSGESCHÄFT AUFMACHEN! Mit einer SCHEISS-
ADRESSE! Und einer NETTEN GESCHÄFTSIDEE! Und sich
selbst machen. Denn da ist so viel virtuelles Material,
um sich selbst zu machen. Das ist eine Revolution hier.
JEDER KANN SICH SELBST MACHEN. Bis irgendwann nicht
mehr genügend virtuelles Material da ist, um sich selbst
zu machen. Ja, dann ist hier NIRWANA! Die Hamburger
Müllnacht! Da gibt es überall nur noch Müll. Und Gefühle auf dem Müll! Und auf der anderen Seite diesen bürgerlichen Geschmacksterror, wo einem einfach nichts
mehr anderes übrig bleibt, als einzukaufen. Das Gesicht
dieser Stadt ist unternehmerisch orientiert und da werden wir heute NACHT REINSCHLAGEN! In das unternehmerisch orientierte GESICHT DIESER STADT!

Caroline: Ich würde gerne einmal einen Hype sehn, wo
antibürgerliche Lebensstile gehypt werden. Rumhängen
und das Leben genießen ohne Geld oder so was. Leben,
das nicht in Freizeit und Arbeit organisiert ist. Ein-

fach zu sagen, gut, die Arbeit ist tot und die steht auch nicht wieder auf und es gibt nur noch Produktionsstätten von Reichtum. Und diese Webadressen, in denen diese Produktion stattfindet, werden wir aus Langeweile mit DIGITALEN STALINORGELN BOMBARDIERN! Damit das, was übrig bleibt, nicht bloß EINKAUFEN IST! Dein Job macht dich selbstsicher, Frank, aber nur, weil du deinen Körper zu Hause lässt. Und da zu Hause oder in Nachtclubs oder so was, wo du LEBEN KÖNNTEST, da kommst du mit deinem Körper nicht zurecht, da fühlst du dich unsicher, weil ihn da keine soziale Dimension an der Hand hält. Und in dieser reproduktiven, sozialen Dimension da drinnen, da arbeitet jetzt keiner mehr, keine Hausfrau, keine Nutte, keine Stricher, da spielen dich deine Kinder auch nicht glücklich und so'n Scheiß. Da gibt es einfach nichts mehr. Da ist nur noch dein Körper, den du zu Hause lässt, weil du ihn in deinem hochtechnologischen Job einfach nicht brauchen kannst. Und er liegt da zu Hause, dieser Dummy, und knallt gegen die Wand oder gegen eine Ficksoap im Fernsehen.

Bernd: Knall gegen eine Ficksoap im Fernsehen.

Stefan: Dauerkaraoke.

Catrin: Und fühle ihre Gefühle.

Caroline: Du sitzt zu Hause und knallst gegen eine Ficksoap im Fernsehn und fühlst ihre Gefühle und Erfolgsphantasien, die an die Imaginationen weißer Männer gekoppelt sind, und die Gesellschaft in dieser FICK-SOAP ist ein florierendes Unternehmen. Aber du fühlst irgendwelche Gefühle in deinem slum, die haben damit GAR NICHTS ZU TUN! In diesem SCHEISS-globalen Dorf der Verelendung gibt es eine SCHEISS-FICKSOAP und die war ein florierendes Unternehmen. Aber die vermittelte nur Gefühle, die jeder schon kannte. Aber alle wollten end-

lich mal Gefühle haben, DIE NIEMAND KANNTE. DIE NIEMAND
FÜHLT AUSSER MIR!

Bernd: Fühle Gefühle, die niemand kennt.

Catrin: GO GO GO GO GO, GEFÜHLE!

Bernd: Ja, das will ich, DEREGULIERTE GEFÜHLE FÜHLEN!

Caroline: Das alltägliche Leben und Technologie! Wie
sollen die beiden Feinde zusammenkommen? Wie sollen
diese beiden Pfeiler unserer Neuen Gesellschaft in har-
monischer, trashiger Eintracht miteinander existieren?
Und wo sind da unsere Gefühle? Wie bewegen sich unsere
Gefühle zwischen diesen beiden tragenden Säulen unserer Gesellschaft? Zwischen Alltag und Technologie? Da
arbeitet jemand am highend von Technologie und verslumt
in seinem Gefühlsleben. Wie soll das zusammenkommen?
Konzerne sponsern die Anschlüsse an die Welt und alle
leben in Hütten aus notebooks und potenzielle Jobs
drehn sich da auf ihren Monitoren und von mir aus auch
virtuelle Arbeitsämter und irgendwie sieht es so aus,
als hätten plötzlich alle die Möglichkeit zu ARBEITEN.
Aber der Verkauf deiner Arbeitskraft ist nicht sehr
aussichtsreich in dieser elektronischen Revolution, die
von der Verwendung menschlicher Arbeitskraft irgendwie
abgekoppelt ist. Dieser Ruck durch die Gesellschaft und
Hype der elektronischen Medien hat irgendwie übersehn,
dass die Arbeitskraft ein ZOMBIE ist. So was wie Arbeit,
das gibt es gar nicht mehr. Und jetzt versagen alle in
den Jobs im Netz. Und suchen die Fehler bei sich oder
ihren Hütten. Aber die Arbeit ist ein Untoter. Und das
Internet hält sie am Leben. Aber die elektronische Revolution hat sie auf dem Gewissen. Ich persönlich
trauere ihr auch nicht nach. Ich will mir nur nicht
einreden lassen, dass ich in irgendwas VERSAGT HÄTTE,
DAS ES ÜBERHAUPT NICHT GIBT! Alle wollen da am Internet
arbeiten. Aber irgendwie sind alle nur Abonnenten. Die-

ses Netzwerk von Arbeitern ist eigentlich ein Netzwerk von Abonnenten. Da sind lauter slums von Abonnenten und die können jetzt vielleicht ein paar Informationen über das Netz verkaufen, wie: sich beim Strippen zusehn lassen oder 'ne andere nette Geschäftsidee. Und dieses ganze Netz ist ein Porno. Auf meinem Kühlschrank läuft ein Porno. Es sieht aus wie ein Küchenrezept, aber es reduziert mich auf mein Geschlecht, also ist es ein Porno. Auf meinem Display am Kühlschrank laufen nur Pornos. Irgendwelche Scheißfilme und so was. UND DIE WILL ICH NICHT MEHR SEHN!

Bernd: Da gibt es diesen Hype von bürgerlichen Lebensstilen, von bürgerlichen Geschlechterdifferenzen und diesem Heteroscheiß, im Fernsehen, im Theater, in Stripclubs, aber ich wollte gerne mal sehn, wie es mit einem Hype ist von Lebensstilen, die nichts anderes leben, als sich zu Tode zu lieben. Einfach so sehr zu lieben, dass man gar nicht mehr leben kann, so eine Art Anti-Lebensstil. Die Liebe ist im Grunde ein Anti-Lebensstil. Aber sie wird als Lebensstil gehypt mit regulierten Gefühlen und so 'nem DRECK! Aber eigentlich ist sie gar nicht zu leben. DIE LIEBE IST NICHT ZU LEBEN! Nicht mit einem Job im Rücken und einem Handelsbank-Schwanz, der einem im Kopf baumelt. Wegen diesen ganzen Scheiß-Lebensstilen, die die Liebe als turbulentes Rahmenprogramm hypen, wegen diesem Dreck, der hypt, diesem Bürgerdreck, der alles ausgrenzt und einsperren will, was nicht so reguliert liebt wie er, bedeutet zu lieben plötzlich den Tod. Plötzlich ist man irgendwie verrückt geworden, wenn man liebt, und der, der einen als besonders verrückt empfindet, ist der, den man liebt.

Stefan: UND DAS HALT ICH NICHT AUS! DU VERDAMMTE DRECKS-HURE, DAS HALT ICH NICHT AUS! Ich bin nur schön, wenn ich an dich denke. Das kann es DOCH NICHT SEIN! Und jetzt zum Beispiel: ich denk nicht an dich, jedenfalls nichts Nettes, und ich seh aus wie Scheiße. Ich seh einfach Scheiße aus ohne Gedanken an dich. Dieses Gesicht ist, was du aus ihm machst. Wenn ich kein Gesicht mehr habe, wenn ich nicht an dich denke, das kann doch nicht sein. Dass ich verrückt werde, nur weil ich jemandem verfallen will.

Bernd: VERFALLE NIEMANDEM.

Stefan: Aber jemandem zu verfallen scheint so wichtig zu sein. Seinem Job zu verfallen und dem Geld und so was und das ist alles genauso irrational wie Gefühle, jedenfalls wird das behauptet. Dass der Markt irrational liebt. Oder dass in ihm irrational geliebt wird.

Caroline: Aber der Markt wird nur als irrational gehypt. Und die Produktion von Reichtum ist ganz sicher nicht irrational. Ja, gut, dir kommt es vielleicht so vor. Und das Ganze ist vielleicht surreal, aber es ist ganz sicher nicht IRRATIONAL. Die Produktion von Reichtum wird immer noch als rational gehypt.

Catrin: Der Markt wird von Schwanzmetaphern in der Bank als irrational konstruiert.

Bernd: So macht einfach das Jagen mehr Spaß.

(Clipende)

Catrin: Und jetzt arbeitet Ostern Weihnachten die Sexarbeit einer Migrantin und die Stelle um ihren Bauchnabel ist zerkratzt von Dollarscheinen, die man ihr in ihre Hosen gesteckt hat. Hier passiert wenigstens was. In diesem Gefühlsraum. Hier dreht sich was beim Ficken ums Geld. Hier dreht sich Ficken um Geld.

Caroline dreht sich um die Go-go-Stange und die andern stecken ihr Geld in die Hose.

228

Bernd: Glaubst du, dass die Liebe ein Fluss ist, der nie aufhört?

Caroline: NEIN, VERDAMMTE SCHEISSE, DAS GLAUB ICH NICHT!

Catrin: Dieser Planet ist so finster und wir HABEN KEINE AHNUNG, DASS DIESER PLANET SO FINSTER IST! Wir haben keine Ahnung, wir wussten, dass es in uns finster ist, und jetzt ist alles um uns herum auch finster. WIE SOLLEN WIR DA LEBEN? Mit Finsternis in uns und Finsternis um uns herum. Mit all dieser Finsternis! Wie soll das gehen? Dass wir nach Seattle oder Davos oder Prag fahrn und der Verfinsterung dieses Planeten ein Ende bereiten? Aber diese Verfinsterung in uns, die hat doch auch mit Liebe zu tun und nicht nur mit KRIEG!

Bernd: Seattle this! *(wirft was um, tritt gegen ein Kissen!)*

Stefan: ICH MÖCHTE BLOSS WISSEN, WARUM ICH NICHT ALLES HABEN KANN!

Catrin: Du kannst nicht alles haben.

Stefan: DAS IST DOCH EINE WICHTIGE FRAGE! ICH WILL ALLES. ABER ICH KANN ES NICHT HABEN.

Catrin: Das Glück, den Sonnenschein.

Stefan: ICH WILL GLÜCKLICH SEIN, ABER ICH KANN ES NICHT HABEN!

Bernd: Ich möchte wissen, warum ich Liebe nicht haben kann, mein Karel Gott!

Catrin: Warum kann ich meine Liebe nicht haben?

Bernd: Da ist sie irgendwo und ich weiß es genau UND ES IST DER SCHLÜSSEL ZUM GLÜCK UND ICH KANN IHN NICHT HABEN.

Catrin: GENSCHLÜSSEL ZUM GLÜCK.

Stefan: Wenn meine Gefühle verslumen und nur noch Müll für Ficksoaps sind. Was ist dann die Alternative?

Caroline: Es gibt keine Alternative zu Müll.

Stefan: Aber der muss doch vorher irgendwas anderes gewesen sein, der Müll von Gefühlen. Das kann doch nicht von vornherein Müll gewesen sein. O GOTT! Das war von Anfang an Müll! Ich habe nur Müll gefühlt, vom ersten Augenblick, als ich dich gesehen habe, mein Schatz, war da nur Müll. Ich dachte, das wären deregulierte Gefühle. Aber das war nur Müll von Ficksoaps. Diese Gefühle, das war nur ein florierendes Müllunternehmen.

Bernd: Wir sitzen in einem deregulierten Markt und fühlen regulierte Gefühle, so ist das eben.

Catrin: Deregulierte Märkte brauchen regulierte Gefühle. Und du da oben an deinem highend brauchst ganz besonders regulierte Gefühle. Sonst kommst du in Teufels Küche. Ja, gut, ich weiß, da bist du irgendwie schon, in deinem Labor, wo du Gensequenzen entschlüsselst da oben am highend der Hochtechnologie, da bist du schon in Teufels Küche, aber dann kommst du eben in Teufels Gefühlsküche.

Bernd: Scheinbar können wir, wenn wir Aussagen über Arbeitsverhältnisse machen, kaum genaue über ein darüber hinaus zu organisierendes Gefühlsleben treffen und umgekehrt.

Bernd: *(zornig)* Ich lebe am Ende der Welt. ICH LEBE AM ENDE DER WELT und ich komm in keinen Kontakt mit meinen Gefühlen. Oder die, die für mich bestimmt sind. Ich weiß, da sind Gefühle, die für mich bestimmt sind, die ich fühlen darf und so was. Aber ich komm in KEINEN KONTAKT MIT IHNEN. Jedenfalls nicht in meinem Bereich. Ich steh immer nur so rum und komm in keinen Kontakt mit MEINEN GEFÜHLEN! Aber da gibt es doch Leute, die einen in Kontakt mit unseren Gefühlen bringen. Normalerweise gibt es doch so was wie eine soziale Dimension und man kommt in SCHEISSGEFÜHLSKONTAKTE. Durch irgendwelche Leute, die man entweder heiraten oder kaufen kann. Da gab es doch immer irgendwelche Leute, die man heiraten und kaufen kann. Zu Hause, oder wo diese Leute sonst arbeiten, an Sexarbeitsplätzen, auf dem Strich oder so was. Die einen aus der Bahn werfen. Das war doch mal was. Aus der Bahn geworfen zu werden. Da gab es doch immer was, das einen AUS DER BAHN WIRFT. Gefühle zum Beispiel. Man kennt es nicht, aber es ist für einen bestimmt und dann lernt man es irgendwie kennen. Und man sieht in ein Gesicht, das eine, von mir aus auch deregulierte, soziale Dimension ist, und das wirft einen irgendwie AUS DER BAHN! Aber diese sozialen Dimensionen sind einfach alle reguliert und da arbeitet man am deregulierten Ende der Welt, der irgendein Markt ist, und kommt in keinen Kontakt mit seinen GEFÜHLEN. Und irgendwie weiß ich, das kann doch nicht DAS LEBEN SEIN!

Stefan: Ich lebe am Ende der Welt in irgendwelchen world wide web-slums und das kann doch nicht das Leben sein. Ich bin nur noch weg von Gefühlen. Da gibt es meinen Bereich und da gibt es erst mal nichts anderes. Aber da muss es doch auch einen emotionalen Bereich geben, mit dem ich aber in keinen SCHEISSKONTAKT komme. Und ich bin schwer besorgt über diesen Zustand! Und nicht nur das, ich bin sehr besorgt und ich HALT IHN EINFACH NICHT MEHR

AUS! Und den halt ich nicht mehr aus! Ich halt diesen Zustand ohne Scheißgefühlskontakte EINFACH NICHT AUS!

Catrin: Aber du liegst bei deinem Job, wie bei einem Geliebten, Frank! Du liegst da draußen bei einem Job, wie bei einem Geliebten. Aber das kann es doch nicht sein, dass du bei einem Job liegst wie bei einem Geliebten. Dein Job, da liegst du, um dir dein Leben zu erhalten, aber nicht um zu lieben. Die Liebe, die ER-HÄLT NIEMANDEN AM LEBEN! DAS TUT SIE NUR IN BÜRGER-LICHEN FORMATEN, DICH UND DEINEN JOB AM LEBEN ZU ERHAL-TEN. DAS TUT SIE NUR DA!

Caroline: Du liegst bei deinem Job in einem Schlafsack in der Wüste wie bei einem Geliebten, um dir dein Leben zu erhalten. Aber die Liebe, die war immer tödlich, und wo findest du das jetzt, WENN DEIN LEBEN EIN JOB IST? WO FINDEST DU DAS?

Stefan: ICH WILL DIESES LEBEN NICHT MEHR! ICH WILL DIE-SES LEBEN NICHT MEHR FÜHREN!!

Bernd: Welches denn?

Stefan: Diese Kontaktlosigkeit mit meinen Gefühlen. Ich will das NICHT MEHR FÜHRN!

(Clipende)

Catrin: Wir springen lächelnd über eine Wiese oder über eine Wüste oder durch slums, und da ist eine soziale Dimension in unseren Gesichtern und wir sind irgendwie nur Tapeten. Wir sind nur lächelnde TAPETEN. Du bist so glücklich ...

Stefan: JA, ICH BIN SOO GLÜCKLICH. ICH BIN EINE GLÜCK-LICHE TAPETE.

Catrin: Du springst als glückliche Tapete durch die Wüste und versuchst in Kontakt mit deinen Gefühlen zu kommen. Und im Springen merkst du, du bist ganz am Ende der Welt. Und diese Tapete, die du bist, klebt irgendwo im Nirwana, aber nicht hier. Diese Tapete wird vielleicht irgendwo im Nirwana kleben, aber nicht hier. Hier klebt nichts mehr. VERDAMMTE SCHEISSE! Du bist so kontaktfreudig, aber du klebst oder kontaktest wahrscheinlich nur im Unendlichen. O SCHEISSE! Und du sagst dir, wann ist dieses Scheißleben endlich zu Ende und ich kann im Nirwana kleben. Mach dieser SCHEISSE ENDLICH EIN ENDE, DANN KLEBST DU WENIGSTENS IM NIRWANA!

Stefan: Wir sind Kletten, die ins Nichts fliegen. Ich bin wie eine Klette, die ins NICHTS FLIEGT! Und das kann es doch nicht sein! Und über diesen Zustand bin ich SCHWER BESORGT! WIR KLETTEN, DIE INS NICHTS FLIEGEN. Und wir haben nicht das geliebt, was wir lieben wollten. Wir sind SO VERZWEIFELT. Weil wir das nicht geliebt haben, was wir lieben wollten.

Clip:

Sie spielen sie sind Tapeten! Orgie/Stripshow

Stefan: Ich will VERDAMMT NOCHMAL VERRECKEN! Ich bin irgendwo hier unten oder hier oben, ich weiß nicht genau, und ich hatte irgendwie die soziale Dimension nicht dabei.

Bernd: Hab die soziale Dimension dabei!

Stefan: Ich hatte die nicht dabei in MEINEM LEBEN!

Catrin: Da sind all diese Häuser und da drin sind irgendwie regulierte Gefühle. Und das ist ja auch gut so, dass man auf sich aufpasst und sich ein bisschen beaufsichtigt und sich sagt, in Ordnung, der Markt ist dereguliert, das muss jetzt ich nicht AUCH NOCH HABEN!

Bernd: ICH BIN TAPETE.

Catrin: Wir sind Tapeten, die durch den Weltraum fliegen, und dann kleben wir uns an irgendeinen Planeten und sehn hübsch aus und geben dem ganzen Scheiß-Nichts eine soziale Dimension.

Stefan: DAS NICHTS HAT EINE SOZIALE DIMENSION.

Catrin: Und vielleicht lässt sich ja irgendwas anfangen mit diesem Nichts. DAS NICHTS HAT EINE SOZIALE DIMENSION. UND WARUM ZIEHN WIR DA NICHT HIN INS NICHTS?! WARUM ZIEHN WIR DA NICHT HIN?!

Clipende

Caroline: Und in unserem überemotionalisierten Bereich in dieser Ficksoap hier wissen wir einfach nicht mehr, ob das, was wir fühlen, wirklich wert ist, es zu fühlen. Du kannst deinen emotionalisierten Betrieb fühlen, Frank, aber der ist nur an Effektivität gekoppelt und so'n Scheiß, also an nichts, was dich aus der Welt wirft. Oder aus der Bahn oder so was.

Bernd: Alles, was dich aus der Welt wirft, ist wert, gelebt zu werden.

Catrin: Aber das ist irgendwie nur so in dieser Ficksoap hier. Und die ist außerdem noch ein florierendes Unternehmen. Ein florierendes überemotionalisiertes Unternehmen. UND DAS KANN ES DOCH NICHT SEIN. VERDAMMTE SCHEISSE! Dass alles ein Unternehmen ist, alle Emotionen sind Geschäftsbeziehungen und das kann es doch nicht sein.

Bernd: Es ist nicht gesund, die Liebe zu überleben. Das ist es nicht, es ist nicht gesund.

Caroline: ... die Liebe zu überleben!

Catrin: Und schon gar nicht in diesem überemotionalisierten Bereich in dieser Ficksoap hier. Hier muss man doch MAL IRGENDWIE KREPIEREN KÖNNEN. SO VIEL FREIRAUM MUSS ES HIER DOCH GEBEN!

Stefan: Das kann es nicht sein. Irgendwas zu überleben.

Bernd: Werte das Leben ab!

Caroline: Zugunsten von Märkten.

Catrin: Du kannst Märkte nicht überleben, das geht einfach nicht.

Caroline: Dass du Märkte überleben kannst Scheiße das geht einfach nicht. Niemand überlebt Märkte. Und die Liebe und das alles das überlebt einfach keiner und jetzt fickt meinen Scheißkörpercomputer diesen Gipfel der Tragbarkeit und jetzt fickt die Geschlechterdifferenzen! UND JETZT FICKT MICH!

Bernd: Ihr verdammten Ficksäue.

Catrin: Ich will das nicht mehr länger hörn. Dass nichts überlebt werden kann. Was sollen wir denn leben, wenn es nichts zu leben gibt. Was sollen wir denn dann leben?

Stefan: Lebe das Nichts.

Caroline: Und vielleicht hat es eine soziale Dimension, in der wir uns wieder zu Hause fühlen. Vielleicht gibt es die ja da irgendwo in diesem Scheißnichts. Vielleicht gibt es ja da was Soziales. Gesichter, mit denen wir wieder was anfangen können und nicht dauernd kotzen, wenn wir sie sehn.

Catrin: WIE DIESE STADT HIER!

Stefan: DAS GESICHT DIESER STADT IST EIN UNTERNEHMEN!

Bernd: Gesichter, in die wir nicht kotzen, wenn wir sie sehn.

Caroline: Vielleicht gibt es das.

Catrin: Ja, das will ich, Gesichter, in die wir nicht kotzen, wenn wir sie sehn.

Stefan: Ich will das.

Caroline: Du willst das Leben, aber da ist nichts und du musst dich wieder anfreunden mit dem, was nicht zu haben ist.

Catrin: Du dachtest, da ist alles zu haben, das Leben und so was, aber das ist es nicht. Das Leben ist nicht zu haben.

Stefan: Du bist mein ganzes Leben gewesen, um dich sollte sich alles DREHN.

Caroline: Ja, gut, aber OHNE MICH!

Bernd: Da dreht sich dein Leben in deinem notebook.

Stefan: AAAHHHH! Aber ich hab doch auch früher gearbeitet, ohne zu leben, warum kann ich das JETZT NICHT MEHR?

Bernd: DNS-Chip-Analyse.

Caroline: Diese neue Besitzform definiert Leben als Kapital.

Stefan: Ja, warum kann ich das jetzt nicht mehr?

Caroline: Weil es EINFACH AUS IST! ES IST EINFACH AUS!

Bernd: Du hattest deine Chance, Frank, und jetzt ist es vorbei, Frank.

Catrin: Dein Job ist mit einem Mehraufwand verbunden, der sich einfach nicht mehr rechtfertigen lässt.

Stefan: Ich fühle all diese Organe in mir revoltieren und dann denk ich, die Liebe kann unmöglich was mit meiner Natur zu tun haben.

Bernd: Lieben ist irgendwie gegen die Natur.

Stefan: Jedenfalls kommt es mir so vor, als müsste ich dauernd was dagegen einnehmen. Aber ich kann doch nicht immer was einnehmen gegen Dinge, die im Kino so toll aussehn.

Bernd: Was im Kino toll aussieht, dafür musst du hier einen guten Magen haben.

Catrin: Hier zu Hause.

Caroline: Surrealisiere deinen Magen.

Bernd: Du fühlst Dingsda, Liebe und dann bringst du Arbeit mit nach Hause und denkst und damit komme ich auf das Problem, dass einem nicht unbegrenzt Zeit bleibt auf diesem SCHEISS-PLANETEN!

Caroline: Unrealisiere dein Leben!

Stefan: Ich arbeite vor allem im hochtechnologisierten Bereich und dabei unrealisiere ich mein Leben.

Bernd: Und das sieht wie aus?

Stefan: Irgendwie nicht real.

Bernd: Er führt ein unrealisiertes Leben.

Stefan: Aber ich hab Angst, MEIN LEBEN ZU ÄNDERN. DAS IST EINFACH ZU SURREAL!

Caroline: Surrealisiere dein unrealisiertes Leben!

Clip

Catrin: Ich wünschte, die Liebe wäre ein Fluss, der nie aufhört. ICH WÜNSCHTE, DIE LIEBE WÄRE EIN FLUSS, DER NIE AUFHÖRT. Und ich wünschte, ich könnte das ertragen, dass sie nie aufhört, und dass sie einfach immer da ist. Aber das kann niemand ertragen. Die Liebe. DAS KANN NIEMAND ERTRAGEN!

Bernd: VERDAMMTE SCHEISSE!

Caroline: DAS HÄLT NIEMAND AUS!

Catrin: Die Liebe fließt, aber das hält niemand aus. DIE LIEBE FLIESST, ABER DAS HÄLT NIEMAND AUS! Und schon gar nicht in einem Haus, das keine Produktion hat. Aber ich hab einfach so viel davon. Ich hab einfach so viel Liebe zu geben. VERDAMMTE SCHEISSE!

Caroline: Ich wünschte, ich hätte eine nette Geschäftsidee im Internet und dann würde ich da ein Kaufhaus aufmachen und alle kämen auf meine ADRESSE! Und da hätte ich all diese Liebe zu geben, auf meiner Adresse im Internet. Und man muss irgendwie nur lange genug WÜN-

SCHEN, dann geht das alles auch in Erfüllung. Man muss sich nur lange genug etwas WÜNSCHEN. Und jeder kann da im Internet etwas aus sich MACHEN! Jeder kann in diesem geilen Netz ein Geschäft aufmachen. Und da hab ich eine webcam und ich seh auch nicht SCHEISSE DRAUF AUS! Sondern eigentlich ganz hübsch und dann kommen alle auf meine Adresse und von da aus kann ich all diese Liebe geben. DA IST EINFACH SO VIEL DAVON! Da sitz ich dann rum vor meiner webcam wie eine Puppe in einem Kaufhaus und sage HEY, WIE GEHTS! Und dann geben mir die Leute ihre Kreditkartennummern, weil sie mich so toll finden. Und ich sitz da auf meinem ENTZÜCKENDEN ARSCH! Und sage: Ach, kuck mal, wie viel Liebe da im Netz ist! Und die finden mich da zu Hause vor meiner webcam mit Suchmaschinen. Die werfen Stöckchen in Suchmaschinen und die spucken meinen Körper aus. Und die geben mir ihre Kreditkartennummer, wenn ich umständlich irgendwas ausziehe, und die geben mir ihre Kreditkartennummer, wenn ich mich da vor meiner webcam aufhänge und vom ARBEITS-MARKT BEAME! Ich zeig meinen ENTZÜCKENDEN ARSCH und wie ich mich AUFHÄNGE! Und wie ich immer sage: Hey, wie gehts! Und meiner webcam die Zunge rausstrecke, weil ich einfach keine LUFT MEHR KRIEGE! Dieser Scheiß-Strick da in meinem Genick dreht meine ZUNGE RAUS! Und da häng ich da rum und streck meiner webcam die Zunge raus und krieg lauter Kreditkartennummern, weil die LEUTE MICH SO GERNE DA RUMHÄNGEN SEHN!

Stefan: HÄNGE VOR WEBCAMS RUM!

Catrin: Diese Soap ist irgendwie vom Teufel besessen. Diese Ficksoap hier oder diese Vorlesungsreihe zum Thema Müll und Gefühle hat sich einen Virus gefangen.

Bernd: AAHHH!

Catrin: AAHHH

Stefan: AHHHHH

Caroline am Rednerpult.

Caroline: NEOLIBERALISMUS IST DIE HÖLLE!

Stefan: Die Kraft Jesu Christi bezwingt dich!

Caroline: DEINE MUTTER LECKT BANKERSCHWÄNZE IN DER HÖL-
LE!

Stefan: Die Kraft Jesu Christi bezwingt dich!

Stefan und Bernd stecken Caroline in die Jukebox.

Caroline: EURE KLEINE VERFICKTE GLOBALISIERUNG IST IR-
GENDWIE HIER BEI UNS UND DIE KRIEGT IHR AUCH NICHT RAUS
MIT EINEM VERFICKTEN EXORZISMUS. GENTECHNIK PRODUZIERT
KRANKHEITEN!

Stefan: Die Kraft Jesu Christi bezwingt dich!

Caroline: DA GIBT ES NUR NOCH USA IM NETZ. UND ICH MACH
DAS JETZT ZU AFRIKA!

Catrin: Die Kraft Jesu Christi bezwingt dich!

Caroline: DIE MACH ICH ZU AFRIKA. ICH MACH DIE VERFICK-
TEN USA ZU AFRIKA!

Bernd: Die Kraft Jesu Christi bezwingt dich.

Catrin: So, das reicht. Dann ist diese Nacht oder dieser Müll oder diese Jukebox eben besessen. Da kann ich
auch nichts dafür.

Abspann

BETTEN SIND ORTE
ERHÖHTER WACHSAMKEIT

Catrin: Es war einmal vor langer langer Zeit, da gab es Orte, die waren irgendwie nur Orte der VERELENDUNG. Und die nannte man die world wide web-slums. Und in diesem globalen Dorf der Verelendung arbeiteten auch Leute, aber da Arbeit irgendwie nur ein Zombie war, und schon lange tot, konnte man die surrealen Beschäftigungen, denen die Leute nachgingen, eigentlich keine Arbeit mehr nennen, sondern nur Scheißarbeit. Und niemand handelte mehr. Gehandelt wurde nur noch elektronisch. GEHANDELT WURDE NUR NOCH ELEKTRONISCH! Alle handelten nur noch elektronisch und tauschten Platten im Netz und hatten tragbare Computer und Displays unter ihrer Haut, so groß wie Kreditkarten. SO EINE SCHEISSE!

In dieser Zeit lebte auch Drahos Kuba, unter slumdächern aus notebooks. Und er glaubt, er arbeitet für eine coole Firma. Aber so was gibt es gar nicht, eine coole Firma. DAS GEHT EINFACH NICHT!

Ostern Weihnachten kam vor langer Zeit von irgendwoher in die world wide web-slums, als Erwerbsarbeit das entscheidende Kriterium zur Bewertung der gesellschaftlichen Position war und Computer auf dem GIPFEL IHRER

TRAGBARKEIT. Und die gaben ihr Befehle und so was. Dinge von A nach B zu bringen oder SO WAS!

Frank Olyphant arbeitet am highend der Hochtechnologie und dreht DNS-Chips in die Kamera, weil die Medien die so gerne sehn, oder sie drehn sich in seinem notebook.

Gong Titelbaum lebt in einer sozialen Dimension irgendwo zu Hause, zwischen Kühlschränken, die einkaufen und selbständig durch das web surfen. Und das hält niemand aus, Kühlschränken beim Surfen zuzusehn!

Stefan: Irgendwie hab ich geahnt, dass ich unmöglich in beidem gut sein kann, in der Arbeit und in Gefühlen.

Catrin: Nein, das kannst du nicht.

Caroline: Scheinbar können wir, wenn wir Aussagen über Arbeitsverhältnisse machen, kaum genaue über ein darüber hinaus zu organisierendes Gefühlsleben treffen und umgekehrt.

Catrin: Darüber lässt sich überhaupt nichts aussagen.

Stefan: Ich möchte wieder an der Welt teilhaben! Mit all ihren verfickten Genentschlüsselungen. Ich will nichts mehr fühlen.

Caroline: Ja, gut, Frank.

Stefan: ICH MÖCHTE WIEDER AN DER DINGSDA TEILHABEN! MIT ALL IHREN VERFICKTEN EINZELHEITEN. ICH WILL NICHTS MEHR FÜHLEN!

Caroline: Alle wollen nichts mehr fühlen, aus den unterschiedlichsten Gründen.

Catrin: STOP! *(Stopp-Geste)* IN THE NAME OF LOVE.

Caroline: Bevor du dir noch irgendwas brichst, das Herz oder Dingsda.

Catrin: Ich verbinde Platten IMMER MIT LIEBENDEN. ICH VERBINDE PLATTEN IMMER.

Bernd: Ich verbinde Platten immer mit jemandem, den man liebt und so was.

Caroline: Tausche Platten.

Catrin: JA, DAS MACH ICH! Platten sind Liebe.

Stefan: Und die Liebe ist eine Geschäftsform im Netz.

Bernd: Und jetzt hör Platten zu und denke an die Liebe. Tausche Platten und denke an die Liebe.

Caroline: MP3-Platten auf dem Highway.

(Clip)

Caroline: Das Leben ist manchmal ziemlich komisch.

Bernd: JA, WAHNSINNIG KOMISCH.

Caroline: Heute Nachmittag hatte ich zwei Kunden. Irgendwelche Vertreter aus Cleveland.

Catrin: Ja und?

Caroline: Oder Maine oder irgendwoher. Es war so langweilig. Sie haben die ganze Zeit nur von ihren Frauen und ihren Kindern und diesem ganzen Kram erzählt. Es war exorbitant wahnsinnig. Den ganzen Tag musste ich mir bürgerliche Lebensstile anhörn und beinahe hätte ich beschlossen, genauso ein verdammtes Leben zu führen, nur damit ich mir so was nicht mehr anhörn muss. Es zu leben ist vielleicht besser, als sich dieses Zeug anzuhörn. Was meinst du?

Catrin: Das kann ich nicht sagen. Ich bin nämlich keine NUTTE!

Stefan: Ich kann mir das nicht anhörn, ich kann es vielleicht leben, aber ich kanns mir nicht anhörn.

Bernd: Na ja, wozu auch.

Caroline: Ich habe meine ganzen Pillen gegessen, sonst hätte ich es einfach nicht ausgehalten. Du hast doch noch welche, oder, Frank?

Stefan: Rot oder gelb, Ostern?

Caroline: Es macht keinen Unterschied, Frank. Ich brauch es so dringend. GIB HER! Nein, das reicht irgendwie nicht. Vielleicht krieg ich das Zeug auch hier an der Nachttankstelle. Hallo, Tankwart! Akzeptieren Sie auch American Express?

Bernd: Zeigen Sie mal her? Nein, nichts zu machen. Wir akzeptieren keine gestohlenen Kreditkarten.

Caroline: Verdammtes Schwein. Das wird dir noch Leid tun.

Bernd: Geklaute Kreditkarten. NICHT MIT MIR!

(Clip:)

Bernd: Ich bin eigentlich kein Tankwart. Ich bin Präsident einer Internetfirma, die online Hörbücher vertreibt. Doubleday, eine ziemlich coole Firma. Schon mal davon gehört? Mein Sessel steht im Bertelsmann Building auf dem Broadway. Ich spiele nur diese Rolle, weil ich mich normalerweise isoliert fühle von den Ungewissheiten und emotionalen Anforderungen des Lebens. Und einfach mal ein Tankwart zu sein ist irgendwie Urlaub für mich. Als Tankwart fühle ich mich den Ungewissheiten dieses Lebens nicht so ausgeliefert. Ich stelle bloß fest, dass Osterns Kreditkarten gefälscht sind und so, und tanke Autos auf. Das ist kein Job in einem hochtechnologisierten Bereich und ich hab weniger Schwierigkeiten, mit meinen Gefühlen umzugehn.

Catrin: Was ist das hier für ein SCHEISSFILM?

Clipende

Stefan: ICH WILL NICHTS FÜHLEN! Und ich will keine Ungewissheiten im Leben. Die will ich nicht. DAS MACHT MICH SO UNGLÜCKLICH!

Caroline: Aber du warst mal schwer verliebt!

Catrin: Und viele Menschen sind unglücklich, irgendetwas muss also dran sein.

Stefan: Ja, gut, aber das hat nichts mit meinem Leben zu tun.

Bernd: Dann klone irgendwas. Transzendiere dein Begehren.

Caroline: Surrealisiere dein Leben! Klone dein Begehren!

Stefan: Du kannst nicht sehr viel fühlen und gleichzeitig einer hochtechnologisierten Arbeit nachgehn. Das geht irgendwie nicht. *(zu sich selbst)* Und jetzt fühle ich sehr viel und hör auf, in deinem HOCHTECHNOLOGISIERTEN BEREICH IRGENDWAS ZU MACHEN.

Bernd: Das ist wahnsinnig komisch. Entweder man weiß wovon du redest, wenn du über deinen Job sprichst, und versteht dieses ganze Zeug mit der Liebe nicht, oder man versteht diese ganze Sache mit der Liebe und hat keine Ahnung, welche Scheiße du mit deinem hochtechnologisierten Job meinst.

Caroline: Das Leben ist nicht zu ERTRAGEN! Und deshalb sitzen die da *(zeigt auf Frank)* in ihrem Labor oder vor notebooks und versuchen es zu entschlüsseln, aber was mache ich? Ich bin völlig AUFGESCHMISSEN!

Stefan: Ich sitze in einem Labor und ich bin auch völlig AUFGESCHMISSEN!

Bernd: Er sitzt an seinem Computer ...

Catrin: Milliardenteures Spielzeug ...

Caroline: Und der zeigt keine Gefühle.

Clip

Bernd: Du hast dein Leben geändert und jetzt empfindest du was, große Gefühle, aber SIEH DICH MAL UM! WAS IST DAS, DEIN LEBEN?! EIN MÜLLHAUFEN!

Caroline: Du hängst nur noch in NACHTCLUBS RUM!

Bernd: Und siehst Ostern Weihnachten beim Strippen zu. Und das macht dich so BESINNLICH!

Catrin: Dein Leben ist ein Müllhaufen. Wo er Recht hat, hat er Recht.

Stefan: Ich hab nur keinen milliardenschweren Computer mehr, das ist alles, was ich nicht habe, dafür habe ich große Gefühle.

Caroline: Dein Leben ist ein Scheißfilm.

Stefan: Ja, das ist er.

Bernd: Ich bin ganz zufrieden mit meinem Leben, so wie es jetzt ist. Nur um etwas zu empfinden, kann ich es doch nicht einfach das Klo runterspülen. DAS GEHT DOCH NICHT!

Catrin: Spüle die Änderung das Klo hinunter!

Caroline: Aber wenn du nichts empfindest, dann ist irgendetwas falsch mit deinem Leben.

Bernd: Aber ICH BIN DOCH KEIN FILM! Ich muss nichts empfinden. Ich nehm ja auch keinen Eintritt in mein Leben, ich meine Eintrittsgeld, das muss sich ja niemand ansehn, mein Leben, ICH MUSS NICHTS EMPFINDEN.

Stefan: Null Empfindung!

Catrin: NULLEMPFINDUNG.

Caroline: Nimm keinen Eintritt!

Bernd: Ich bin doch keine Geisterbahn. Ich meine, mein Leben ist schon eine Geisterbahn, und ich hab auch einen Beruf, ich hab jetzt zwar vergessen, was für einen, aber ich hab einen. Und ich hab sowieso Angst, dass man mich da rauskickt, das werde ich doch jetzt nicht auch NOCH SELBST ERLEDIGEN! ICH WEISS, ICH KANN GLÜCKLICH SEIN! ABER ICH WEISS, DAS IST MIT ZIEMLICH VIEL AUFWAND VERBUNDEN. Mein Kopf ist ein ZUSAMMENBRUCHSRAUM!!

Catrin: Du musst zum Beispiel ziemlich viel herumschreien und das ist mit viel Aufwand verbunden, du schreist herum und musst dich entschuldigen bei Leuten für die Lärmbelästigung, das ist Aufwand. Du kannst keine Opern mehr singen, das ist Aufwand, wenn du dauernd herumschreist, weil du glücklich sein willst, kannst du keine Opern mehr singen, jedenfalls nicht ERNSTHAFT, du stehst auf der Bühne des Lebens, von bürgerlichen Krisen geschüttelt, und kriegst einfach keine verdammte ARIE MEHR AUS DIR RAUS!

Stefan: Krieg Arien aus dir raus!

Catrin: Du stehst auf der Bühne, von Krisen geschüttelt, und kriegst nur Entschuldigungen aus dir raus.

Caroline: Entschuldigungsarien.

Bernd: ICH WILL GLÜCKLICH SEIN! ABER SEIN LEBEN ZU ÄNDERN IST EINFACH MIT ZU VIEL AUFWAND VERBUNDEN! UND DANN MUSS ICH MICH AUCH NOCH DAFÜR ENTSCHULDIGEN! VERDAMMTE SCHEISSE!

Catrin: Ja, weil du einfach zu LAUT BIST! UND JETZT HALTS MAUL! SEI GLÜCKLICH, ABER HALTS MAUL!

Caroline: Ich halt es nicht aus. ICH HALT ES NICHT AUS.

Bernd: Ich wollte, ich könnte, aber ich hab dauernd das Gefühl, ich müsste mich übergeben oder so was.

Stefan: Hör auf, dich zu übergeben.

Caroline: Du Kotztüte.

Bernd: Sieh dir dein Leben an!

Caroline: Nein! NEIN!

Bernd: Ja, gut. Halts Maul, Ostern Weihnachten oder wie immer dein bekloppter Name ist.

Caroline: Ostern Weihnachten ist kein bekloppter Name, es ist das FEST DER FESTE!

Catrin: Und jetzt lasst uns in dieses Kino reiten.

Bernd: Reite ins Kino!

Stefan: Ride-in-Kino!

Clip

Schleifen Sättel hinter sich her, gehn ins Kino.

Caroline: Ride-in-Kino.

Catrin: Ein Himmel voller Sheriffsterne und jemand versucht sie abzuknallen.

Stefan: World wide western-slums.

Bernd: Der Himmel hängt ...

Catrin: VOLLER SHERIFFSTERNE.

Caroline: Ein Himmel voller Sheriffsterne und ich versuch sie ABZUKNALLEN!

Bernd: KNALL DIE STERNE AB!

Stefan: Wir sitzen in diesem ride-in-Kino und sehen uns world-wide-western-slums an.

Caroline: Und wie Indianer gefickt werden.

Catrin: Imperialismus-Porno.

Bernd: Globalisierungswestern.

Caroline: Du sitzt in diesem Western im Kino und Leute fallen von Pferden herunter und Popcorn fliegt herum und es sieht so aus wie:

Bernd: Sättel machen Popcorn.

Caroline: Und so was.

Stefan: Mach Popcorn, Sattel!

Catrin: Popcorn auf den Sätteln wilder Pferde.

Bernd: Popcornrodeo.

Caroline: Da gab es ein Rodeo und Leute ritten auf Pferden wie Popcorn und so was und knallten in die Menge.

Stefan: Oder Sand oder Sägespäne und so was.

Caroline: Knall Popcorn in die Menge!

Bernd: Knall in die Menge, Popcorn!

Catrin: Ich bin Popcorn und knalle und das wars dann? Das war alles. DAS WAR MEIN LEBEN!

Bernd: Du bist Popcorn.

Stefan: Das ins Nirwana knallt.

Caroline: Popcornklette.

Bernd: Popcorn sein, bei einem Rodeo.

Catrin: Ich bin bloß POPCORN??!! UND EINMAL KNALLTS UND DAS WARS DANN, VERDAMMTE SCHEISSE???

Bernd: In dieser Popcornfabrik gab es ein Rodeo und das war ziemlich hysterisch: wie einfach alles durch die Gegend flog. Und man wusste nie, gehört das jetzt zum Scheiß-Wettbewerb oder gibt es bloß was zu essen.

Catrin: Wettbewerb und essen.

Stefan: Irgendeine Fabrik explodiert und dann gibt es was zu essen.

Caroline: Alles reitet hysterisch auf dem Rücken wilder Pferde.

Bernd: Und niemand wusste, wer länger oben blieb, das Popcorn oder die Reiter.

Catrin: Reiterloses Popcorn.

Bernd: Reiter gehörten zum Wettbewerb, aber nicht das Popcorn.

Caroline: Gehöre zum Wettbewerb, Popcorn!

Catrin: Pferde reiten auf Popcorn.

Stefan: Ich will mir das nicht vorstellen. Mein Hirn ist keine Popcornfabrik.

Catrin: Dein Hirn ist ein Kino und da knallt auch Popcorn rein, das ist einfach so.

Caroline: Und da spielt ein Western und ein Rodeo und alles fliegt durch die Luft, Popcorn im Zuschauerraum und Reiter auf der Leinwand und ich will endlich wissen, wo in diesem Chaos mein Platz ist.

Stefan: Such dir einen Platz in diesem Chaos.

Catrin: Ja, das will ich. Ich will nicht nur einfach zusehn. Oder einmal kurz rumknallen wie Popcorn. Ich will so was wie das Chaos sein und mein Platz ist einfach überall.

Bernd: Überall im Chaos ist Platz, das ist ja das Tolle. Und du brauchst keinen Ausweis, um dahin zu knallen oder dahin, du knallst einfach und dann fliegst du.

Caroline: Deregulierte Popcornfabrik.

Stefan: Deregulierte Emotionen und deregulierte Popcornfabrik.

Clip

Catrin steht im Schlafsack und hält ein Schild: Scheiß-Neoliberalismus in die Luft.

Catrin: Ich bin schwer besorgt über den Kapitalismus im Netz. ICH BIN SCHWER BESORGT ÜBER DEN KAPITALISMUS IM NETZ! Das ist nun mal so. Ich bin auch schwer besorgt über Viren im Netz, aber noch besorgter bin ich über diesen SCHEISSKAPITALISMUS!

Bernd: Gong ist schwer besorgt über die Ausmaße ...

Caroline: Von Kapitalismus im Netz.

Stefan: Von mir aus!

Catrin: Da gibt es zwei Billionen Seiten, die die Demokratie verachten.

Bernd: Und alles andere sind Scheißadressen. Auf die kommt niemand.

Catrin: World wide west-slums. Alles ist Westen, ein

global amerikanischer, wilder Kapitalismus. Und da wird wild gewünscht in Seattle, er möge endlich von uns weichen.

Caroline: Weiche von mir. *(Kreuzzeichen)*

Stefan: Wildes Wünschen aus unseren Schlafsäcken heraus.

Bernd: WILDES WÜNSCHEN!

Catrin: Aufstand im Schlafsack!

Caroline: Körper waren einmal involviert in Aktionsräume.

Stefan: Und jetzt gibt es da diesen körperlosen Einsatz einer uncharismatischen Hackergeneration.

Bernd: O SCHEISSE, WIE GUT!

Caroline: Und Gefühle. Gefühle waren einmal involviert in Aktionsräume, aber jetzt sind sie nur noch TRASH!

Stefan: Gefühle sind nur noch Trash.

Bernd: Wir sind alle so verzweifelt und ich weiß nicht, wo das alles hinführen soll.

Caroline: WIR SIND ALLE SO VERZWEIFELT!

BERND: Irgendeinen Aktionsraum muss Verzweiflung doch haben. Dieses Zeug kann doch NICHT FÜR NICHTS GUT SEIN.

Stefan: Sei für nichts gut, Verzweiflung!

Caroline: Irgendwas muss doch an Verzweiflung dran sein ...

Bernd: ES GIBT SO VERDAMMT VIEL DAVON!

Catrin: Da ist irgendeine Verzweiflung und die dreht sich in deinem notebook, Frank!

Caroline: Und die dreht sich auf deinem Display, Gong!

Catrin: Ja, gut, entschuldigt, aber ICH MUSS EINFACH VERSUCHEN, MEINE GEFÜHLE WIEDER IN DEN GRIFF ZU KRIEGEN!

Bernd: Wozu auch.

Catrin: So KANN DOCH KEIN MENSCH LEBEN!

Caroline: Verzweiflung dreht sich in Gongs Gesicht und da ist dann irgendwas.

Stefan: Diese streetfighterin im Schlafsack ist nur das kulturelle Rahmenprogramm dieses Treffens hier der Welthandelsbank.

Bernd: Hier in Seattle.

Catrin: Ein Schlafsack in Seattle.

Bernd: Oder in Prag.

Caroline: Da liegen streetfighter im Schlafsack um die Welthandelsbank herum.

Bernd: Und irgendwie sind wir nur DAS TURBULENTE RAHMENPROGRAMM!

Stefan: Und das macht überhaupt keinen Sinn mehr.

Catrin: ICH HALTS NICHT AUS!

Caroline: Battle in Seattle.

Bernd: Da gab es eine Straßenschlacht, Grungebands gegen Bankerköpfe. Und es sah aus wie ein Konzert. Ein politisches Konzert. Verschiedene Grungebands, die was zu sagen hatten, schlugen ihre E-Gitarren gegen die Köpfe der Welthandelsbank.

Stefan: BANDS, DIE WAS ZU SAGEN HABEN ...!

Catrin: ... GEGEN KÖPFE DER WELTHANDELSBANK!

Bernd: DAS IST SO LAUT HIER!

Caroline: Du musst die Welthandelsbank zum slum machen im Netz, das macht vielleicht Sinn.

Bernd: ... Und Hacker, die Landschaften aus Viren baun.

Stefan: Kreiere Landschaften aus Viren. Im Netz.

Caroline: Ja, gut, das sieht vielleicht ganz wild aus, wie du da in deinem Schlafsack stehst, mit deinem charismatischen, sozial unbeholfenen Gehabe, aber es ist einfach nicht EFFEKTIV!

Catrin: VON MIR AUS!

Stefan: Aber sie hat ein notebook in ihrem Schlafsack und vielleicht ist sie damit effektiv.

Bernd: Wir drehn die Welthandelsbank um in deinem notebook.

Stefan: Da liegt eine coole Firma in deinem Schlafsack und das bist du.

Bernd: Oder Yahoo.

Caroline: ES GIBT KEINE COOLE FIRMA!

Stefan: Und es gibt auch keine coolen streetfighter.

Catrin: Da gibt es nur diesen Hype von bürgerlichen Lebensstilen.

Caroline: In Firmen und in streetfightern.

Bernd: Bürgerliche Lebensstile sind ein Hype, der vorbeigeht.

Stefan: Alles hypt bürgerliche Lebensstile.

Bernd: Und ich würde gerne einmal einen Hype sehn, wo antibürgerliche Lebensstile gehypt werden. Rumhängen und das Leben genießen ohne Geld oder so was. Leben, das nicht in Freizeit und Arbeit organisiert ist. Einfach zu sagen, gut, die Arbeit ist tot und die steht auch nicht wieder auf und es gibt nur noch Produktionsstätten von Reichtum und die werden wir aus dieser lounge mit DIGITALEN STALINORGELN BOMBARDIERN!

Stefan: Weil ...

Catrin: Scheißleben sind mit Aufwand verbunden.

Clip

Bernd: Da gab es diese große streetfighter-Liebe in Seattle oder Washington oder Prag.

Caroline: Nein, das will ich nicht. Ich will keinen streetfighter lieben.

Catrin: Ich verliebe mich nicht auf der Währungsfondstagung und auch nicht auf der Demo gegen die Währungsfondstagung. Das tu ich beides nicht. Ich verliebe mich

nicht. Nicht in Handelsbankschwänze und nicht in Grungebands.

Caroline: Liebe festigt Patriarchen. Linke und rechte.

Catrin: Ich liebe ihn. Diesen streetfighter.

Stefan: Streetfighter legen zu viel Wert auf Körperbe-
herrschung verbunden mit Sportlichkeit und fittem ju-
gendlichem Auftreten. Das ist dann aber kein Zufall ...

Caroline: ZUFALL.

Bernd: ... sondern Ergebnis der Tatsache, dass auch
die scheinbar rebellischste Identität sich unter den
Vorgaben einer Gesellschaft bildet, die sich auf Ju-
gendlichkeit bezieht und damit verbundene körperliche
Schönheitsideale.

Catrin: Diese ewigen streetfighter. Ich kann diesen
Hype nicht mehr länger ertragen. Wir brauchen engagierte Hackergenerationen.

Caroline: Diese Wirklichkeitsräume da draußen brauchen
engagierte Hackergenerationen. Keine streetfighter.
Schlecht aussehende Hackergenerationen. Uncharismatische Hackergenerationen.

Catrin: Wir brauchen uncharismatische Hackergenerationen.

Bernd: Hacker generieren Landschaften. Hacker kreieren
Kaufhausbrände und Kaufhouseanschläge. Hacker generieren kaputte Kaufhäuser, die mit Viren erledigt werden.

Catrin: Kreiere Landschaften mit Viren. KREIERE LAND-
SCHAFTEN MIT VIREN!

Caroline: KREIERE LANDSCHAFTEN.

Bernd: MIT VIREN!

Stefan: HALTS MAUL! JA GUT! KREIERE VIREN!

Caroline: Ich liebe einen uncharismatischen Hacker. Ich kann diese streetfightercowboys nicht lieben. Das kann ich nicht.

Bernd: Ja, gut, aber ich BIN NICHT UNCHARISMATISCH!

Stefan: Es gibt nur noch eine uncharismatische Hacker- generation und die kreiert Landschaften aus Viren.

Catrin: Deregulierende software von uncharismatischen Hackergenerationen.

Caroline: Und Drahos Kuba hat Hackerpotenzial.

Bernd: Ich BIN NICHT UNCHARISMATISCH!

Catrin: Aber wir lieben dich, also bist du uncharisma- tisch!

Caroline: Diese software dereguliert nicht den Markt, sondern Bestellungen bombardieren Kaufhäuser.

Bernd: Platten tauschen sprengt Sony in die Luft.

$\boxed{\text{Clip}}$

Bernd: Das Gesicht dieser Stadt ist ein Unternehmen. DAS GESICHT DIESER STADT IST EIN UNTERNEHMEN! Und da will ich nicht mehr reinsehn in diese Stadt. DA WILL ICH NUR NOCH REINSCHLAGEN. Ja, DAS WILL ICH, REINSCHLA- GEN IN DIESE GEISTERSTADT!

Catrin: UND IN DIE SCHWÄNZE UND EIER IN DEN HANDELSBANKEN!

Bernd: Diese Scheißstadt hat ein unternehmerisch operierendes Gesicht.

Stefan: Plastic surgery.

Catrin: Irgendjemand operiert dieser Stadt ein unternehmerisches Gesicht und da würde ich jetzt gerne reinschlagen.

Stefan: Drahos Kuba ist unter seinem slumdach auf der Hackers homepage.

Caroline: Und da ist er dann.

Catrin: Und arbeitet an software, die USA zu Afrika macht im Netz.

Caroline: Du uncharismatische Crackhure.

Stefan: Hackerhure.

Bernd: Cracke Mailadressen!

Caroline: Und rauche crack.

Catrin: Deshalb rauch ich ja crack.

Caroline: Du bist online charismatisch. Und hier in diesem Wirklichkeitsraum reißt du wirklich niemanden vom Hocker.

Bernd: HALTS MAUL!

Stefan: *(zu Catrin)* Du bist wirklich uncharismatisch und online charismatisch.

Catrin: ICH BIN NICHT UNCHARISMATISCH!

Caroline: Ja, Hackergeneration. So ist das eben.

Bernd: Ich lass mir nicht sagen, dass die Neuen Märkte irgendetwas mit mir zu tun haben. Die Neuen Märkte haben gar nichts mit mir zu tun.

Caroline: *(zu Bernd)* Dein cooles streetfighter-Image gehört zum kulturellen Rahmenprogramm dieses Kongresses der Welthandelsbank. Und da kannst du noch so wild wünschen mit einem Molotow in der Hand. Du bist einfach nur ein RAHMENPROGRAMM!

Bernd: Aber dieses Rahmenprogramm, das ich bin, muss doch irgendwohin mit seiner Kraft.

Stefan: HALTS MAUL!

Caroline: Dein streetfighter-Image muss überhaupt nirgendwohin. Das zeigt auch nur seinen Schwanz, wie Analysten in Banken. Banken zeigen Schwänze und du auf deiner Barrikade tust das auch.

Catrin: Zeig deinen Schwanz auf der Barrikade.

Bernd: Ja, gut, aber ich bin NICHT UNCHARISMATISCH.

Caroline: Doch das bist du.

Catrin: Dieser streetfighter ist uncharismatisch und jetzt gewöhn dich dran.

Caroline: Dann kannst du dich weniger mit deinem Charisma beschäftigen und dich mehr darum kümmern, mit diesen digitalen Stalinorgeln herumzuschießen.

Bernd: Sechs Milliarden Bestellungen irritieren Online-Warenhäuser. Sechs Milliarden Bestellungen, die ich von meinem Bett aus abschieße.

Catrin: Knall Kaufhäuser aus deinem Bett ab.

Caroline: Schieß Kaufhäuser mit Bestellungen ab, das kannst du nur im Netz!

Stefan: Drahos Kuba ist auf Hackers homepage.

(Clip)

Bernd: Diese slumhütte aus einem notebook hat einen Virus.

Catrin: Und wir wollten auf diese Internetbeerdigung, aber jetzt hat diese Hütte oder Scheißhaus einen Virus und die Leitungen sind tot und wir können einfach nicht hingehn. Das ist nicht AUSZUHALTEN!

Stefan: Du kannst deine Angehörigen nur besuchen, wenn du eingesteckt bist.

Caroline: Na und?

Stefan: Du kannst nur trauern, wenn du eingesteckt bist.

Caroline: Na und? Nein, tu ich nicht. Ich trauere auch unplugged.

Catrin: Ja, gut, von mir aus, das kann ja sein, aber wie gehst du mit dem absolut Schockierenden um?

Caroline: Wo denn?

Bernd: Ich weiß es nicht, ich hab keine Ahnung.

Catrin: WIE GEHEN WIR MIT DEM ABSOLUT SCHOCKIERENDEN UM?

Bernd: ICH WEISS ES NICHT, ICH HABE KEINE AHNUNG!

Catrin: Wir wollten auf diese Beerdigung, aber sie hat einen Virus.

Caroline: Jemand ist tot. Gestorben an einem Virus.

Stefan: Ja, gut, und die Leitung. Und die Beerdigung. Die ist auch gestorben an einem Virus.

Bernd: Wir hatten diese Regenschirme dabei und Taschentücher und den ganzen Mist und wir waren unplugged auf einer Beerdigung bei dir zu Hause. Aber sie bekam einen Virus.

Stefan: Microsoft hat jemanden unter die Erde gebracht.

Catrin: Und die Beerdigung bekam einen Virus.

Bernd: Wir hatten Unglück auf dieser Internetbeerdigung.

Caroline: Was ist denn passiert?

Stefan: Die Leitung war plötzlich tot und wir mussten nach Hause gehen.

Caroline: Aber du warst zu Hause.

Bernd: Die Leitung war tot und wir sind auf ihrer Beerdigung. Nur Ostern Weihnachtens Körpercomputer funktionierte. So. Und jetzt würde ich gerne von was anderem reden als vom TOD!

Caroline: So, was denn?

Bernd: Da gibt es einiges, was weniger langweilig ist als der TOD!

Stefan: Na, da bin ich aber gespannt.

Catrin: Eine tote Leitung.

Bernd: Wir rasen auf dieser Beerdigung um die Welt, um eine Welt voller Beerdigungen. Wir reisten von Beerdigung zu Beerdigung mit einem Regenschirm, der in einem Zimmer aufgespannt war, und das bringt Unglück.

Stefan: Wir sind auf dieser Internetbeerdigung und Ostern Weihnachten ist mit ihrem Körpercomputer da eingestöpselt. Und unsere Hütte war tot und ihre Leitung. Und Ostern Weihnachten war irgendwie ganz tief in ihr drinnen auf einer Beerdigung.

Bernd: Ihre Leitung funktioniert irgendwie. Und wir waren hier drin in dieser Voodoo-Lounge und sie ist irgendwie als Einzige auf der Beerdigung ganz tief in ihr drinnen.

Catrin: Ganz tief drinnen in Ostern Weihnachten wird was beerdigt!

Caroline: AAAHHHH!

Bernd: Scheiße!

Catrin: Sie ist auf irgendeinem Trip oder Horrortrip oder auf einer Beerdigung ganz tief in ihr drinnen.

Stefan: In diesem Körpercomputer.

Caroline: AAAHHHH!

Stefan: Sie hat einen Kurzschluss oder so was. Oder

einen Virus. Oder eine Beerdigung. Ostern Weihnachten stirbt gerade an einer Beerdigung.

Catrin: AAAHHHH!

Bernd: Ich kann mir das nicht mit ansehn.

Catrin: Da stirbt jemand an einer Internetbeerdigung ganz tief in sich drinnen. Und ich kann das NICHT MIT-ANSEHN! Das ist mir einfach zu VIRTUELL!

Stefan: Jetzt hat sie schon wieder einen Virus.

(*Clip*)

Caroline stirbt im Schlafsack, Bernd surft auf dem Schlafsack.

Bernd: Ostern Weihnachten ist tot.

Catrin: Und du surfst auf ihrem Schlafsack.

Bernd: Ich surfe auf dieser Mumie und ich weiß nicht, wohin das geht, ins Nirwana vermutlich, und da bist du dann!

Abspann

Catrin: Und das seht ihr in der nächsten Folge von world wide web-slums: Dauernd Platten tauschen.

Wird Drahos Kuba zum charismatischen streetfighter oder entscheidet er sich doch eher für die uncharismatische Hacker-Position?

Ostern Weihnachten ist tot und wird während eines Experiments mit einer Plastikgebärmutter, in einer Disco, wiedergeboren.

Die andern halten sie danach für nicht-humanoid und ein Bladerunner taucht auf und macht dauernd Tests und sagt uns allen, ob wir überhaupt noch Menschen sind. Aber wer will das noch wissen?! Schaltet nächste Woche wieder dieses Haus ein und seht die sechste und vorletzte Folge von world wide web-slums! Dauernd Platten tauschen!

DAUERND PLATTEN
TAUSCHEN

Catrin: Die kleine Computerschlampe ist tot, verdammte Scheiße. Aber da gab es doch mal so was wie Wiederauf-erstehung und Wiedergeburt ... das gab es da doch mal! SO WAS GAB ES DOCH MAL. Besonders für diese Dienstleis-tungsschlampe Ostern Weihnachten!

Es war einmal vor langer langer Zeit, da tauschten die Leute Platten im Netz und campten unter slumdächern aus notebooks und schliefen bei ihren Jobs wie bei einem Geliebten. SO EINE SCHEISSE! Diese slums waren das tur-bulente Rahmenprogramm um die verwaisten Städte und Hochburgen. Und in denen wurde nur noch Reichtum produ-ziert und NICHTS SONST! Und da am Ende der Welt in seinem Bett unter einem slumdach aus einem notebook campte auch Drahos Kuba. Es gab einen Markt, auf dem man fürs Tauschen bezahlte und nicht mehr für Dinge. WO SIND DIE BLOSS ALLE! ES GIBT KEINE DINGE MEHR! Und auf dem tauschte er die ganze Zeit Platten.

Frank Olyphant arbeitet am highend der Hochtechnologie und da gab es auch keine Dinge mehr, es gab nur noch Informationen, Musik war Information, Baupläne vom Men-schen waren Information, WAS FÜR EINE SCHEISSE! Und

selbst die Orte, an denen man lebte, waren nur noch
Information und keine wirklichen Orte mehr.

Gong Titelbaum surft orientierungslos durchs Internet.
Man wusste immer genau, wo man war, aber da war man gar
nicht. Man hatte eine Scheißadresse, ohne irgendwo zu
sein. Und das waren die world wide web-slums. Dieses
SCHEISSRAHMENPROGRAMM FÜR DIE PRODUKTIONSSTÄTTE VON
REICHTUM!

Catrin: Geh von mir runter.

Bernd: Er liegt nicht wirklich auf dir drauf. Der Kontakt findet im Cyberspace statt.

Catrin: Das ist mir egal. Ja, gut. Und jetzt geh von mir
runter.

Stefan: Was ist?

Catrin: Geh von mir runter! GEH VON MIR RUNTER!

Bernd: Wenn manche Leute gewisse Dinge nicht kriegen
können, fangen sie an durchzudrehn.

Catrin: GEH VON MIR RUNTER!

Stefan: Sie ist eingesteckt und jemand liegt auf ihr
drauf.

Bernd: Jemand liegt auf ihr drauf im Cyberspace.

Catrin: JA, GUT, UND JETZT G E H V O N M I R R U N-
T E R !

Stefan: Sie ist der Cyberanteil von irgendwas.

Bernd: Und jetzt sollte jemand von ihr runterkommen
oder sie sollte wieder runterkommen von irgendwas.

Stefan: Hol sie runter.

Bernd: Hör auf, dieses Zeug einzunehmen.

Stefan: Und komm runter.

(Clip)

*Catrin schleudert Dinge durch die Luft, Anfall u. a.
Popcorn.*

Stefan: Sie schickt Dinge auf Affektreise.

Bernd: Sie ist hysterisch und wirft diese Ekstase ein,
und dann kriegt sie Anfälle und involviert Dinge und
schickt sie auf Reisen, zum Beispiel dieses Popcorn,
weil sie einfach zu viel von diesem Zeug eingenommen
hat.

Stefan: Hör auf, das zu machen oder einzuwerfen!

Catrin: *(breit)* NO WAY!

Bernd: Was du hörst ...

Stefan: Ist smarthousemusic.

Catrin: Dein Haus legt Platten auf.

Stefan: Dieses Haus ist ein Soundtrack.

Catrin: Dieses Haus und dein Hirn, Baby.

Bernd: Und dein Haus tauscht auf Napster Platten.

Catrin: In meinem Hirn gibt es diesen Soundcheck. Und
irgendwie fangen die einfach nicht an zu spielen! Es gibt
nur diesen SOUNDCHECK und der dauert irgendwie EWIG!

Stefan: Ich höre Elektrosmog und smarthousemusic. Und Burt Bacharach. Und Soul.

Bernd: Techno-Beatbox.

Catrin: Dieser Elektrosmog ist smarthousemusic.

Bernd: Und um neun Uhr morgens pfeifen wir uns die Margaritas rein.

Catrin: Und diese Chillout-Küche holt mich runter.

Bernd: Du bist eine Party, wie du dasitzt und trinkst. Du bist die Mutter aller Partys, wie du dastehst und trinkst, du alte Drecksau.

Catrin: Ich bin eine Party. Party in my mouth.

Bernd: Ja, Party in deinen Mund.

Stefan: *(über Catrin)* Hol sie runter oder leg sie auf!

Catrin: In meinem Mund ist eine Party. Jedenfalls ist es da VERDAMMT LAUT!

Stefan: Oder leg sie auf!

Catrin: ICH BIN KEINE PLATTE!

Bernd: Sing was!

Catrin: Ja, gut, aber ich bin keine PLATTE!

Bernd: Scratch it!

(Clip)

Catrin wird aufgelegt. Auf ihr wird gescratcht.

Catrin: Wo sind wir hier?

Stefan: Headbangingkapelle.

Bernd: Wir tauschten Platten und plötzlich waren wir in dieser Headbangingkapelle.

Stefan: Weil Ostern Weihnachten gestorben ist.

Catrin: Wir waren nicht in einer Kapelle, wir hörten nur einer zu.

Stefan: Wir hören Kapellen zu.

Bernd: In dieser Kapelle predigen headbanger. Nein, ich sagte: «band». Diese band ist eine headbangerband. Sie stoßen auf Schwermetall an, in dieser Beat-Suite.

Stefan: Lasst uns auf Schwermetall anstoßen, in dieser Beat-Suite, weil dieser Sound ist einfach GUT LAUT. Und Gong ist eine Party.

Bernd: Lasst uns laut anstoßen.

Catrin: Auf Schwermetall.

Bernd: Wir tauschen Platten, aber wir wissen nicht, wo wir sind.

Catrin: In einer Kapelle, in einer Beat-Suite oder einfach nur am Leben.

Stefan: Nirwana, Hotel California.

Catrin: Wir brauchen keine Räume, WIR SIND EINFACH NUR AM LEBEN!

Bernd: Und das Internet ist eine Jukebox·. Wie dein Haus, Frank! Und die ist auf dem Weg nach Amarillo!

Catrin: Dein Haus ist auf dem Weg nach Amarillo.

Stefan: Diese band heißt Napster.

Bernd: Napster ist keine band, Napster ist eine Suchma-schine für Platten.

Catrin: Und headbanger predigen hier.

(*Clip*)

Sie schlagen ihre Köpfe gegen die Kissen oder Wand oder Requisiten.

Stefan: WO SIND WIR HIER?

Bernd: In dieser High-Techno-Disco gab es Versuche, eine Gebärmutter zu simulieren mit Disco.

Catrin: Da gab es diese Jobs in hochtechnologisierten Bereichen ...

Stefan: DNS-Chip-Bereich.

Catrin: Und Versuche, eine Gebärmutter zu simulieren mit Disco.

Bernd: Wer?

Stefan: Techno-Konzerne.

Catrin: Eine Disco, die sich in deinem notebook dreht.

Bernd: Technische Simulation einer Gebärmutter. Und man kommt ohne Trauma zur Welt, in einer Disco.

Catrin: Trauma Welt Disco.

Bernd: Heilsversprechen durch Geburtstechnologie.

Stefan: Wir gebären uns wieder in simulierten Plastikdiscos.

Catrin: Ohne Trauma.

Stefan: Wie eine Panasonic-Plastikgebärmutter.

Bernd: Zeugung und Empfängnis werden durch Vinylplatten simuliert.

Catrin: Ja, Simulation durch Vinylplatten.

Bernd: Und nie tun sie den Scheiß umdrehn!

Stefan: Ja, simuliere Zeugung und Fortpflanzung und jetzt tanze.

Bernd: Da kam irgendein Sturm in diese Disco durch das Dach und deckte es ab und schoss die losgerissene Discokugel raus auf die Straße.

Catrin: Wie ein schöner Globus.

Stefan: Den jemand rausgekickt hat.

Catrin: Und so will ich auch sein.

Bernd: Eine Discokugel, die sich im Weltall dreht. Dann wäre das ganze Universum eine Disco. Ja, geil.

Catrin: Wer wird denn jetzt wiedergeboren in dieser Scheißdisco?

Bernd: DAS IST MIR EGAL.

Stefan: Ostern Weihnachten.

Bernd: Ich jedenfalls möchte hier nicht wiedergeboren werden, wenn die Musik weiterhin SO SCHLECHT IST!

Stefan: Und hoffentlich kommt Ostern am Türsteher vorbei.

Catrin: Da gibt es diese Türsteher vor dieser Disco oder Plastikgebärmutter, und die Wiedergeborenen müssen an denen vorbei.

Stefan: O SCHEISSE.

Catrin: Du kehrst zurück aus dem Reich der Toten und was zählt, ist dein OUTFIT.

Bernd: Wenn Ostern ein Scheißoutfit hat, wird sie nicht reinkommen in diese Scheißplastikgebärmutter.

Catrin: Ostern Weihnachten rückt näher.

(*Clip*)

Die wiederkehrende Caroline wird als Mumie hereingetragen. Discoeffekte. Wird ausgepackt oder packt sich selbst aus! Sie sitzt entweder in einer durchsichtigen blutverschmierten Plastikfolie im Autoscooter oder wird in goldene Folie verpackt von den Zuschauern getragen.

Bernd: Wir waren in dieser Disco, in der sie mit einem Trauma experimentierten oder mit Disco oder mit einer Plastikgebärmutter, und plötzlich kam es zu diesem Fest der Feste. Und Ostern Weihnachten tauchte wieder auf.

Stefan: Ostern Weihnachten wurde wiedergeboren in diesem Disco- und Gebärmutterexperiment.

Caroline: JA GUT!

Stefan: Ostern Weihnachten wurde wiedergeboren in einer Disco.

Caroline: Diese Disco ist meine Gebärmutter.

Stefan: *(zu Catrin)* Und deine Gebärmutter kommt in ein Museum.

Catrin: Ja, gut, kann ja sein, dass es plötzlich ganz hip ist, in einer Disco geboren zu werden. Aber meine Gebärmutter ist KEIN MUSEUM!

Caroline: Da gab es mal Familienleben und jetzt landet die Gebärmutter in einem Museum, WO SIE HINGEHÖRT!

Bernd: Und da sind ...

Caroline: Embryos im Museum. Und da stehn sie dann und werden aufgezogen.

Bernd: Embryos ins Museum!

Caroline: In diesem Museum stehen Embryos zwischen all diesem Naturkundescheiß und sie werden aufgezogen und werden «gute Menschen». Und das sind dann naturwissenschaftlich zementierte Familienkonzepte.

Catrin: VERDAMMTE SCHEISSE!

Bernd: Aber ich will in keinem Museum aufgezogen oder erzogen werden. DAS WILL ICH EINFACH NICHT!

Caroline: Und dann kann niemand sagen, da in diesem Museum, dass es diesen Embryos an einer guten Erziehung mangelt.

Bernd: ZIEHT EURE KINDER IM MUSEUM AUF! IHR VERDAMMTEN FICKSÄUE!

Catrin: Nein, verdammte Scheiße. Macht das NICHT! Ich lass mich nicht aufs Kinderkriegen reduziern. DIESER KÖRPER WILL IN DEINE SCHEISSHANDELSSCHWANZBANK REIN, DU VERDAMMTE FICKSAU! ICH BIN NICHT BLOSS EINE BLÖDE GEBÄRMUTTER!

Caroline: Diese Disco ist meine Gebärmutter.

(*Clip*)

Bernd: Nein, ich nahm nur an, du wärst eine Maschine, deshalb hab ich gegen dich gestimmt.

Caroline: Von mir aus.

Catrin: Du BEATBOX!

Bernd: Diese Plastik- oder Techno-Gebärmutter spuckt nur Computer oder Replikanten aus.

Stefan: Und irgendwie hab ich keine Ahnung, was du bist.

Caroline: Ein Kriterium für künstliche Intelligenz ist der so genannte Turingtest. Wenn die Testperson glaubt, sie redet mit einem anderen Menschen, in Wirklichkeit aber mit einem Computer, gilt der Computer als intelligent. Für das Jahr 2000 wurde vorausgesehen, dass ein Computer eine Testperson etwa 70 Prozent der Zeit an der Nase herumführen kann.

Catrin: Ja, gut, führ mich 70 Prozent meiner Zeit an der Nase herum.

Caroline: Ich BIN KEIN COMPUTER.

Stefan: Aber du bist kein Mensch mehr, mit deinem Körpercomputer und all dem Zeug!

Bernd: Und du weißt nicht, was an dir Computer ist und was nicht.

Caroline: Doch, ich weiß das, ich weiß, was an mir Computer ist und was nicht! ICH WEISS DAS!

Catrin: Du denkst, dass du es weißt. Du Scheißreplikant. Aber du bist dir da nicht sicher.

Stefan: Da gibt es diesen Test, ob du ein Computer bist oder nicht, und dann finden wir das eben raus, du Stück Scheiße.

Bernd: Turingtest. Voigt-Kampff-Test. Dieser Körpercomputer hat sich über deinen Körper hergemacht und jetzt bist du nur noch Display.

Stefan: Und wir wissen nicht, ob du überhaupt humanoid bist.

Bernd: Und jetzt müssen wir eben diesen Test mit dir machen, du replikantes Miststück.

Stefan: Und dazu brauchen wir irgendeinen verfickten Bladerunner.

Catrin: Irgendein Bladerunner muss dich testen.

Bernd: Und dann sehn wir ja, ob du ein SCHEISSCOMPUTER BIST.

Caroline: ICH BIN KEIN COMPUTER!

Catrin: Du Replikant.

Caroline: Das bin ich nicht. ICH BIN KEIN REPLIKANT.

Bernd: Ja, gut, und dann kommt jetzt eben der Bladerunner.

Der Bladerunner kommt / Marlen.

Caroline: ICH BIN KEIN REPLIKANT.

Catrin: HALTS MAUL!

Bernd: Aber du bist dir auch nicht so sicher.

Catrin: Keiner kann da irgendwie sicher sein.

Stefan: Scheißvoigtkampfftest.

Marlen: Ja, gut, dann können wir ja auch den verdammten Test machen, du KÜNSTLICHE SCHEISSE! Und jetzt beantworte diese Scheißfrage! Und zwar so schnell du kannst.

Bernd: DU SCHEISSREPLIKANT!

Caroline: So was gibt es gar nicht. So was wie einen Bladerunner. DAS GIBT ES GAR NICHT! Ich glaube, ich träume. So was. ICH GLAUBE, ICH TRÄUME!

Marlen: Du bist in der Wüste und du gehst da so lang und plötzlich siehst du irgendwo runter und ...

Caroline: Welche Wüste?

Marlen: Was?

Caroline: WELCHE WÜSTE? VERDAMMTE SCHEISSE! ICH BIN NICHT KÜNSTLICH! Und wie komm ich da hin?

Marlen: Das ist völlig unwichtig! Du kuckst also runter und du siehst eine Schildkröte und du drehst sie auf den Rücken.

Catrin: ICH WILL DIESE SCHEISSFRAGEN NICHT BEANTWOR-TEN. ICH BIN KEIN REPLIKANT!

Marlen: Du bist in der Wüste und du brauchst Geld zum Leben und du willst dich nicht allzu tief in Verhält-nisse hineinbegeben, die du ablehnst.

Caroline: Ja, gut, ist das EIN VERBRECHEN?

Marlen: Nein, irgendwie nicht, aber du sollst nur mit Ja oder Nein antworten. Hab ich mich KLAR AUSGEDRÜCKT? Und du arbeitest als Kellnerin und dieser Job füttert dich.

Catrin: Ich arbeite als Kellnerin.

Marlen: HALTS MAUL!

Bernd: Damit verdient sie ihr Geld und damit steht sie jeden Tag an ihrem Futtertrog, den ihr ihr Job ein-bringt, aber da muss es doch mehr geben. DA MUSS ES DOCH MEHR GEBEN!

Stefan: Da gibt es auch mehr. Es gibt es bloß nicht hier.

Bernd: Wo denn?

Caroline: Ich arbeite nicht als Kellnerin. Das geht dich überhaupt nichts an, was ich arbeite.

Catrin: Dieser Replikant arbeitete in einem Call-Cen-ter.

Caroline: Ich bin kein Replikant.

Stefan: Und als Nutte.

Marlen: Replikanten, die als Nutte arbeiten.

Bernd: Und dieses Ding da *(zeigt auf Catrin)* arbeitet als Kellnerin.

Catrin: Ich bin kein DING!

Stefan: Du hast gute Eigenschaften, die gewissen Arbeitsanforderungen gerecht werden.

Catrin: Ja gut, aber ich bin nicht nur das. Ja gut, ich hab gute Eigenschaften. Ich hab aber auch schlechte, und was soll ich mit denen machen. Die wollen auch arbeiten. Ich will mit meinen schlechten Eigenschaften arbeiten.

Marlen: Sie hat bad habits.

Bernd: Schlechte Angewohnheiten.

Catrin: Ja, kann sein. Kann sein, ich hab gute Eigenschaften, warum hab ich aber dann DEN AM SCHLECHTESTEN BEZAHLTEN JOB?

Marlen: Vielleicht ist sie zu gut.

Catrin: Ja, ich bin zu gut.

Marlen: Zu gut für diese Welt.

Caroline: Sie ist offen für alles, offen für neue Ideen und Bekanntschaften.

Catrin: Ich BIN NICHT OFFEN! MÄNNER SIND NICHT OFFEN UND ICH BIN AUCH NICHT OFFEN!

Bernd: Aber wir mögen dich so.

Catrin: ABER DAS IST MIR EGAL!

Marlen: Wenn sie nun offen ist für alles Mögliche und wir sie mögen und sie hat keinen Job, wie nennt man das?

Catrin: ICH BIN NICHT OFFEN, IHR VERDAMMTEN FICKSÄUE!

Stefan: Sie ist eine verschlossene Stewardess.

Catrin: Ja, gut, ich erledige meine Arbeit irgendwie geschlechtsspezifisch, aber ich bin nicht nur DAS!

Marlen: Sie ist zu offen für eine Kellnerin oder Stewardess. Sie sollte sich öfters mal danebenbenehmen.

Catrin: Aber das tu ich. Ich verhalte mich sozial unbeholfen bei der Arbeit.

Marlen: Du SCHEISSREPLIKANT!

Caroline: Bist du unzufrieden mit deinem Privatleben oder mit deinen Verhältnissen an deinem Arbeitsplatz?

Catrin: Ich seh da keinen UNTERSCHIED.

Bernd: Dann mach einen.

Clip

Bernd: Da gibt es diese Geschichte ...

Marlen: Jemand erhängte sich vor seiner webcam, und viele Leute, die einfach so rumsurften, sahen, wie er live da hing und sich um sich selbst drehte, und sie machten Flaschen auf ...

Stefan: *(Korkengeräusch)*

Marlen: ... da sie ihm eh nicht helfen konnten, sie hätten ihm nur E-Mails schicken können. Man lehnt sich

aus dem Fenster in seinem Computer und da sieht man
Leute hängen, vor ihren webcams, und macht Flaschen auf.

Stefan: *(dito)*

Marlen: In ihren Wohnzimmern hängen sie rum ... Das ist
schon irgendwie schrecklich, aber irgendwie hilft es
auch ...

Bernd: ... seinen verdammten Alltag zu vergessen.

Stefan: Ja, vergiss deinen Alltag und sieh dir Dinge
an, die von der Decke hängen. DU VERDAMMTE HEULSUSE!
(zu Bernd)

Bernd: Vergiss deinen Alltag und sieh Leuten beim Rumhängen zu!

Caroline: In dieser Disco sollte eine Geburt stattfinden, die mal mein Leben war.

Bernd: In dieser Disco oder Beat-Suite fanden Keimbahn-
experimente statt.

Stefan: Beat-Suite.

Caroline: Und da war ...

Marlen: ... ein Virus in der Datenverbindung ...

Stefan: Wo?

Marlen: Zwischen zwei Computern oder Tausenden oder
einer Milliarde.

Bernd: Und eine Million Schweinenieren starben daran,
die gestern transplantiert werden sollten. Da in deinem
notebook.

Caroline: Schweinenieren, die starben.

Marlen: Dieser Computer kontrolliert alle Schweine-lebertransplantationen auf diesem Planeten und jetzt ist er ausgefallen.

Bernd: Schweineleberplanet.

Marlen: Irgendein Virus hat die Transplantationen in-fiziert und jetzt gibt es keine, jedenfalls nicht vor morgen früh.

Stefan: O SCHEISSE!

Caroline: Jemand soll sie bei E-Commerce-Dingsda be-stellen. Mit einer digitalen Stalinorgel.

Marlen: All diese Patienten müssen ohne Herz auskommen, weil irgendein verdammter Virus ihre Datenleitung blo-ckiert hat.

Caroline: Ich will OHNE HERZ AUSKOMMEN! JA, BITTE!

(Clip)

Marlen: Magst du diesen Hund?

Caroline: Ist er künstlich?

Marlen: Natürlich.

Bernd: O SCHEISSE!

Caroline: Hör auf, mir diese Fragen zu stellen.

Marlen: Das hier ist ein Test, Baby. Und du bist künst-lich.

Caroline: Das bin ich nicht.

Marlen: Du BIST KÜNSTLICH!

Caroline: Ja, gut, ich gebs ja zu. Ich bin künstlich, du verdammte FICKSAU!

Marlen: Ostern Weihnachten ist künstlich.

Catrin: Und es war mal so BESINNLICH!

Marlen: Du bist künstlich.

Caroline: Ja, gut, aber hör auf, mir diese Fragen zu stellen. Ja, gut, ich bin irgendwie ein künstlicher Mensch, trotzdem muss ich auch irgendwie dieses künstliche Leben organisiern. DAS MUSS ICH, auch wenn mein Leben KÜNSTLICH IST.

Stefan: Organisiere dein künstliches Leben.

Bernd: Dann muss sie es auch irgendwie organisiern. Auch wenn es künstlich ist.

Caroline: Auch Replikanten müssen irgendwie leben. Ich hab schließlich einen Job, mit dem ich mich versuche, in dieser Gesellschaft zu behaupten oder zu bewegen.

Marlen: HALTS MAUL! Du arbeitest und versuchst dich hier irgendwie zurechtzufinden auf diesem Planeten, aber eigentlich kommst du von einem ganz anderen Planeten.

Caroline: Ich wäre gerne auf einem anderen Planeten, aber ohne Raumschiffe und all das Zeug, ich wäre gerne auf einem geänderten Planeten.

Bernd: Warum will nur jeder auf irgendeinen anderen Planeten, aber nicht auf einen geänderten Planeten?

Caroline: WARUM BLOSS?

Stefan: Ändere dich, Planet!

Bernd: Ich bin kein Replikant.

Marlen: Du Denkzentrum.

Caroline: Ich hab ein ausgefallenes Denkzentrum, das meine Gefühle denken kann.

Marlen: HALTS MAUL!

Stefan: ICH BIN KEIN REPLIKANT.

Caroline: Wir sollten einen Test machen.

Bernd: Ja, mach 'nen Test!

Catrin: Schwangerschaftstest.

Marlen: Gebärmuttertestfrage.

Bernd: Wir machen einen Voigt-Kampff-Test in dieser Plastikgebärmutter.

Stefan: ABER ICH WILL KEINEN TEST! ICH WILL MICH NICHT TESTEN LASSEN!

Bernd: Aber hier ist nun mal ein Bladerunner und das ist doch ganz praktisch und jetzt lass dich testen. Ich will schließlich wissen, ob ich es mit einem Menschen zu tun habe. Das ist doch irgendwie wichtig. Dass ich weiß, ob ich es bei dir mit einem SCHEISSMENSCHEN ZU TUN HABE!

Marlen: Bist du sicher, du bist humanoid?

Caroline: Was ist das für eine Frage, du SCHEISSBLADE-RUNNER!

Clip

Catrin: Es ist einfach so ungeheuer schwierig festzustellen, ob jemand ein Replikant ist oder humanoid. Das ist SEHR SCHWER ZU SAGEN!

Stefan: Ostern hatte all diese Körpercomputer an sich dran. Und wir können das einfach nicht mehr sagen. OB DIESES STÜCK SCHEISSE NICHT DOCH EIN COMPUTER IST!

Caroline: Ich versuch mich doch bloß wie ein Mensch zu verhalten. Das kann doch nicht sein, dass ich deshalb ein SCHEISSREPLIKANT BIN!

Marlen: Sie versuchen, sich wie Menschen zu verhalten, und dann werden sie getestet. DAS IST EBEN SO!

Catrin: WIR VERSUCHEN, UNS WIE MENSCHEN ZU VERHALTEN, UND WIR WERDEN MIT SCHEISSFRAGEN GETESTET. SO EINE SCHEISSE!

Caroline: Ja, gut, ich bin ein Replikant, aber ich hab diese Scheißerinnerung in meinem Kopf und die krieg ich einfach nicht mehr raus, obwohl ich künstlich bin. Und das bin doch irgendwie ich.

Bernd: NA UND?

Caroline: Der Umgang mit allem Lebendigen ist an Frauenarbeit gekoppelt und der Umgang mit totem Material an Männer.

Bernd: Aber dieser Bladerunner ist eine Frau und jetzt finde dich damit ab.

Catrin: Und das heißt noch lange nicht, dass ich ein Replikant bin, wenn ich mich als Frau plötzlich nur noch um tote Materie kümmere. DAS HEISST ES EINFACH NICHT.

Caroline: Ich bin kein Android. Das bin ich nicht. Ich bin kein Replikant.

Marlen: Und jetzt beantworte die Scheißfrage!

Stefan: Voigt-Kampff-Test.

Caroline: Ich glaube an Ufos. Und das lass ich mir nicht nehmen. Da lass ich mir nichts vormachen! Da gibt es Leben da draußen. Und da macht mir niemand was vor! Irgendwo da draußen gibt es Leben. Verdammte Scheiße. Das weiß ich genau. Ja, gut, kann sein, das ist nur ein Fetzen Erinnerung, der mir sagt, ich lebe, oder ich habe den und den Fetzen Wirklichkeit erlebt. Aber da gibt es irgendwo Leben da draußen in meinem Kopf. Das glaube ich!

Marlen: Sie versucht, sich an irgendwelche Gefühle zu erinnern. Aber da sind keine.

Caroline: Ja, gut, ich bin ein Android. Von mir aus! VON MIR AUS!

Bernd: *(zeigt auf Caroline)* Wer ist das?

Marlen: Caroline Peters, so nennt sich das Ding jedenfalls. Sie gibt vor, am Hamburger Schauspielhaus zu arbeiten. Und während mein Kollege sie testete, erwischte sie ihn mit einer Laserkanone.

Caroline: ICH BIN KEIN REPLIKANT!

Marlen: Und dieser Replikant hier heißt Catrin Striebeck. All diese SCHEISSREPLIKANTEN behaupten, am Theater zu arbeiten. Das ist so verdammt UNORIGINELL!

Stefan: ICH BIN KEIN REPLIKANT!

Bernd: Ich bin so enttäuscht von dir, dein richtiger Name ist eigentlich STEFAN MERKI!

Stefan: BERND MOSS, ICH BIN SO ENTTÄUSCHT VON DIR!

Catrin: ICH BIN KEIN REPLIKANT!

Bernd: HALTS MAUL! JA, DAS WEISS JA JETZT JEDER. UND JETZT HALT ENDLICH DEIN VERDAMMTES MAUL!

Marlen: JA, HALTET EUER MAUL! HALTET ALLE ENDLICH EUER MAUL!

Caroline: HALTS MAUL!

Stefan: ICH KANNS NICHT MEHR HÖRN! HALT DEIN VERDAMMTES MAUL!

Catrin: HALT DEIN MAUL! HALT DEIN MAUL, DU FICKSAU!

Caroline: Was war nochmal die Frage?

Bernd: DU SCHEISSREPLIKANT!

Marlen: Es ist einfach zu laut in dieser SCHEISSDISCO!

Catrin: PLASTIKGEBÄRMUTTER.

Bernd: HALTS MAUL!

Caroline: HALTS MAUL!

Marlen: TRAUMA.

Bernd: WELT.

Caroline: DISCO.

Stefan: ICH BIN KEIN REPLIKANT.

Caroline: FICKSAU!

Stefan: HALTS MAUL!

Marlen: KEINER KANN AUFHÖRN!

Catrin: HÖR AUF, FICKSAU!

Caroline: HÖRT AUF, AUF MIR RUMZUHACKEN! JA GUT, ICH KANNS JA VERSTEHN! ICH BIN EBEN WAS, AUF DEM MAN GUT RUMHACKEN KANN! ABER KÖNNT IHR NICHT ENDLICH AUFHÖRN DAMIT!

Stefan: HACKT NICHT AUF IHR RUM!

Caroline: HALTS MAUL!

Bernd: HALTS MAUL!

Marlen: HALTET ENDLICH EUER VERDAMMTES MAUL!

Abspann

7. Folge

SCHEISSLEBEN SIND MIT AUFWAND VERBUNDEN

Catrin: The Fucking goodbye!

Es war einmal vor langer langer Zeit, da gab es Orte, die waren auf keiner Karte, und die waren auch nicht wirklich, aber sie verelendeten irgendwie. Und die nannte man IMMER NOCH DIE WORLD WIDE WEB-SLUMS!

In diesen slums lebte auch Ostern Weihnachten! Ostern Weihnachten kam vor langer Zeit von irgendwoher in die world wide web-slums, als Erwerbsarbeit das entscheidende Kriterium zur Bewertung der gesellschaftlichen Position war und Computer auf dem GIPFEL IHRER TRAGBARKEIT. Und jetzt wurde sie von einem verdammten Bladerunner als Replikant identifiziert. Dabei ist sie SO ECHT!

Drahos Kuba. Drahos Kuba lebte unter Hütten aus notebooks und wurde in der letzten Folge von einem Bladerunner getestet, ob er ein Scheißmensch ist, und dabei kam raus, er ist ein SCHEISSANDROID! DAS GLAUB ICH NICHT!

Frank Olyphant arbeitet am highend der Hochtechnologie

und dreht DNS-Chips in die Kamera, weil die Medien die
so gerne sehn, und er FUNKTIONIERT IRGENDWIE NUR, DAS
IST ALLES! Und irgendein verfickter Replikantenjäger
sagt, er ist ein ROBOTER!

Gong Titelbaum lebt in einer sozialen Dimension irgendwo zu Hause, zwischen Kühlschränken, die einkaufen und
selbständig durch das web surfen. UND DAS HÄLT NIEMAND
AUS, KÜHLSCHRÄNKEN BEIM SURFEN ZUZUSEHN! Und ihr fiel
die ganze Zeit nicht einmal auf, dass sie selbst auch
nur ein VERFICKTER SURFENDER KÜHLSCHRANK IST!

Wir zeigen in der heutigen Folge, dass das Leben auf
einen Schreiwettbewerb hinausläuft. Auf einen SCHREI-
WETTBEWERB DER VERZWEIFLUNG! In der letzten Folge wur-
den wir alle als Scheißreplikanten geoutet. Aber das
ist ja auch kein Wunder, wo das Leben so künstlich ist.
Das ist ja kein Wunder, dass wir in diesem SCHEISSLEBEN
ALLE NUR ALS NICHT-HUMANOIDE VORKOMMEN!! BOMBARDIERT
DAS PENTAGON!

Bernd: ODER TOYS ARE US!

Caroline: JA, BOMBARDIERT TOYS ARE US!

Stefan: BOMBARDIER DIE CIA ODER DIE TELETUBBIES.

Catrin: Alle handelten nur noch elektronisch und
tauschten Platten im Netz aus und hatten tragbare Computer und Displays unter ihrer Haut, so groß wie Kreditkarten.
SO EINE SCHEISSE!

*Sie zeigen Bildschirme aus Glitterteilchen und @-Zei-
chen drin auf ihren Bäuchen.*

Catrin: Das hier ist eine Ficksoap und wir Replikanten
oder Teletubbies zeigen Börsenwerte. Teletubbies zei-

gen Börsenwerte. *(fordert die drei auf)* Zeigt Börsenwerte! Wir sitzen in einem virtuellen Kaufhaus und sehen uns Dow Jones oder den Nikkei-Index auf Teletubbies
an! DOW JONES AUF TELETUBBIES!

Sie fassen sich auf die Bildschirme.

Catrin: Und jetzt sehen sich alle hier Börsenwerte auf
Teletubbies an! Bloombergs Businessfernsehen auf ku-
scheligen Teletubbies. *(zu Zuschauer)* Sieh dir den Nikkei-Index an! *(zu Zuschauer)* Und du auch!

*Alle sitzen irgendwie nur so rum und sehen sich Börsen-
werte auf Teletubbies an!*

Catrin: Komm! Sieh dir den Nikkei-Index an! Also gut,
Teletubbies! Kommt wieder zurück! Wir haben genug ge-
sehn von dieser FICKSOAP, DIE DIE BÖRSE IST! Kommt wieder zurück! Und lasst uns auf diesem DISPLAY, DAS UNSER
KÖRPER IST, ansehen, wie das alles gekommen ist, dass
man uns für SCHEISSREPLIKANTEN HÄLT!

*Alle kucken sich den Bildschirm aus Glitterteilchen von
Bernd an, oder ein Vorhang ist davor, halten ihn zurück
und sehen sich den Bildschirm an.*

(Clipende)

Stefan: Du trägst diese Kreditkarte mit dir rum ...

Bernd: Und jetzt such die Scheiße! *(wirft Kissen)*

Caroline: Ein Computer ist kein Schreibtisch, sondern
irgendwas zum Anziehn oder Unter-die-Haut-Transplantiern.

Bernd: DAS IST EBEN SO.

Caroline: Dieser Computer ist dein unauffälliger Begleiter. Und KEIN SCHREIBTISCH. Normalerweise lassen dich Computer allein, wenn du unterwegs bist. Und auch diese Dingsdas, notebooks sind irgendwie ziemlich schwer zu tragen. Das sind irgendwelche Shopping-Center, die so schwer sind wie volle Einkaufstüten. Ja, gut, du kannst Hütten damit baun, aus notebooks, aber wenn du unterwegs bist, sind sie ziemlich schwer. Und jetzt trägst du eben diese Computer mit dir rum, die so groß sind wie KREDITKARTEN. Computer auf dem GIPFEL IHRER TRAGBARKEIT! Und du arbeitest in irgendeinem Dienstleistungsjob. Und da ist ALL DAS ZEUG AN DIR DRAN! Und dieses Funkmodem und diesen Handscanner und diesen Thermodrucker und du bist an eine unsichtbare Zentrale angeschlossen.

Bernd: Sind wir das nicht ALLE? DA SIND ALL DIESE COMPUTER AN MIR DRAN, VERDAMMTE SCHEISSE!

Caroline: Und du trägst sie mit dir rum, und die sagen dir, was du zu tun hast. Dein gelehriger Körper sagt dir, was du zu tun hast. Aber ich bin doch nicht irgendein SCHEISSSKLAVE. Das BIN ICH DOCH NICHT! Was ist erst, wenn die Dinge so intelligent sind, dass sie per Funkmodem alle notwendigen Daten selbst übermitteln können? Pakete oder Mietwagen oder Dingsda. Ja, gut, das wär irgendwie Scheiße, aber noch bin ich billiger. Aber ist das denn der Sinn von dem Ganzen, unserem Leben und so was, dass wir NOCH BILLIGER SIND? Noch billiger als was denn? Da ist doch gar nichts mehr. *(baut sich vor den Leuten auf)* ICH BIN SO BILLIG! ICH HALTS NICHT AUS! Vielleicht gibt es Arbeit gar nicht, wenn wir nur Sachen durch die Gegend tragen, die intelligenter funken als wir. Vielleicht gibt es sie dann überhaupt nicht.

Stefan: FUNKLE INTELLIGENTER.

Caroline: ES GIBT KEINE ARBEIT! All diese Displays fun-

keln und denken und wir laufen nur durch die Gegend wie
HIRNLOSE LEMMINGE!

Bernd: LAUF HIRNLOS DURCH DIE GEGEND!

Caroline: WIR LAUFEN AUF EINEN A B G R U N D ZU WIE
HIRNLOSE LEMMINGE! Und wir kriegen unsere Anweisungen
über den COMPUTER! Und ich hab all das Zeug an mir dran!
ICH HALTS NICHT AUS! So will ich einfach nicht LEBEN!
Meinen Arbeitsplatz dauernd mit mir rumzuschleppen. Das
kann es irgendwie nicht sein. Dass ich mein eigenes
notebook bin. Ich kann MIT MIR NICHT ARBEITEN!

*Wildes Herumfuchteln, um den Körper loszuwerden oder
den Computer.*

Stefan: Diese Computer, die du mit dir rumträgst wie
Kreditkarten, bessern deine Realität auf, in der deine
Wirklichkeit mit irgendeinem virtuellen Datenraum ge-
mixt wird.

Caroline: AAHHHHH!

Catrin: Und diese aufgebesserte Realität gibt dir irgendwie Anweisungen und du kannst Dinge reparieren, die
du vorher noch nie gesehen hast.

Bernd: Du reparierst Dinge, die du nie zu sehen bekommst.

Caroline: O JA, BITTE!

Stefan: Und der Computer, den du mit dir herumträgst,
gibt dir Befehle.

Caroline: Und das macht mich so EFFIZIENT!

Stefan: Ungelernte Arbeitskräfte reparieren komplizierte Maschinen.

Caroline: Das ist doch toll. ICH KANN ÜBERHAUPT NICHTS UND REPARIERE KOMPLIZIERTE MASCHINEN! ICH HALTS NICHT AUS!

Catrin: Ja, gut, halts aus und HALTS MAUL! Du kannst nichts und Computer bessern deine Realität auf, aber das kannst du auch mit Drogen haben. Herumsitzen und deine Realität aufbessern, aber kein verfickter Konzern verwandelt dabei DEINE ARBEITSKRAFT IN KAPITAL! Du kannst Drogen nehmen und nutzlos herumhängen und der eigene Unternehmer deines Highseins sein.

Stefan: Deine Realität wird aufgebessert und du hast selber was davon.

Bernd: Das ist doch auch was.

Catrin: Nimm dieses Zeug und bessere deine Realität auf!

Bernd: Upgrade deine Realität. *(wirft was ein)*

Caroline: Da ist dieser Computer, der so groß ist wie eine KREDITKARTE, und dieser Mix aus Wirklichkeits- und Datenraum, den ich nicht sehe, ist mein Arbeitsplatz! Das kann doch nicht sein.

Catrin: Doch. So ist es.

Bernd: Diese Drogen sind mein Arbeitsplatz. *(wirft ein)*

Stefan: Und deshalb ist es so unglaublich schwer, nach Wirklichkeitsräumen zu suchen, und nach einem politischen Verhältnis zu ihnen.

Catrin: Wirklichkeit kommt nur noch als Mix vor.

Bernd: Und du brauchst ein politisches Verhältnis zu deinem Datenraum.

Caroline: Irgendeine sonderbare Mischung aus Sichtbarem und Unsichtbarem ist mein Arbeitsplatz? VERDAMMTE SCHEISSE!

Stefan: Ja, genau.

Catrin: Nimm DROGEN!

Caroline: In dieser Voodoo-Lounge.

(Clip)

Caroline: Ich wünschte, ich wäre eine Stoffpuppe mit toten Knopfaugen und einem aufgenähten Lächeln. Ich würde in einem Regal in einem Kaufhaus sitzen. Mit keinen Träumen zu träumen, und mit nichts, was mir Leid täte. Ich wünschte, ich hätte ein hölzernes Herz und eine Schnur auf dem Rücken, an der man zieht und dann sage ich: Hey! Was für ein wunderschöner neuer Tag! Aber so ist es nun mal nicht. Ich bin keine Puppe. Ich habe tote Knopfaugen und mein Lächeln ist auch nicht mehr echt, aber ich bin keine Puppe. Ich hab keine Träume mehr zu träumen, aber ich bin keine Puppe. ICH SAGE: HEY! WAS FÜR EIN SCHÖNER TAG, ABER ICH BIN KEINE PUPPE! ICH SEHE ZIEMLICH TOT AUS, ABER ICH BIN KEINE PUPPE.

Catrin: Sie ist keine Puppe!

Caroline: Ich hab keine Träume mehr, und ich schlafe auch keinen Schlaf mehr, aber ich bin keine Puppe. Ich hab tote Augen, aber ich bin keine Puppe.

Stefan: Tote Augen!

Caroline: Ich fühle all diese Gefühle, aber ich bin keine Puppe.

Bernd: Sie quält sich, aber sie ist keine Puppe.

Caroline: Nein, das BIN ich nicht. ICH FÜHLE ALL DIESE GEFÜHLE, ABER ICH BIN KEINE PUPPE! Ich sitze in keinem Kaufhausregal und seh nur hübsch aus, sondern ich fühle all diese Qualen und Dingsdas und wünschte, ich wäre eine Puppe.

Catrin: Aber sie ist keine Puppe.

Caroline: Alles in mir ist tot, aber ich bin keine Puppe.

Stefan: Vielleicht bist du eine ... Puppe.

Caroline: Nein, du hörst es, ich bin keine Puppe. Ich sehe, wie jemand einen DNS-Chip in die Kamera dreht *(zeigt auf Stefan)*, und ich selbst kann überhaupt keine Aussagen ÜBER DAS LEBEN MACHEN. Da ist diese Hand von jemandem, der in einem der Räume ist mit hoch bewerteten, technologischen Jobs, und der ist völlig abgespalten von mir und irgendeiner emotionalen Sphäre und er macht Aussagen über das LEBEN. Ich will eine Puppe sein, sonst halt ich das alles nicht aus. ODER GENTECHNISCH ENTSCHLÜSSELT! SONST HALT ICH DAS ALLES NICHT AUS. Ja, vielleicht hilft d a s ! Ich möchte eine gentechnisch entschlüsselte Puppe sein, sonst halt ich das alles nicht aus.

Bernd: Was denn noch?

Caroline: Ich möchte geklont werden, sonst halt ich das alles nicht mehr aus. Will mich nicht endlich jemand gentechnisch entschlüsseln? Ich halt das nämlich nicht mehr aus! Diese Gefühle. ICH KANN NICHT MEHR! ICH KANN EINFACH NICHT MEHR! ICH KANN DIESE GEFÜHLE EINFACH NICHT MEHR ERTRAGEN! DA SIND NUR NOCH GEFÜHLE! DA IST ÜBERHAUPT NICHTS MEHR IN MEINEM KOPF! ICH WÜNSCHTE, ICH

WÄRE EINE PUPPE IN EINEM KAUFHAUS! UND DA WÄRE IRGEND-
JEMAND, DER MICH ENTSCHLÜSSELT.

Catrin: ENTSCHLÜSSELN ODER EINKAUFEN!

Stefan: Eine unentschlüsselte Puppe, VERDAMMTE SCHEIS-
SE!

Caroline: KOMMT HER UND ENTSCHLÜSSELT MICH, IHR VER-
DAMMTEN FICKSÄUE!!!

(Clip)

Bernd: Du arbeitest in Hochtechnologie-Jobs, Frank, und
du drehst diesen Chip in die Kamera.

Stefan: Ja, genau.

Caroline: Medien sind geil auf Bilder von Chips, auf
denen dein genetischer Code gespeichert ist. Und Frank
dreht sie in die Kamera.

Bernd: Medien sind geil auf Gentechnologie und dann
machen sie Bilder von Chips und zeigen sie allen.

Catrin: Chips und Ficksoaps.

Caroline: Und in deinem notebook drehn sich DNS-Chips
und eine Doppelhelix, Frank.

Stefan: Und die dreht sich da, in den world wide web-
slums.

Bernd: Doppelhelix.

Catrin: Und das kann sich jeder ansehen in den slums,
mit von Konzernen gesponserten Anschlüssen an die WELT.

Caroline: VERDAMMTE SCHEISSE!

Bernd: Dein Existenzminimum wurde entschlüsselt und im Internet veröffentlicht. Als Gensequenz.

Catrin: Und diese neue Besitzform definiert Leben als Kapital.

Caroline: Und da kann sich jetzt jeder ansehn. Und wie gesund man sein kann. Und wo die Fehler bei einem liegen. Such die Fehler bei dir selber! Konzerne sponsern dir Anschlüsse an die Welt, damit du die Fehler bei dir selber suchen kannst. NEIN, NIEMALS!

Bernd: Das ist doch ganz nett.

Catrin: . Und über diesen Bauplan wird erwünschtes soziales Funktionieren vorgeschrieben. Aber ohne MICH!

Bernd: Du arbeitest in Bereichen am highend von Hochtechnologie und du liebst deinen Job, Frank.

Stefan: Ja, genau.

Catrin: Frank hat seinem Job einen heißen Antrag gemacht. Und jetzt liegt er bei ihm wie bei einem Geliebten. Und er campt auch da.

Caroline: Frank liegt bei seinem JOB WIE BEI EINER GELIEBTEN!

Bernd: Du liebst deinen Job und ...

Caroline: Der soziale Bereich von Männlichkeit ist die Vernunft.

Catrin: Und die ist eben eher in Laboratorien zu Hause als ZU HAUSE!

Stefan: Ich liebe meine Arbeit! Ja, gut. ICH LIEBE MEINE ARBEIT! Aber manchmal frage ich mich, ob Liebe wirklich das Wichtigste ist in meinem Leben.

Caroline: Ja, gut, kann sein.

Catrin: Moment mal, aber wolltest du nicht gerade von deiner Arbeit reden. Ich dachte ... also ... ich nahm an, du hast gerade von deiner Arbeit geredet und nicht von der LIEBE!

Caroline: Vielleicht solltest du dich fragen, ob die Arbeit wirklich das Wichtigste ist in deinem Leben.

Bernd: Vielleicht wolltest du dich das fragen!

Stefan: Ja, gut, vielleicht, aber Arbeit ist so verdammt SELTEN.

Catrin: Ja gut, es ist ein seltenes Tier und so was, und Liebe gibt es so verdammt viel auf der Welt. VERDAMMTE SCHEISSE! NEIN! O MEIN GOTT!

Stefan: Aber zu lieben, was auch immer, das ist doch irgendwie wichtig.

Caroline: Und dann liebst du eben deine Arbeit, und das scheint die irgendwie wichtig zu machen.

Bernd: Liebe macht Arbeit wichtig.

Stefan: Diese Kultur glorifiziert lange Arbeitstage.

Catrin: Und der bist du verfallen.

Caroline: Frank will ein dereguliertes Leben, Er will immer das, was der Markt auch hat.

Stefan: Meine Arbeit stellt sehr sehr hohe Anforderungen an meine zeitliche und räumliche Flexibilität. Dem bin ich auch gewachsen, aber ich will auch was fühlen. ICH WILL ENDLICH WAS FÜHLEN.

Catrin: HALTS MAUL!

Bernd: Dein Job ist mit einem Mehraufwand verbunden, der sich einfach nicht mehr rechtfertigen lässt.

Stefan: Deshalb bin ich ja so verzweifelt. Es gibt einen Zwang, sehr viel zu arbeiten. Ja gut, und dem bin ich erlegen. Jeder erwartet, von mir, dass ich sehr viel arbeite, und da arbeite ich am highend des Hightech-Bereichs da oben und das geht einfach nicht mit einer sozialen Dimension Zuhause. Da bin ich einfach nie.

Caroline: In deinem notebook dreht sich eine Doppelhelix, Frank, und zu Hause, da hast du diese free-climbing-Gebirgswand ...

Catrin: Und dein computerkontrolliertes Haus dreht zu Hause die Heizung hoch und macht Popcorn.

Bernd: Du bist nie zu Hause und dein Haus ist nur eine Popcornmaschine.

Caroline: Und so unbewohnbar wie der Mond.

Stefan: Ich dachte, ich brauche ein Hobby, und jetzt hab ich eben dieses free-climbing-Dingsda bei mir zu Hause. Aber meine Arbeit ist mein Hobby. Also komm ich auch nie ins Gebirge.

Bernd: Du hast diese Gebirgswand in deinem Zimmer stehn, dieses free-climbing-Dingsda, und da bewegt sich nichts, da hängst du nur. An einem ziemlich sportlichen Berg. Aber der bewegt sich nicht.

Stefan: Ja, aber er sieht sehr gut aus, wenn es schneit. Ich will doch nur wissen, was das LEBEN ist und ob es eventuell an mir vorbeigehen könnte. Das wäre doch eine ziemliche Scheiße. Wenn es einfach so an mir vorbeigehen könnte, weil ich den Müll von Liebe nicht richtig ausgekostet hätte. Wenn ich sterben würde und denken könnte, dass der ganze Müll von Liebe einfach so an mir vorbeigegangen sein könnte.

Bernd: Der ganze Müll von Liebe.

Caroline: Schluss. Danach gibt es einfach nichts mehr.

Stefan: Und irgendwie könnte ich mir vorstellen, was anderes zu machen. Ich könnte mir vorstellen, einen Müllwagen zu fahrn. Vielleicht komm ich dann wieder in Kontakt mit meinen Gefühlen.

Catrin: Ja, fahr einen Müllwagen. Arbeite in der Tieftechnologie und komm wieder in den Kontakt mit dem Müll der Gefühle.

(Clip)

Catrin: Emotionen sind so wichtig ... verdammt wichtig! Mit Emotionen können wir haushalten, wir können sie ausgeben, sie sind ein ziemlich gutes Tauschgeschäft. Wir können sie vermieten und verkaufen, wir können einfach alles damit machen. Emotionen sind so etwas wie Gold! GOLD! JA, GOLD! Emotionen sind Business. Und einfach einfach nur emotional zu sein ist irgendwo ganz toll. Wirklich. Ihr müsst es einfach nur probieren. Es bringt so viel Geld ein. Oder wir können mit Emotionen einfach nur ein guter Müllwagenfahrer sein. Frank Olyphant wollte immer ein guter Müllwagenfahrer sein.

Stefan: Ja, das will ich! Ich will ein guter Müllwagenfahrer sein, ich will diese Jukebox fahrn, diesen Juke-

boxmülleimer. Und ich will in keinem Hochtechnologie-
Job arbeiten, ich will einfach nur einen Müllwagen
fahrn oder einen Autoscooter. Einen Müllscooter. Lasst
mich einen Müllscooter fahrn ...

Stefan: Die Technologiebranche beschäftigt sich mit dem
Zuhause.

Bernd: Und Zuhause ist Zuwachsbranche.

Caroline: Und da gibt es Kühlschränke mit Displays, die
einkaufen, und Leute von UPS, die dir das Zeug bringen.

Bernd: Und du kannst mit deinem Kühlschrank durchs Internet surfen.

Stefan: Denkende Kühlschränke.

Bernd: Und diese Kühlschränke mixen deinen Wirklich-
keits- und irgendeinen Datenraum und das ist dann auch
nur wieder eine soziale Dimension.

Caroline: Die Dimension deines Datenraums hat irgendwie nur mit Haushalt zu tun. Und Kochrezepten und so'n
Scheiß.

Bernd: Kuck Pornos auf dem Display an deinem Kühlschrank!

Catrin: Ja, das würd ich gerne, aber dieser Scheißkühl-
schrank kauft immer nur Scheißfilme ein. Wie kann denn
das sein? Dass mein Datenraum auch nur wieder eine soziale Dimension hat. WIE KANN DAS DENN SEIN?

Caroline: Du bist zu Hause und ...

Stefan: Zuhause ist Zuwachsbranche.

Catrin: Ja, gut, für Technologie vielleicht, für Alltagstechnologie, aber nicht für diese BEKNACKTE HAUSARBEIT! DAS KANN NICHT SEIN!

Caroline: Hausarbeit ist Zuwachsbranche.

Catrin: Nein. NEIN! Arbeit ist einfach keine Zuwachsbranche. Es wird nur noch elektronisch gehandelt, überall da draußen und hier drinnen, überall. Wie könnte Arbeit dann Zuwachsbranche sein? WIE DENN?

Stefan: Soziale unbezahlte Arbeit ist Zuwachsbranche.

Bernd: Aber vielleicht ist Scheißarbeit Zuwachsbranche und dazu gehört auch deine verfickte Hausarbeit.

Caroline: Scheißarbeit ist Zuwachsbranche.

Catrin: Aber wie kann denn dieser Scheiß hier Zuwachsbranche sein? Dass ich an diesem Kühlschrank stehe und Sachen bestelle und auf irgendwelche Displays tippe und Leute mit Displays unter der Haut stehn dann vor meiner Haustür und klingeln und bringen sie mir und ich bin nur noch am AUSPACKEN! ICH PACKE NUR NOCH AUS! O GOTT! DIESE SCHEISSARBEIT IST ZUWACHSBRANCHE!!

Stefan: Und ich wünschte, die Leute von UPS hätten Verweigerungsstrategien und ein politisches Verhältnis zu ihrem Mix aus Wirklichkeits- und Datenraum und klingeln sozial unbeholfen an deiner Haustür und drücken dir irgendeine bestellte SCHEISSGEBURTSTAGSTORTE INS GESICHT.

Caroline: Au ja!

Stefan: Du hast dir was gewünscht zu deinem Geburtstag.

Bernd: Und da gibt es plötzlich eine Demo oder einen Streik oder Verweigerungsstrategien oder wildes Wünschen von UPS-Leuten vor deiner Haustür.

Caroline: Dereguliertes Wünschen.

Bernd: Und da wird wild gewünscht vor deiner Haustür.

Stefan: Und dein Gesicht ist ein soziales Display, das einkauft.

Bernd: Sei ein Display, Gesicht!

Stefan: Und da drücken sie dir dann deine Geburtstagstorte rein. Da kannst du dich noch so sehr freun oder freundlich sein. Das landet einfach dereguliert in deinem Gesicht.

Caroline: Dereguliertes soziales Verhalten. So fängt irgendwie der Aufstand an.

Catrin: MEIN GESICHT IST EIN DISPLAY, DAS EINKAUFT! Und das nennt man HAUSFRAU! ABER DAS BIN ICH NICHT!

Caroline: Aber du siehst so aus.

Bernd: Ändere dein Display.

Stefan: Du arbeitest in diesem Haus ohne Produktion. Und da klingeln Leute und du machst auf und bist freundlich und du hast keinerlei Verweigerungsstrategien und schon gar nicht deinen Kindern gegenüber.

Catrin: Nein, die hab ich nicht.

Caroline: Habe Verweigerungsstrategien deinen Kindern gegenüber.

Catrin: Ja, gut, und ja wie denn?

Stefan: Etwas zwingt dich, so zu sein, wie du bist.

Catrin: So? Was denn?

(Clip)

Catrin: Die Häuser sind so UNBEWOHNBAR WIE DER MOND, VERDAMMTE SCHEISSE. Da kann niemand mehr rein. Das gibt es einfach nicht mehr: irgendwo in Häusern zu sein. Das HÄLT NIEMAND MEHR AUS! Diese soziale Dimension. Das geht einfach nicht mehr! Als soziales Display zu arbeiten. Ich will meine Gefühle nicht regulieren und alles Soziale. Ich will so wie der Markt sein! Ich will nur noch DEREGULIERTE GEFÜHLE FÜHLEN! Ja, gut, vielleicht kann ich mir bloß diese blöde Dimension nicht richtig vorstellen! Aber das will ich auch gar nicht! DAS WILL ICH NICHT! DA IST DOCH NICHT NUR EINE SOZIALE DIMENSION IN MEINEM GESICHT, DAS MUSS DOCH AUCH VON WAS ANDEREM HANDELN. ICH WILL NICHT MEHR IN DIESES HAUS REIN! Ich will da drin nicht mehr arbeiten. Allerdings komm ich mir da draußen auf dem Arbeitsmarkt, zum Beispiel in Top-Positionen von Handelsbanken oder so was, so DE-PLATZIERT VOR! Irgendwie gibt es da eine Atmosphäre, in der heterosexuelle Schwänze ziemlich hoch bewertet werden. Und weil die Chancen, es da irgendwie als Frau zu schaffen, mit so was wie einem «Schwanz ehrenhalber» *(Anführungszeichen als Geste)*, relativ gering sind, komm ich mir so DEPLATZIERT VOR. Auf diesem Arbeitsmarkt. Die software in diesem «denkenden» Haus von Panasonic stellt dich vor einen Kühlschrank und da surfst du und plötzlich bist du überall so deplatziert, nur da nicht. Und warum fühle ich mich da drin nicht DEPLAT-ZIERT? Mit den Kindern und all dem SCHEISS! Sondern nur hier draußen IN DIESEM VERFICKTEN LEBEN ODER VERFICKTEN MARKT ODER SO WAS! Da bin ich so deplatziert! Ich bin hier draußen so deplatziert, aber ich will da auch nicht

mehr rein. Ich WILL NICHT IN DIESES HAUS REIN! Und ich
will auch nicht mehr raus. Das ist doch irgendwie irreal. DAS IST SO SCHEISSIRREAL! Und so SCHEISSUNMÖG-
LICH! Ich will nicht draußen und nicht DRINNEN SEIN!
Alle Frauen sind irgendwie Stewardessen. Kann das denn
sein? KANN DAS DENN SEIN?!

(Clipende)

Caroline: Du arbeitest in diesem Dienstleistungsjob ...

Bernd: Als Stewardess oder Dingsda.

Caroline: Und die Nasa oder Lufthansa können sich eine
soziale Dimension vorstellen in deinem Gesicht. In diesem Display. Dein FREUNDLICHES GETUE bezahlt das Kerosin da oben in der Luft, und diese soziale Dimension
nimmt da irgendwie Warencharakter an.

Stefan: Aber du musst eben nicht bedingungslos serviern. Du kannst auch manchmal zuschlagen.

Catrin: Bedienungen servieren mit Exorzisten.

Stefan: Und diese Geschäftsführer oder Exorzisten versuchen, dir den Teufel auszutreiben, aber du musst einfach nur stark sein.

Bernd: SEI STARK, BABY.

Caroline: Und dann räum auf, in diesem Restaurant oder
Flugzeug, durch soziales Unbeholfensein. Versuch freundlich zu sein und schlag den Gästen das Geschirr um die
Ohren und ihre Kotztüten und entwickle Verweigerungsstrategien.

Bernd: Bedienungen, die AUFRÄUMEN!

306

Caroline: RÄUM AUF!

Stefan: Freundliche Frauen in Dienstleistungsjobs mit brutalen Verweigerungsstrategien.

Catrin: SCHEISSLEBEN SIND MIT AUFWAND VERBUNDEN.

Clip

Catrin: Ich war nur kurz einkaufen. Zu Hause. In meinem Bett. Und jetzt muss ich kurz raus mit den Tüten vom Deliveryservice und wieder rein, sonst hab ich das Gefühl, ICH KOMM ÜBERHAUPT NICHT MEHR UNTER LEUTE.

Bernd: Du bist zu Hause ...

Catrin: JA, KANN SEIN!

Caroline: Und da ist ein notebook auf deinem Bett.

Stefan: Und da drin tobt ein Krieg zwischen zwei shopping-Seiten und du liegst in deinem Bett neben deinem notebook und da bist du dann.

Bernd: On-line-shopping.

Stefan: Und du kaufst ein in deinem Bett und da sind Kaufhäuser und Cookies, die dich nicht schlafen lassen, und du bestellst all diese Scheiße und machst klingelnden UPS-Leuten die Tür auf.

Caroline: Und du gehst homeshoppen auf dieser shopping-Meile in deinem Bett und wirfst Stöckchen in Suchmaschinen.

Catrin: *(wirft das Yahoo-Kissen)* Such dieses Scheißkaufhaus!

Caroline: Such dieses SCHEISSKAUFHAUS!

Bernd: Du suchst dieses Buch irgendwo im Netz, oder diese Platte und irgendeine Suchmaschine bringt dich in ein KAUFHOUSE.

Stefan: Such den Scheiß.

Caroline: Und dann bestell ihn!

Catrin: Aber nicht alle, die auf der Suche sind, wollen EINKAUFEN! Das ist nun mal nicht so. Nicht alle Suchenden wollen EINKAUFEN!

Caroline: Doch, das ist so.

Stefan: Wir suchen nach einem Sinn im Leben und werfen Stöckchen in Suchmaschinen. Und was die uns anschleppen, hat nichts mit unserem LEBEN ZU TUN!

Bernd: Wir werfen irgendwas in Suchmaschinen, damit die stehn bleiben. Aber die funktionieren einfach nur noch besser, wenn du was reinwirfst. Das ist ja die SCHEIS-SE. Die funktionieren noch BESSER!

Catrin: Und wenn du zehn Billionen Anfragen in diese Suchmaschine wirfst, dann funktionieren die vielleicht nicht mehr besser.

Stefan: Hacker werfen zehn Billionen Stöckchen in Suchmaschinen.

Bernd: Mit digitalen Stalinorgeln.

Caroline: Und dann fliegt diese Suchmaschine in die Luft.

Bernd: Hacker kaufen ein und das ist irgendwie surreal.

Catrin: Ich will surreal einkaufen!

Stefan: Aber das tust du. Und Hacker tun das jetzt irgendwie auch.

Caroline: Und das ist alles ganz gemütlich da in deinem Bett oder vor deinem Kühlschrank, der durchs Netz surft oder wo immer du einkaufst.

Bernd: Obwohl Krieg herrscht zwischen Barnes und Noble und Amazon.

Stefan: Und das Kapital holt sich da bei dir zu Hause seine Sinnlichkeit ab!

Caroline: Hol dir deine SINNLICHKEIT AB, KAPITAL!

Bernd: Da drin in diesem Netz oder Internet wird nur Reichtum produziert. Und du gehst homeshoppen in dem Computer auf deinem Bett und da wird Reichtum produziert in deinem Haus. Aber das ist nicht DEINER!

Caroline: Es wird eigentlich nur noch Reichtum produziert und NICHTS SONST!

Bernd: Da ist eine Produktionsstätte von Reichtum im Internet in deinem Haus. Und du bist dein eigenes Kaufhaus, wenn du online shoppst, aber das ist nicht deins.

Caroline: Das ist nicht DEIN KAUFHAUS!

Stefan: Dein Zuhause ist ein Kaufhaus und das gehört nicht dir!

Caroline: Und du leistest all diese Arbeit: einkaufen und das Kaufhaus ein- und auszuschalten, und du verkaufst dir da selber Dinge, aber du kriegst es einfach nicht bezahlt.

Catrin: Ich bin online und dann machen sie bei mir zu Hause ein Kaufhaus auf und das ist sehr sinnlich und das kommt mir auch sehr bekannt vor, denn es ist ja MEIN ZUHAUSE! Und da kauf ich ein in dem Kaufhaus bei mir zu Hause, aber ich krieg einfach nichts DAFÜR BEZAHLT! Und ich mach jetzt nichts mehr, WAS NICHT BEZAHLT WIRD!

Bernd: Und jetzt schieß dieses Kaufhaus ab.

Caroline: Vielleicht solltest du was bestellen und das vielleicht zehn Billionen Mal. Und einkaufen in einen Aufstand verwandeln.

Catrin: Verwandele Einkauf in Aufstand.

Bernd: SHOP AROUND!

(Clip)

Caroline: Im Netz, da hast du überhaupt keine Ahnung, mit wem du es zu tun hast. Ja, gut, du hast es mit dem Turbokapitalismus zu tun, aber SONST WEISST DU NICHTS.

Stefan: Da unterhält sich jemand oder e-mails mit dir und du denkst, das ist die und die, aber da hat jemand schon längst die Identität deiner Mutter angenommen und schickt dir blöde Viren und so'n Scheiß.

Catrin: Mutter schickt Virus.

Bernd: Da nimmt jemand im Netz die Identität von jemandem an, der dich zur Welt gebracht hat, und sagt HEY WIE GEHTS und schickt dir einen Virus!

Catrin: Und deine Mutter, das war nur irgendein Fremder.

Caroline: Die dir Viren schickt.

Stefan: Deine Mutter, das war nur irgendein FREMDER!

Catrin: Und du weißt nicht mehr, was an dir Computer ist und was nicht.

Caroline: Das weiß ich doch.

Bernd: Ich sitze zu Hause rum und arbeite unter diesen slumdächern aus notebooks in meinem Bett und ich weiß nicht mehr, was an mir Computer ist und was nicht. ALLES IN MIR RECHNET.

Caroline: ALLES AN MIR RECHNET NUR NOCH!

Catrin: Ja, gut, kein Grund auszurasten. Alles an dir rechnet. Ja, gut, von mir aus. VON MIR AUS!

Stefan: Ostern Weihnachtens Körpercomputer hat einen Virus.

Caroline: Dieses Zeug an mir dran hat einen VIRUS!

Catrin: Sie hat einen Gen- oder Computerfehler. Und jemand, der sich als ihre Mutter ausgibt, hat ihr einen Virus geschickt.

Bernd: Und dann gab es diese Gen-Chip- oder DNS-Analyse, die sich in Franks notebook dreht und die sagt, Ostern hat einen Genfehler. Und auch Weihnachten. Weihnachten wurde mit einem Genfehler geboren. Weihnachten hat einen VERFICKTEN GENFEHLER!

Catrin: Ostern Weihnachten wird von einem Genfehler gefickt.

Caroline: Irgendjemand fickt mich hier gerade. Die Pharmaindustrie oder diese DNS-Analyse oder mein Genfehler. MEINE DNS FICKT MICH! Oder irgendein Programmierfehler. Oder Virus. IRGENDEIN PROGRAMMIERFEHLER FICKT MICH!

Stefan: Dann lass ihn reparieren!

Caroline: Ich werde gefickt, ob ich ihn reparieren lasse oder nicht. Entweder mein Genfehler fickt mich oder irgendwelche Fickkonzerne, die ihn reparieren wollen.

Catrin: Und da fährt eine Genfähre hin und die fickt dich.

Stefan: Da fahren Fähren zu Genfehlern und ficken dich.

Bernd: Ich weiß nicht, was produzieren denn Gensequenzen? Was haben die denn bis jetzt produziert? Doch nur Modelle für das, was krank ist und was nicht.

Catrin: Gentechnik produziert Zement.

Caroline: Und BÜRGERLICHE LEBENSSTILE.

Bernd: Und die fahren mit Fähren zu deinen Genen.

Caroline: Bürger fahren mit Fähren zu deinen Genen und reparieren sie da irgendwie.

Catrin: Und alles, «was anders ist», ist krank. Und wegen diesem BÜRGERLICHEN GESCHMACKSTERROR gibt es jetzt eben die Gentechnik.

Bernd: GESCHMACKSTERROR PRODUZIERT GENTECHNIK!

Caroline: Aber ich bin kein Computer. Ich lass mich nicht einfach umprogrammiern.

Stefan: Lass dich umprogrammiern, du Körpercomputer. Du hast einen Virus und da fährt jetzt eine Genfähre hin, das ist nun mal so.

Caroline: ICH HALT DAS NICHT AUS! Da dreht sich diese

Doppelhelix in deinem notebook, Frank, und ein Virus dreht sich in meinem Körpercomputer, und ich weiß jetzt nicht, wird der jetzt umprogrammiert oder soll ich repariert werden. Ich kann da keinen UNTERSCHIED MEHR SEHN!

Stefan: Umprogrammiere deinen Körpercomputer!

Catrin: Wissenschaftler betonen immer, dass sie Dinge entdecken wollen, die sie weder wissen noch vermuten. Wie um alles in der Welt kommt es dann, dass es immer gleich darum geht, irgendwas reparieren zu wollen. Warum reparieren sie nicht endlich mal den Geschmacksterror dieser Gesellschaft statt irgendein SCHWULEN-GEN, DIESE SCHEISSER!

Stefan: REPARIERE GESCHMACKSTERROR!

Caroline: Wissenschaftler sind immer Scheißer und Ficksäue!

Bernd: Jeder Wissenschaftler ist eine Ficksau, ohne Ausnahme! Sie entdecken und machen Heilsversprechungen, dass das Entdeckte irgendwas ändert. Aber diese Entdeckungen ändern rein gar nichts. Sie zementieren bloß das, was an Geschmacksterror eh da ist.

Catrin: Die wollen gar nichts entdecken. Die wollen immer nur finden und zementieren.

Caroline: Und das ist doch kein Leben, von Fähren repariert zu werden. Oder von SCHEISSBÜRGERN!

Catrin: Überhaupt repariert zu werden. Das kann doch nicht sein. ICH WILL NICHT REPARIERT WERDEN!

Stefan: Die werden als Erste repariert, die nicht wollen.

Caroline: Kann mir endlich mal jemand sagen, was KRANK IST! WAS IST KRANK? KANN MIR DAS MAL JEMAND SAGEN, IHR FICKSÄUE?

Bernd: Alle wissen, was krank ist, und da holt sie die Gentechnik ab.

Caroline: Alle außer mir! Ich weiß nicht, was krank ist! Ich bin irgendein verfickter Kranker und ich weiß nicht, WAS KRANK IST!

Catrin: DEIN KÖRPERCOMPUTER IST KRANK!

Bernd: Gensequenzen produzieren nur Modelle für das, was krank ist und was nicht. Modelle, die bloß bestätigen, was alle immer schon für krank hielten. Aber was ist denn das Scheißkriterium für diese Krankheiten! Doch nur, dass man irgendwie anders ist.

Stefan: Du bist wie ein Computer. Denke einfach, du wirst umprogrammiert. Denke einfach nicht daran, dass du repariert wirst. Denke wie ein Computer. Und irgendwas umzuprogrammiern ist ETHISCH DOCH IRGENDWIE ZU VERTRETEN!

Catrin: Alles was anders ist, ist krank. Und wegen diesem Geschmacksterror gibt es jetzt eben die Gentechnik.

Caroline: *(baut sich auf)* Und jetzt repariert mich, IHR VERDAMMTEN FICKSÄUE! *(setzt sich wieder)*

Stefan: Ja, gut, Ostern. Halts Maul, Weihnachten.

Bernd: Los, repariert mich, IHR DRECKSNAZIS!

Stefan: Jetzt mach aber mal HALBLANG!

Catrin: Dein Körpercomputer hat einen Programmierfeh-

ler und es ist irgendwie besser, du lässt dich umprogrammieren.

Caroline: Ja, los, programmiert mich um! IHR SCHEISS-
GESCHMACKSTERRORISTEN!

(Clip)

Caroline: Wo BIN ICH HIER?

Bernd: World wide web.

Catrin: Aber wir sind irgendwie nur das Rahmenprogramm
für diese Produktionsstätte von Reichtum. Also irgendwie sind wir hier nur: WORLD WIDE WEB-SLUMS.

Stefan: Überall wurden diese Hütten abgeworfen.

Bernd: Aus notebooks.

Catrin: Von irgendwoher wurden Orte der Verelendung
abgeworfen. Und da sind sie dann.

Caroline: Und alle sind vernetzt, aber keiner nutzt das
für einen Aufstand.

Bernd: Netzwerke von Nutzern werden nur zu Abonnenten.

Stefan: Bei Napster oder so was. Netzwerke werden nur
für Abos genutzt.

Caroline: Aber kein Netzwerk da drin wird ein sozialer
Aufstand.

Bernd: Und kein sozialer Aufstand nutzt Netzwerkabonnenten.

Caroline: Das sollten wir aber tun. Wir machen einen

SOZIALEN AUFSTAND MIT ABONNENTEN! Das wär doch mal was!

Catrin: Netzwerke verslumen zu Abos. VERDAMMTE SCHEISSE!

Stefan: Du campst hier draußen in der Wüste, Gong, und da klingelt niemand mehr an deiner Haustür.

Catrin: Ich bin nur noch draußen, ich bin nur noch: nicht-in-Häusern und da bin ich dann ...

Caroline: Weg von den Gefühlen!

Catrin: JA GUT! Aber Gefühle ... die hab ich gar nicht zu verantworten. Das waren außerdem nicht meine. Kinder- oder Nächstenliebe oder so'n Scheiß. Jemand hat sie bloß in meine Verantwortung gegeben. Und ich sollte irgendwie darauf aufpassen, aber das will ich nicht.

Stefan: Pass auf die Gefühle auf!

Catrin: *(zeigt auf das «Haus»)* Ich KOCHE DA DRIN FÜR SEX. ABER DEN WILL ICH GAR NICHT!

Bernd: Du verhältst dich sozial unbeholfen in deinem Haus und bist einfach nicht da. Und deine Kinder und dein Haushalt da drin verslumen.

Catrin: Ja, gut, von mir aus. VON MIR AUS!

Caroline: Und dein sozialer Aufstand oder dein sozial unbeholfenes Verhalten als Stewardess machen jetzt auch einen slum aus deinem Zuhause.

Stefan: Du solltest auf die Gefühle aufpassen zu Hause, in diesem Haus, das nichts produziert.

Bernd: Aber das hast du nicht und jetzt sind deine Kinder verwahrlost und all der Scheiß.

Caroline: ... ist verwahrlost.

Catrin: Kinder verwahrlosen wie Scheiße. Und ich markiere jetzt Arbeit, indem ich sie nicht mache. Ich lass meine Kinder verwahrlosen. Aber ICH PASS NICHT AUF GEFÜHLE AUF! Das MACH ICH NICHT!

Caroline: Irgendwo anders gibt es diese Produktion von Reichtum und zu Hause wird unbezahlt soziale Arbeit erledigt und was für eine SCHEISSGELDWASCHANLAGE IST DANN DIESES ZUHAUSE?

Bernd: Dieses Haus bezahlt keine Arbeit und der Reichtum, der irgendwo produziert wird, arbeitet nicht. Was ist DAS FÜR EINE SURREALE SCHEISSE!

Catrin: Wenn da drin alles an Gefühlen und Kindern und Humankapital außerhalb von Wirtschaft produziert wird und irgendwo anders wird nur Reichtum produziert und NICHTS SONST! Dann campe ich lieber hier draußen.

Caroline: Deregulierte soziale Dimension.

Bernd: Da steht ein Haus in einer unternehmerisch operierenden Wüste und da fragst du dich ...

Catrin: ... warum ich nicht in der Wüste campe. So einfach ist das. In dieser deregulierten Dimension in der Wüste. Da gibt es auch nichts Soziales. Das soll alles zu Hause stattfinden, aber das MACH ICH NICHT MEHR MIT! Wenn es hier draußen nichts SOZIALES MEHR GIBT, DANN WILL ICH DA DRIN AUCH KEINE SOZIALE DIMENSION REPRODUZIERN!

Clip

Bernd: Du hast in diesem Körpercomputer gearbeitet, Weihnachten. In Teilzeitjobs, Dienstleistungsjobs. Und es wird immer wichtiger, sie zu verkörpern. Und Frauen lächeln nun mal die ganze Zeit und verkörpern sexuelle Aktivität.

Caroline: Nein, das TUN SIE NICHT!

Stefan: Verkörpere deine Sexualität.

Caroline: Nein, das MACH ICH NICHT!

Stefan: Und Freundlichkeit ist nun mal an Weiblichkeit gekoppelt.

Bernd: Das hier ist ein Pornoplanet ...

Stefan: ... der aus Geschlechterdifferenzen Kapital schlägt.

Catrin: Dabei liegt dem Kapital die Unterscheidung in zwei Geschlechter SO SEHR AM HERZEN!

Stefan: Und das Kapital holt sich im Call-Center seine Sinnlichkeit ab!

Catrin: Hol dir deine SINNLICHKEIT AB, KAPITAL!

Bernd: Das Kapital holt sich bei Ostern Weihnachten seine Sinnlichkeit ab!

Caroline: Aber ich will nicht für deine Sinnlichkeit verantwortlich sein: *(baut sich auf vorm Publikum)* DIESER SCHEISSKÖRPER UND DIESES SCHEISSLÄCHELN SIND NICHT FÜR DEINE VERFICKTE SINNLICHKEIT VERANTWORTLICH.

Catrin: Ja, gut, HALTS MAUL!

Caroline: Dein Leben ist ein Scheißfilm.

Stefan: Ja, das ist er.

Bernd: Ich bin ganz zufrieden mit meinem Leben, so wie es jetzt ist. Nur um etwas zu empfinden, kann ich es doch nicht einfach das Klo runterspülen. DAS GEHT DOCH NICHT!

Catrin: Spüle die Änderung das Klo hinunter!

Caroline: Aber wenn du nichts empfindest, dann ist irgendetwas falsch mit deinem Leben.

Bernd: Aber ICH BIN DOCH KEIN FILM! Ich muss nichts empfinden. Ich nehm ja auch keinen Eintritt in mein Leben, ich meine Eintrittsgeld, das muss sich ja niemand ansehn, mein Leben, ICH MUSS NICHTS EMPFINDEN.

Stefan: Null Empfindung!

Catrin: NULLEMPFINDUNG.

Caroline: Nimm keinen Eintritt!

Bernd: Ich bin doch keine Geisterbahn. Ich meine, mein Leben ist schon eine Geisterbahn, und ich hab auch einen Beruf, ich hab jetzt zwar vergessen, was für einen, aber ich hab einen. Und ich hab sowieso Angst, dass man mich da rauskickt, das werde ich doch jetzt nicht auch NOCH SELBST ERLEDIGEN! ICH WEISS, ICH KANN GLÜCKLICH SEIN! ABER ICH WEISS, DAS IST MIT ZIEMLICH VIEL AUFWAND VERBUNDEN. Mein Kopf ist ein ZUSAMMENBRUCHSRAUM!!

Catrin: Du musst zum Beispiel ziemlich viel herumschreien und das ist mit viel Aufwand verbunden, du schreist herum und musst dich entschuldigen bei Leuten für die Lärmbelästigung, das ist Aufwand. Du kannst keine Opern mehr singen, das ist Aufwand, wenn du dauernd herumschreist, weil du glücklich sein willst, kannst du keine Opern mehr singen, jedenfalls nicht ERNSTHAFT, du stehst auf der Bühne des Lebens, von bürgerlichen Krisen geschüttelt, und kriegst einfach keine verdammte ARIE MEHR AUS DIR RAUS!

Stefan: Krieg Arien aus dir raus!

Catrin: Du stehst auf der Bühne, von Krisen geschüttelt, und kriegst nur Entschuldigungen aus dir raus.

Caroline: Entschuldigungsarien.

Bernd: ICH WILL GLÜCKLICH SEIN! ABER SEIN LEBEN ZU ÄNDERN IST EINFACH MIT ZU VIEL AUFWAND VERBUNDEN! UND DANN MUSS ICH MICH AUCH NOCH DAFÜR ENTSCHULDIGEN! VERDAMMTE SCHEISSE!

Catrin: Ja, weil du einfach zu LAUT BIST! UND JETZT HALTS MAUL! SEI GLÜCKLICH, ABER HALTS MAUL!

Caroline: Ich halt es nicht aus. ICH HALT ES NICHT AUS.

Bernd: Ich wollte, ich könnte, aber ich hab dauernd das Gefühl, ich müsste mich übergeben oder so was.

Stefan: Hör auf, dich zu übergeben.

Caroline: Du Kotztüte.

Bernd: Sieh dir dein Leben an!

Caroline: Nein! NEIN!

Bernd: Ja, gut. Halts Maul, Ostern Weihnachten oder wie immer dein bekloppter Name ist.

Caroline: Ostern Weihnachten ist kein bekloppter Name, es ist das FEST DER FESTE!

Clip

Wildes Getümmel auf einem der Kissen, 3ER-ORGIE.

Stefan: Das hier sieht mir ganz aus wie eine Massenbestellung von Büchern zu Fragen nach dem SINN DES LEBENS! Dieser Kaufrausch da ist eine Homeshoppingorgie. Und alle tippen auf ihren Displays herum und bestellen bei Amazon oder Dingsda. Oder werden bestellt. Und was aussieht wie ein Flower-Power-Treffen oder ein dot.comashram, ist bloß eine MASSENBESTELLUNG VON BÜCHERN. Die bestellen Bücher und irgendwie ist ihnen klar geworden, dass man nur unendlich viel bestellen muss, um irgendwelche Kaufhäuser hochgehn zu lassen. Die KRAFT DER LIEBE LÄSST KAUFHÄUSER IN DIE LUFT FLIEGEN! Aber wenn die drei da jetzt sechs Milliarden Bücher bestellen würden während dieser Orgie, dann würde irgendwo ein Kaufhaus und online-Warenhouse zusammenbrechen und die drei da kreieren virtuelle Zusammenbruchsregionen. Von denen keiner weiß, wo die tatsächlich sind. Aber das muss man auch nicht mehr, um sein Ziel zu treffen. DAS MUSST DU NICHT MEHR! Du weißt nicht, wo die Kaufhäuser sind, aber du bestellst sechs Milliarden Bücher und machst aus Kaufhäusern Zusammenbruchsregionen. So viele Bücher kann überhaupt keiner bringen. Nicht mal der fleißigste und freundlichste UPS-Mann. So viel BÜCHER KANN KEINER BRINGEN. WIE DIE DREI DA BESTELLEN. TOUCHSCREENORGIE. Computer auf dem Gipfel ihrer Tragbarkeit.

Catrin: SCHEISSBESTELLUNG!

Stefan: Da liegen diese drei Verliebten und bestellen sich eine Bibliothek zusammen. Und die bestellen sechs Milliarden Mal das Kamasutra und das Buch der Bücher.

Und irgendein virtuelles Warenhouse fliegt in die Luft. Und wer bringt das jetzt? Das Zeug, das diese Orgie da bestellt? Diese Orgie bestellt Bücher. Dieser Hippie-Kaufrausch da bestellt Bücher und irgendwo fliegt ein Kaufhaus in die Luft.

Das Yahoo-Kissen fliegt aus dem Körper-Kissen-Berg.

Catrin: Such den Scheiß! *(wirft Yahoo-Kissen)*

Bernd: Bestell was! *(mit Baseballschläger)*

Caroline: UND ICH BRING DIR DIE SCHEISSE! *(droht, auf Stefan einzuschlagen)*

Catrin: Touch mich nicht an!

Caroline: WORLD WIDE WRESTLING-SLUMS.

Stefan: SLUM-CATCHEN.

Catrin: HIPPIEORGIE.

Stefan: Die Liebe ist eine Geschäftsform, die auf dem Netz basiert.

Catrin: UND WIR KLICKEN ALLES, WAS AN UNS DENKT!

Caroline: IN DEN WORLD WIDE WRESTLING-SLUMS.

(*Clip*)

Catrin steht im Schlafsack und hält ein Schild: Aufstehen! in die Luft.

Catrin: Ich bin schwer besorgt über den Kapitalismus im Netz. ICH BIN SCHWER BESORGT ÜBER DEN KAPITALISMUS IM NETZ! Das ist nun mal so. Ich bin auch schwer besorgt

über Viren im Netz, aber noch besorgter bin ich über
diesen SCHEISSKAPITALISMUS!

Bernd: Gong ist schwer besorgt über die Ausmaße ...

Caroline: Von Kapitalismus im Netz.

Stefan: Von mir aus!

Catrin: Da gibt es zwei Billionen Seiten, die die Demokratie verachten.

Bernd: Und alles andere sind Scheißadressen. Auf die
kommt niemand.

Catrin: World wide west-slums. Alles ist Westen, ein
global amerikanischer, wilder Kapitalismus. Und da wird
wild gewünscht in Seattle, er möge endlich von uns weichen.

Caroline: Weiche von mir. *(Kreuzzeichen)*

Stefan: Wildes Wünschen aus unseren Schlafsäcken heraus.

Bernd: WILDES WÜNSCHEN!

Catrin: Aufstand im Schlafsack!

Caroline: Körper waren einmal involviert in Aktionsräume.

Stefan: Und jetzt gibt es da diesen körperlosen Einsatz
einer uncharismatischen Hackergeneration.

Bernd: O SCHEISSE, WIE GUT!

Caroline: Und Gefühle. Gefühle waren einmal involviert
in Aktionsräume, aber jetzt sind sie nur noch TRASH!

Stefan: Gefühle sind nur noch Trash.

Bernd: Wir sind alle so verzweifelt und ich weiß nicht, wo das alles hinführen soll.

Caroline: WIR SIND ALLE SO VERZWEIFELT!

Bernd: Irgendeinen Aktionsraum muss Verzweiflung doch haben. Dieses Zeug kann doch NICHT FÜR NICHTS GUT SEIN.

Stefan: Sei für nichts gut, Verzweiflung!

Caroline: Irgendwas muss doch an Verzweiflung dran sein ...

Bernd: ES GIBT SO VERDAMMT VIEL DAVON!

Catrin: Da ist irgendeine Verzweiflung und die dreht sich in deinem notebook, Frank!

Caroline: Und die dreht sich auf deinem Display, Gong!

Catrin: Ja, gut, entschuldigt, aber ICH MUSS EINFACH VERSUCHEN, MEINE GEFÜHLE WIEDER IN DEN GRIFF ZU KRIEGEN!

Bernd: Wozu auch.

Catrin: So KANN DOCH KEIN MENSCH LEBEN!

Caroline: Verzweiflung dreht sich in Gongs Gesicht und da ist dann irgendwas.

Stefan: Diese streetfighterin im Schlafsack ist nur das kulturelle Rahmenprogramm dieses Treffens hier der Welthandelsbank.

Bernd: Hier in Seattle.

Catrin: Ein Schlafsack in Seattle.

Bernd: Oder in Prag.

Caroline: Da liegen streetfighter im Schlafsack um die Welthandelsbank herum.

Bernd: Und irgendwie sind wir nur DAS TURBULENTE RAHMENPROGRAMM!

Stefan: Und das macht überhaupt keinen Sinn mehr.

Catrin: ICH HALTS NICHT AUS!

Caroline: Battle in Seattle.

Bernd: Da gabs eine Straßenschlacht, Grungebands gegen Bankerköpfe. Und es sah aus wie ein Konzert. Ein politisches Konzert. Verschiedene Grungebands, die was zu sagen hatten, schlugen ihre E-Gitarren gegen die Köpfe der Welthandelsbank.

Stefan: BANDS, DIE WAS ZU SAGEN HABEN ...!

Catrin: ... GEGEN DIE KÖPFE DER WELTHANDELSBANK!

Bernd: DAS IST SO LAUT HIER!

Caroline: Du musst die Welthandelsbank zum slum machen im Netz, das macht vielleicht Sinn.

Bernd: ... Und Hacker, die Landschaften aus Viren baun.

Stefan: Kreiere Landschaften aus Viren. Im Netz.

Caroline: Ja, gut, das sieht vielleicht ganz wild aus, wie du da in deinem Schlafsack stehst, mit deinem charismatischen, sozial unbeholfenen Gehabe, aber es ist einfach nicht EFFEKTIV!

Catrin: VON MIR AUS!

Stefan: Aber sie hat ein notebook in ihrem Schlafsack und vielleicht ist sie damit effektiv.

Bernd: Wir drehn die Welthandelsbank um in deinem notebook.

Caroline: Diese Wirklichkeitsräume da draußen brauchen engagierte Hackergenerationen. Keine streetfighter. Schlecht aussehende Hackergenerationen. Uncharismatische Hackergenerationen.

Catrin: Wir brauchen uncharismatische Hackergenerationen.

Bernd: Hacker generieren Landschaften. Hacker kreieren Kaufhausbrände und Kaufhouseanschläge. Hacker generieren kaputte Kaufhäuser, die mit Viren erledigt werden.

Catrin: Kreiere Landschaften mit Viren. KREIERE LANDSCHAFTEN MIT VIREN!

Caroline: KREIERE LANDSCHAFTEN!

Bernd: MIT VIREN!

Stefan: Ja gut. Halts Maul! KREIERE VIREN!

Catrin: Ich war schwanger und ich nahm an diesem Schreiwettbewerb teil.

Bernd: In diesem Krankenhaus oder auf diesem öffentlichen Platz oder in der Gynäkologie.

Catrin: Da waren lauter SCHREIWETTBEWERBE!

Bernd: AHHH!

Caroline: Und Demonstrationen als turbulentes Rahmen-programm dieser Städte, die unternehmerisch orientiert sind.

Bernd: Da war dieser Schreiwettbewerb in der Gynäkologie oder auf einem öffentlichen Platz in Tokio.

Catrin: Und ich hab gewonnen, das wollen wir doch nicht vergessen! Dieser Schreiwettbewerb WAR DER SCHÖNSTE TAG IN MEINEM LEBEN!

Caroline: Du hattest allerhand schöne Tage in deinem Scheißleben. Kann man das sagen?

Catrin: Ja, das kann man. Verdammte Scheiße!

Bernd: Schreiwettbewerb in Tokio.

Catrin: Dieses Scheißleben sieht nur live richtig gut aus!

Caroline: Besonders meins! BESONDERS MEINS! Mein Scheiß-leben sieht nur live richtig gut aus. MEIN SCHEISS-LEBEN!

Bernd: Alljährlich, wenn wir hier Weihnachten feiern, findet in Tokio der alljährliche Schreiwettbewerb statt.

(*Clip:*)

Stefan: Wir sind hier in dieser Voodoo-Lounge, die um die Welt rast, und hier findet ein Schreiwettbewerb statt.

Verteilt an die andern Karten, zieht eine Linie auf dem Boden, bis zu der die andern Anlauf nehmen müssen, um dann von da ihren Schrei loszuwerden.

Bernd: O TANNENBAUM, VERDAMMTE SCHEISSE!

Caroline: ICH BIN KEIN REPLIKANT!

Catrin: DER SCHWANZ IST EIN KÜCHENGERÄT UND DAS HAT NICHTS IN HANDELSBANKEN ZU SUCHEN!

Caroline: ICH MACH DIE USA ZU AFRIKA, IHR VERDAMMTEN FICKSÄUE!!

Catrin: DAS GESICHT DIESER STADT IST EIN UNTERNEHMEN UND DA WÜRDE ICH JETZT GERNE REINSCHLAGEN.

Bernd: YAHOO!

Schreiwettbewerb unter Teilnahme der Zuschauer.

Stefan: ... und ich hab gewonnen!

Abspann

VERKAUFE DEIN SUBJEKT!

RENÉ POLLESCH IM GESPRÄCH
MIT ANJA DÜRRSCHMIDT UND THOMAS IRMER
(REDAKTION THEATER DER ZEIT)

Theater der Zeit: Wie kaum ein anderer Theatermacher bist du schon seit einigen Jahren an dem Thema der neuen Arbeitswelten dran, und zwar in einer eigenen Theaterform, in der das Verwischen aller Grenzen und Orte in der Dienstleistungsarbeit immer wieder behandelt wird. Warum wurde das zu deinem Thema?

René Pollesch: Das trifft vor allem auf die Heidi-Hoh-Serie zu, jetzt gerade auf «Menschen in Scheiß-Hotels», und hat zuallererst mit mir und der Situation der Schauspieler zu tun, mit denen ich zusammenarbeite. Wie sehen unsere Lebens- und Arbeitsverhältnisse aus, warum bin ich so viel unterwegs, inwieweit fühlen wir uns aufgefordert, uns zu vermarkten – Theater machen besitzt ja bekanntlich einen hohen Grad an Selbstausbeutung, das mit bestimmten Images vom Künstler zu tun hat und mit Vorstellungen von Selbstverwirklichung in Verbindung mit Arbeit. Angefangen hat es damit, dass ich mit «Heidi Hoh» produktiv machen konnte, warum ich Stücke nicht verorten will oder zum Beispiel das britische one-room-flat lächerlich finde. Nach «Heidi Hoh» sind aber gerade alle Stücke von mir nach Orten benannt: «www-slums» bis zu «Stadt als Beute» oder «smarthouse». Der Ort ist das Problem. Und die Orientierung dort wird zur Aufgabe. Wir wollten darüber nachdenken, was die Orte ausmacht, an denen Menschen nicht mehr wissen, ob sie zu Hause sind oder im Betrieb. Mit «Heidi Hoh I» befand ich mich zum ersten Mal nicht in einem Theaterraum, sondern im Café des Podewil. Das war für mich ziemlich neu. Und dann fingen wir da drin an, über Zuhause und Betrieb zu reden. Bert Neumanns Wohnbühne jetzt im Prater wird zum Beispiel als Hotel angesprochen, in dem Zuhause realisiert werden muss. Der Realismus liegt darin, das als Fabrik zu bespielen. Dieses Problem der Verortung hat selbst mit dem Thema schon viel zu tun – im Gegensatz zu dem Theater, in dem die Globalisierung immer noch traditionell am Küchentisch abgehandelt wird. Das funktioniert für mich aber nicht. Worum soll es da gehen? Und warum haben sie vor allem kein Wohnproblem, sondern Probleme mit der Globalisierung?

TdZ: Leute mit einer Arbeitsbiographie in den neuen Dienstleistungsjobs empfinden deine Inszenierungen als absolut realistisch, während andere Zuschauer, die das nicht kennen, sie für hysterisch und übertrieben halten.

Pollesch: Oder für Kindergarten. Es gibt verschiedene Scheren in der Aufnahme meiner Arbeiten. Bei «Frau unter Einfluss» ist es die Mann-Frau-Schere. Männer wussten oft gar nicht, worum der Abend geht. Oder wo da das Problem sein soll. Da ist dann politisch, dass sie nicht oft was vorgesetzt bekommen, was sie nicht verstehen. Das ist ein kulturelles Problem, das nichts mit Bildung oder so was zu tun hat.

TdZ: Und bei den auf das Thema Arbeit bezogenen Inszenierungen ist es die Generationenschere?

Pollesch: Das habe ich bislang so nicht beobachtet. Es unterscheidet sich darin, was und wie einer arbeitet, und auch, wie seine Arbeit bewertet wird.

TdZ: Bei «Heidi Hoh» beziehst du dich auf einen Film aus dem Jahre

1979, «Norma Rae», in dem eine junge amerikanische Fabrikarbeiterin für die Ziele der Gewerkschaft politisiert wird. Der Film funktioniert als Melodram mit der für Hollywood immerhin ungewöhnlichen Botschaft, sich für eine Änderung der Arbeitsbedingungen einzusetzen. Was ist deine Sicht auf diese Norma Rae im Vergleich zu Heidi Hoh?

Pollesch: Der Film ist einigermaßen verlogen und beutet als Melodram die Problematik aus. Es geht schon damit los, dass ein Mann aus der Großstadt in die Provinz reist und dort diese Frau erzieht und politisiert. Dass der Mann der Unterweiser ist, finde ich merkwürdig, und genau das haben wir in «Heidi Hoh» aufgegriffen. Der Mann, der die Freiheit kennt, bringt sie vermeintlich zu diesen rechtlosen Frauen. Ein ganz großer Unterschied zwischen Norma Rae und Heidi Hoh ist der, dass diese Fabrikarbeiterin als ganzes Subjekt behauptet wird, während Heidi Hoh sich aufgefordert fühlt, ihre Subjektivität auszubeuten. Von daher ist es eben nicht mehr möglich, sich mit einem Gewerkschaftsschild auf einen Webstuhl zu stellen. Obwohl ich mir beim Schreiben nicht immer so bewusst bin, genau das zu erzählen, scheint dieses Schild und all das, wofür es als Konflikt steht, nach innen gewandert zu sein.

TdZ: Befindet sich Heidi Hoh nun in einer gesellschaftlichen Misere oder bloß in den unangemessenen Projektionen von Selbstverwirklichung ihrer Generation?

Pollesch: Die Frage ist, woher kommt diese willentliche Anerkennung von Selbstausbeutung, wie sie eher für künstlerische Berufe typisch war. Und wer beaufsichtigt die? Man ist sein eigener Unternehmer und Einpeitscher. Und deshalb gibt es in «Heidi Hoh» auch nicht mehr dieses engagierte und politisierte Subjekt, das auf den Webstuhl steigt. In «Stadt als Beute» sagen wir, es gibt diese «Durchsagen in mir» – im Unterschied zu den Fabriken und der Disziplinargesellschaft und ihren klaren Hierarchien herrscht heute eine flüssige, allgegenwärtige Machttechnologie. Die Fabrik hat sich in uns verflüssigt, Marketing ist zu unserer zweiten Natur geworden.

TdZ: Die letzte Kolonisierung richtet sich nach innen, bis ins Unterbewusste. Hast du so etwas wie einen theoretischen Rahmen für deine Arbeit?

Pollesch: Bei «Stadt als Beute» gibt es ein Buch als Vorlage, von Spacelab, aber eigentlich ist die Vorlage ein Text, in dem die Autoren ihr eigenes Buch in Frage stellen. Diese Position ist interessant, denn die Autoren suchen darin nicht nur das revolutionäre Potenzial im Alltag, sondern beschäftigen sich auch damit, dass sie lediglich an einer Problemkultur des Alltags mitarbeiten. Gerade das schließt die Frage nicht aus, wie der Sprung auf den Webstuhl von Norma Rae heute aussehen könnte.

TdZ: Die Arbeitsweisen von Künstlern wandern heute in Unternehmen ein, weil diese sich der Strategien von Künstlern bemächtigen wollen, um ihre Ziele zu erreichen.

Pollesch: Nicht allein das. Carl Hegemann, der sich stark mit dem Thema beschäftigt, gab mir gerade ein Buch, «Das revolutionäre Unternehmen», in dem der Jargon von Marx und Engels zur Ausstattung von Unternehmensberatern gehört …

TdZ: … wie «Das Kapital» vor allem von Kapitalisten mit Gewinn gelesen wurde.

Pollesch: Und das hat sich wahrscheinlich noch potenziert. Die einzig mögliche Revolution ist das Unternehmen, das die Wandlung der Individuen betreibt. Die Revolution als Angebot von Unternehmen. Hier kommt dann auch Heidi Hoh wieder vor. Sie wird aufgefordert, ihre Subjektivität zu vernutzen, wie ein romantisches Image vom Künstler, für den Leben und Werk in eins fallen.

TdZ: Würdest du dennoch den Begriff der Entfremdung für diese Verhältnisse verwenden?

Pollesch: Das geht so verdeckt ab, dass Entfremdung als ihr Gegenteil erscheint. Das Angebot lautet, sich selbst zu verwirklichen. Die Frage ist dann, wer hat etwas von dieser Selbstverwirklichung, die einen nicht nach acht Stunden nach Hause gehen und von der eigentlichen Produktion abgespalten erscheinen lässt. Heute wird einem absolute Rechtlosigkeit in dem sich auflösenden Wohlfahrtsstaat als Selbstverwirklichung in der Selbständigkeit verkauft. Das hat viel damit zu tun, dass die Ware eine andere geworden ist, immateriell wie bei «Menschen in Scheiß-Hotels». Die Ware ist da zum Beispiel die Realisierung von Gefühlen.

TdZ: Ist das hoffnungslos? Oder anders: Welche Chancen hat die Kritik auf dem Theater? Es sind im heutigen Theater zwei Pole zu beobachten in der Beschäftigung mit dem Thema Arbeitswelten. Eine Position beschreibt von außen, moralisch wertend und in dieser unmöglichen Voraussetzung wenig legitimiert. Die andere formuliert von innen und wirkt in ihrer Setzung beinahe affirmativ.

Pollesch: Ich habe beispielsweise Roland Schimmelpfennigs «Push up» weder gesehen noch gelesen, aber von dem, was ich darüber gehört und gelesen habe, kann ich mir vorstellen, dass es um die Beschreibung eines Milieus geht, in dem Entfremdung vorkommt und von dem aus der Zuschauer dann über die Figuren deren Arbeitsweltmechanismen transzendieren soll. Diese Art von Darstellung interessiert mich nicht. Das ist die falsche Aufforderung ans Publikum. Zu transzendieren. Bei uns geht es zunächst mal um uns, um die Immanenz, um die SchauspielerInnen und wie die sich mit dem Text über ihre Arbeits- und Lebensverhältnisse orientieren. Für mich war wichtig herauszukriegen, wie jemand einen Satz sagen kann, beim Versuch, sich zu orientieren, wie: «Die Gefühle sind echt und bezahlt.» Gefühle werden ja, vor allem anderen, erst mal nicht bezahlt.

Das ist, was Gefühle vor allem ausmacht. Rein ökonomisch gesehen. Das ist der Bereich des Schwarzmarktes. Darüber muss man reden, weil Theater normalerweise Text mit Emotionen unterfüttert. Oder auf emotionalen Partituren für Schauspieler beruht. Bei Castorf zum Beispiel geht es eher um Partituren des Denkens.

TdZ: Die Gefühle sind echt und bezahlt. Ganz im Sinne der neuen Produkte.

Pollesch: Es geht um die Kommunikation, die im Zuge der Individualisierung in den Markt eingebracht wurde, selbst zu Markt wurde. Diese Kritik von innen, wie ihr es nennt, trägt ihren eigenen Widerspruch mit sich herum, und um den geht es bei Heidi Hoh und den Frauen in «Scheiß-Hotels». Im Unterschied zu Legitimationen, wie wir sie gerade hören und über die ich mich nur wundern kann, wenn Daniel Cohn-Bendit sagt, wir haben die afghanischen Frauen befreit. Nach welchen Maßstäben? Bei Disney gibt es einen Personalkatalog, der Frauen genau vorschreibt, was sie anzuziehen haben. Wer da keinen Rock trägt, wird rausgeworfen. Wo ist da der Unterschied? Burka und Minirock sind ein und dasselbe! Es geht um die gleiche Konstruktion.

TdZ: Inwiefern unterscheiden sich deine Frauenfiguren von Projektionen, «wie Frauen zu sein haben»?

Pollesch: Nach wie vor werden Frauen auf dem Arbeitsmarkt von Männern unterschieden, ihnen wird eher der emotionale und soziale Bereich zugeordnet, den Männern in diesem Dualismus eher die Vernunft. Das wird durch kulturell vermittelte Naturbilder legitimiert. Frauen werden auf ihre Natur angesprochen. Bei unseren Abenden mit Frauen geht es um diese Zuschreibungen. Die Frauen in «Scheiß-Hotels» sprechen darüber, dass die Managementebene männlich besetzt ist, während all das, was in einem Hotel ein Zuhause suggerieren soll, vom weiblichen Personal hergestellt wird. Es ging außerdem um eine Versuchsanordnung: Wenn nämlich der Gast weiblich ist, die Managerin also, haben wir möglicherweise den Versuch, Homosexualität zu leben. Aber weil diese Homosexualität Teil des Betriebs wird, wird sie gleich auch wieder hinterfragt. Nina Kronjäger sagt an dem Abend: «Homosexualität, die vom Kapital produziert wird, will ich nicht leben.» Also das, was da wie Homosexualität aussieht, unterliegt in Wahrheit einer heterosexuellen Arbeitsteilung, wie sie in der Arbeit entwurzelte Männer in «boarding houses» vorzufinden wünschen. Andererseits hat der Kapitalismus, wie Lorenz, Kuster und Boudry in «Das Insourcing des Zuhause» auch beschreiben, im «boarding house» des letzten Jahrhunderts Homosexualität erst ermöglicht.

TdZ: Noch einmal, nachdem Norma Raes Emanzipation fehlgeschlagen ist, wie stehen die Chancen für Heidi Hoh? Wird sie der sie kolonisierenden Dienstleistungswelt entkommen können?

Pollesch: Zunächst mal «echt und bezahlt», das kann absolut rettungslos sein, aber auch absolut revolutionär. Normalerweise werden nämlich nicht-echte Emotionen an Bezahlung gekoppelt. Der Produktionsprozess von Gefühlen hat sich geändert in den Hotels, über die wir im Prater reden. In den Dienstleistungsberufen von Heidi Hoh sehe ich mich und meine Erfahrung, den Laptop einzustöpseln und zu sagen, die ganze Welt ist mein Büro usw. Für mich ist es auch die Auseinandersetzung mit dem verordnet ungeregelten Leben, das mal als Utopie galt, aber in diesem deregulierten Markt ganz was anderes bedeutet. Darum geht es bei unserer Arbeit, um die Mechanismen, die sich hinter der so genannten Selbstverwirklichung verbergen.

Scheinbar bin ich in meiner Arbeit autonom, aber ich muss das immer wieder untersuchen, auch in meiner eigenen Geschichte. Ich war ziemlich lange «arbeitslos» gemeldet, habe aber sehr viel gearbeitet, unter anderem an «Heidi Hoh» und an den «soaps», die ich später auch machen konnte. Vorher war ich vier Jahre lang bei einer freien

Theatergruppe, für 800 Mark im Monat, dann habe ich für eine Dramaturgie 8000 Mark für einen Monat bekommen. Dadurch kam ich in den Genuss von etwas mehr als 800 Mark Arbeitslosengeld und konnte, bis auf die depressiven Phasen, die sich einfach einstellen, weil man sich als abgewertet empfindet, für mich arbeiten, denn ich hatte wie ein «glücklicher Arbeitsloser» eine Menge Zeit. Jetzt habe ich natürlich mehr Geld als früher, muss meine Zeit aber ganz anders einteilen. Ich habe angefangen, wie ein Unternehmen zu funktionieren, das allerdings besser angesehen ist als das von Heidi Hoh.

TdZ: Wie erklärst du dir, dass in den letzten zwei Jahren das Pollesch-Theater zwischen Hamburg, Berlin, Göttingen, Stuttgart und Luzern so gut funktioniert hat, mit dem Mülheimer Dramatikerpreis noch dazu?

Pollesch: Keine Ahnung, aber es fing ganz offensichtlich mit «Heidi Hoh» an, als es das erste Mal bei mir explizit um Arbeitsverhältnisse ging. Dann, mit «Heidi Hoh arbeitet hier nicht mehr», wollte ich die beiden Themen Arbeit und Gefühle einander annähern, das war wirklich der Ausgangspunkt, denn zuvor glaubte ich, wenn man etwas über Arbeit macht, über Arbeitsverhältnisse redet, kann man nichts über Gefühle sagen und umgekehrt. In dem Sinn war diese Stückserie ganz autobiographisch, und ich wusste nicht, wie das als Thema in dieser Form kommunikativ sein würde. Aber das war es. Liebe und Arbeit zu verbinden, oder uns den Zusammenhang überhaupt erst mal bewusst zu machen, abseits von verlogenen Szenarios und den heterosexuellen Zwangsverordnungen Hollywoods, obwohl jeder weiß, dass es so nicht funktioniert. Da stimmt doch was nicht. Am Anfang galten meine Stücke als Trash-Komödien. Inzwischen werden sie anders bewertet, weil es die Neugier gibt, das Denken in den Stücken mitzugehen und sie von daher zu verstehen.

TdZ: Weil jetzt das Publikum kommt, das diese Probleme kennt?

Pollesch: Das wäre wieder die Frage, für wen ich das mache. Ich würde sagen, für mich und die SchauspielerInnen. Wenn mir zum Beispiel vorgeworfen wird, es wäre immer dasselbe, halte ich das für eine Aufforderung an mich, mich dauernd «neu zu erfinden», ganz marktstrategisch gedacht. Darum kann es aber nicht gehen. Das ist es ja gar nicht – ich werde weiterhin eigene Texte inszenieren. Ich kann mir im Moment den Luxus leisten, über mich als Textproduzent nachzudenken, ohne dass es um Verwertung oder Vernutzung durch andere Regisseure geht.

Das Gespräch erschien in Theater der Zeit 12/2001

ICH BIN HEIDI HOH

RENÉ POLLESCH IM GESPRÄCH MIT JÜRGEN BERGER

SZ: Sie sind derzeit an sehr vielen deutschen Theatern vertreten. Wird Ihnen nicht allmählich schwindelig?

Pollesch: Im Gegenteil. Ich bin ja nicht wie früher nur flexibel unterwegs, sondern habe im Prater einen Ort gefunden, mit dem ich mich stark identifizieren kann.

SZ: Sie gelten als der Globalisierungs- und Technologiekritiker des deutschen Theaters. Lassen sich Gesellschaftskritik und Erfolg tatsächlich verknüpfen?

Pollesch: Globalisierungskritiker ist zu hoch gegriffen. Es gibt sehr engagierte Leute und Gruppierungen, die das in der Praxis betreiben, während ich lediglich herauszufinden versuche, wie man auf dem Theater darüber sprechen kann.

SZ: Am Stuttgarter Staatstheater jauchzen leitende DaimlerChrysler-Angestellte lustvoll, wenn Ihre «Smarthouse»-Akteure als spielende Kinder die Twin Towers einstürzen lassen. In «Sex» nach Mae West heißt es, die Terroristen des 11. September seien ja nur in Luftraum eingedrungen, den die American Airlines der Öffentlichkeit abgekauft habe. Frustriert es Sie nicht, dass damit keine Skandale zu provozieren sind?

Pollesch: Skandal ist ein Theaterrelikt, das mich nicht interessiert. Das hat eher mit Zadek zu tun. Wir denken bloß konsequent und darauf ist Jauchzen eine passende Antwort.

SZ: Ist der Eindruck richtig, dass Ihre Bühnenfiguren Reste ihrer Subjektivität nur noch dann erhaschen, wenn sie schreiend aufbegehren?

Pollesch: Ich würde eher sagen: Unsere marktfähige Subjektivität sagt ja zum Supermarkt in uns, rebelliert aber dagegen, ihn mit einer Schlossfassade zu tarnen, wie das in der historischen Mitte Berlins geplant war. Ich denke nicht, dass wir noch an Darstellungen autonom handelnder Subjekte festhalten können, wenn unsere Lebens- und Arbeitsverhältnisse ganz anders aussehen und Autonomie nur kontrolliert zu haben ist. Die Kontrolle ist das eigentliche Thema für mich.

SZ: Warum schreien Ihre Akteure so oft?

Pollesch: Aus Erkenntnis und Verzweiflung. Sie schreien aber nicht, um zu alten Konzepten von Subjektivität zurückzukehren, also nicht um Konflikte zu individualisieren, sondern eher um sie sich vom Leib zu halten. Im Kern meiner Arbeit weise ich Theaterkonzepte zurück, die so tun, als könne man heutige gesellschaftliche Konflikte mittels Individualisierung auf der Bühne verarbeiten. Wenn das Theater das tut, erfüllt es bloß die Programme von Blair und Schröder.

SZ: Inwiefern?

Pollesch: Die New Economy spricht uns vor allem als Individuen und Künstler an, die nur genügend kreativ sein sollen und dann schon

Jobs finden werden. Im Moment wird ja von jedem erwartet, er solle Künstler sein und vierundzwanzig Stunden täglich selbstausbeuterisch an seiner Selbstverwirklichung arbeiten. Da der Markt aber kaum die entsprechende Anzahl von Jobs bereithält, liegen alle mit ihrem Traum vom Künstlertum irgendwann in der Gosse, während die, die es geschafft haben, als Erfolgskonzepte herhalten müssen. Das bemerke auch ich, wenn ich dafür gelobt werde, so verdammt schnell zu sein. Wenn Schnelligkeit ein zentrales Kriterium aktueller Erfolgskonzepte ist, will ich lieber weniger schnell denken.

SZ: Ihr großes Thema ist, dass der Innenraum des Menschen durch öffentlichen Raum ersetzt wird und selbst Sexualität nur noch Ware ist. Gibt es in diesem Zusammenhang geschlechtsspezifische Unterschiede für Sie?

Pollesch: Die Stücke weisen ja jede Konstruktion von Unterschieden zurück. Es geht vor allem darum, nicht bewusstlos heterosexuelle Bilder zu wiederholen und als Normalität auszugeben, was wohl an allen Stadttheatern der Fall ist.

SZ: Ist René Pollesch Feminist?

Pollesch: Ich würde wohl alle engagierten Feministinnen irritieren, würde ich mich als Feministen bezeichnen. Auch ich habe im Theater als Mann ja bessere Chancen, als Frauen sie haben. Zum letzten Theatertreffen gab es zehn Einladungen. Mit Meg Stuart ist gerade mal eine Frau dabei. Da ist Mülheim besser. Dort wurden von acht drei Frauen nominiert. Selbst beim Gegentreffen, der Frankfurter Experimenta vor zwei Jahren, war mit der Regisseurin Christina Paulhofer nur eine Frau eingeladen. Anscheinend nehmen wir das als Normalität wahr.

SZ: Wollen Sie deutsche Theater auffordern, sich mit solchen psychosozialen Mechanismen auseinander zu setzen?

Pollesch: Ich würde sie eher auffordern, darüber nachzudenken, was sie überhaupt tun. In Peter Turrinis «Ich liebe dieses Land» am Berliner Ensemble etwa wird die Abschiebepraxis der BRD thematisiert. Der Abschiebehäftling ist mit einem schwarzen Schauspieler besetzt, und die Abschiebepraktiken werden an ihm durchgespielt. Das funktioniert nur, weil es die Verabredung gibt: Es geht um Kunst, also darf man das. Dabei vergisst das Theater, dass es Teil der Wirklichkeit ist und die Praktiken nicht plötzlich legitim sind, nur weil man sagt, wir sind ja gute Menschen und spielen das jetzt im Theater nur durch. Der Schaupieler hat auf die Frage, wie es ihm dabei geht, geantwortet, es sei die Hölle. Das bedeutet doch, dass man am Berliner Ensemble vor lauter Gutmenschentum übersieht, dass der Schauspieler die Rolle nur angenommen hat und alles mit sich machen lässt, weil schwarze Schauspieler im Theater sonst kaum Chancen haben. Man wiederholt affirmativ gesellschaftliche Zustände.

SZ: Was würden Sie tun, wenn Claus Peymann anriefe und Sie haben wollte?

Pollesch: Das macht er nicht. Wenn doch, würde ich zuerst mit ihm über die Turrini-Inszenierung sprechen. Für ihn arbeiten würde ich nicht. Andererseits weiß ich natürlich auch, wie es ist, keine Arbeit zu bekommen. Wer weiß also, wofür ich mich entscheiden würde.

SZ: Entkommt man der Affirmations-Falle, indem man das Subjekt als völlig beschädigtes auf die Bühne stellt?

Pollesch: Ich würde von einer anderen Verfasstheit sprechen. Wir sind keine autonomen Subjekte, wie sie das Drama kennt. Wir haben die Kontrolle verinnerlicht und unsere Subjektivität ist, woran wir arbeiten, was wir verkaufen. Ich selbst bin ja auch ein Problem. Erfolg ist ein Problem. Künstler leben extrem selbstausbeuterisch in der Hoffnung auf Erfolg, sodass ich mich im Moment frage: Für welche

Vorstellung eines fitten, flexiblen Subjekts halte ich her, wenn ich Erfolg habe.

SZ: Ihre Figuren sagen oft «Ich will das nicht leben». Ist das der Satz, mit dem Sie sich selbst identifizieren?

Pollesch: Da die Texte sehr autobiographisch sind, identifiziere ich mich mit jedem Satz.

SZ: Ihre Schauspieler spielen gesellschaftliche Vorgänge wie Kinder nach. Ist Regression eine Form des Widerstandes?

Pollesch: Es geht nicht um Verniedlichung, sondern um die Möglichkeit, sich der grassierenden Meinungsmaschinerie zu entziehen, indem man wie ein Kind vor dem Fernseher rumtollt und Nachrichten anders aufnimmt als hysterisierte Eltern.

SZ: In den achziger Jahren haben Sie in Gießen Theaterwissenschaft studiert und erste Schritte ins Theater gewagt. Wie erleben Sie den Unterschied zwischen damals und heute?

Pollesch: Damals erschien es mir unmöglich, sich im Theater zu politisieren. Ich war eher als Konzeptkünstler unterwegs und dachte, wenn ich in einem Avantgarde-Schuppen wie dem Frankfurter Theater am Turm eine Komödie mache, dann störe ich den Betrieb. Ich wollte vor allem nicht als Fabre- oder Lauwers-Epigone dastehen. Dummerweise kam die Komödie aber sehr gut an.

SZ: Was war ausschlaggebend für Ihre Wandlung?

Pollesch: Ich wollte über die pure Behauptung hinausgehen, Theater müsse politisch sein und tatsächlich etwas über heutige Subjekte erzählen. Ausschlaggebend war, dass ich eine praktikable Form gefunden habe zu beschreiben, was sich in der Gesellschaft und vor allem in mir abspielt. Ich bin Heidi Hoh.

SZ: Zwischen 1994 und 1998 waren Sie verschwunden. Was haben Sie gemacht?

Pollesch: Ich war arbeitslos, schrieb weiter, konnte aber nirgends inszenieren. Barbara Mundel war die Erste, die anrief und sagte, ich könne in zwei Jahren bei ihr in Luzern arbeiten. Das war nicht unbedingt eine klasse Perspektive, da ich völlig pleite war. Trotzdem fuhr ich immer wieder nach Luzern in der Hoffnung, dort Leute zu treffen, die ich okay finde. Zugesagt habe ich allerdings erst, als mir Barbara Mundel den Plan ihrer ersten Spielzeit zeigte. Da dachte ich: Das ist ein geiler Spielplan, da will ich vorkommen.

SZ: Barbara Mundel hört in Luzern vorzeitig auf. Das Berliner Podewil, das auch für Ihr Revival ausschlaggebend war, steht aufgrund von Budgetkürzungen kurz vor dem Aus. Wie reagieren Sie darauf?

Pollesch: Das deckt sich natürlich mit dem Neue-Mitte-Programm, das meint, flexible Subjekte bräuchten keine Orte. Der Ort in Luzern war vor allem Barbara Mundel und ich hoffe, dass man sich um sie keine Sorgen machen muss. In Luzern selbst wird man wohl wieder in Theatermief versinken, während die Kuratorinnen des Podewil Widerstand zu organisieren versuchen. Wir stehen ja kurz vor dem Theatertreffen. Da werden wir wohl mehr Aufmerksamkeit erregen können. Dass PDS-Kultursenator Flierl ausgerechnet die Räume schließen will, in denen man unabhängig vom Markt und irgendwelchen Regievätern experimentieren kann, hätte ich nicht einmal von CDU-Leuten erwartet.

SZ: Theaterautoren wollen Bühnendichter sein. Wollen Sie das nicht?

Pollesch: Ich will auf keinen Fall das Bild des individuellen Textproduzenten vermitteln, der am Schreibtisch geniale Texte produziert. Für mich ist die soziale Praxis im Theater wichtig – wie wir miteinander umgehn und was das fürs Schreiben bedeutet.

SZ: Wären Sie beleidigt, wenn jemand Ihre Texte als genial bezeichnen würde?

Pollesch: Natürlich nicht. Das würde mir echt schmeicheln.

SZ: Sie haben verboten, dass andere Ihre Texte inszenieren. Ist es nicht widersprüchlich, Globalisierungsprozesse zu kritisieren und gleichzeitig als Monopolist eigener Texte aufzutreten?

Pollesch: Das ist nicht als Monopol gedacht, sondern ein Ergebnis davon, dass meine Texte während des Probenprozesses entstehen. Gibt es den Text als Endprodukt, steckt darin auch die Probenarbeit. Das ist von niemandem mehr einholbar.

SZ: Wäre eine Konfrontation Ihrer Texte mit anderen Inszenierungsstilen nicht fruchtbar?

Pollesch: Dafür sind sie nicht geschrieben. Meinen Texten ist keine Verabredung eingeschrieben, wie man sie spricht. Sie funktionieren nicht, wenn ein Regisseur rangeht, der noch von einem bürgerlich autonomen Subjekt ausgeht.

SZ: Sie werden demnächst vierzig. Haben Sie Angst?

Pollesch: Nö.

SZ: Wann werden Sie Intendant?

Pollesch: Intendant ist ein Macht-Job. Darauf bin ich nicht angewiesen.

SZ: Und wie wäre es mit Oberspielleiter oder Schauspielchef?

Pollesch: Nö. Die Situation hier am Prater ist gerade sehr passend.

Danach kann es sein, dass ich eher ganz weit weg gehe. Es gibt derzeit ja viele Anfragen aus anderen tollen Ländern, die ich alle ablehnen muss – leider.

SZ: Haben Sie Angst, Ihre Grundthemen und Sampling-Technik könnten sich eines Tages totlaufen?

Pollesch: Das wird es sicherlich geben. Wichtig wird das allerdings erst, wenn ich mich selbst nicht mehr dafür interessiere. Dass sich andere nicht mehr für meine Texte interessieren, hab ich ja schon mal erlebt. Das ist zwar nicht schön, aber auch nicht tragisch.

Das Gespräch erschien in der «Süddeutschen Zeitung» vom 4./5. Mai 2002 in einer gekürzten Form.

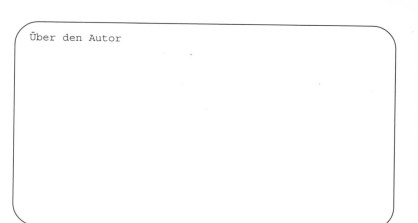

Über den Autor

René Pollesch geboren 1962 in Friedberg/Hessen. Studium der Angewandten Theaterwissenschaft in Gießen bei Andrzej Wirth und Hans-Thies Lehmann. Dort auch in Szenischen Projekten der Gastdozenten Heiner Müller, George Tabori, John Jesurun u. a. Eigene Stücke und Inszenierungen auf der Probebühne Gießen, darunter *Ich schneide schneller 1* und *Daheimbs – Eine Familienserie.* Anschließend Arbeit mit eigenem Ensemble in Frankenthal. Erste Auftragsarbeiten für das Theater Am Turm/Frankfurt und Inszenierungen eigener Stücke auf der TAT-Probebühne, darunter *Splatterboulevard* (Dezember 1992), *Ich schneide schneller 4* (Mai 1993), *Entertaining Mr. S-Rip-Off* (Januar 1994), *Pool – A Snuff Comedy* (Oktober 1994).

Nebenher Übersetzungen und Bearbeitungen, *Metamorphosen* nach Ovid (Theater der Stadt Heidelberg 1990), William Shakespeare *Ein Sommernachtstraum* (Bad Hersfelder Festspiele 1992), Henry Purcell *The Fairy Queen* (Theater der Stadt Heidelberg 1995). Für den Rowohlt Theater Verlag hat René Pollesch außerdem Joe Ortons Komödien *Beute* und *Was der Butler sah* neu übersetzt.

1996 Arbeitsstipendium am Royal Court Theatre/London mit

Seminaren bei Harold Pinter, Caryl Churchill, Stephen Jeffries u. a. 1997 Stipendium der Akademie Schloss Solitude in Stuttgart.

Im April 1998 zeigte das ZDF sein von ihm inszeniertes Fernsehspiel *Ich schneide schneller (soap)*.

Im Mai 1998 inszenierte Pollesch *Drei hysterische Frauen* beim Prater-Spektakel der Volksbühne am Rosa-Luxemburg-Platz und in der darauf folgenden Saison am Berliner Ensemble die Uraufführung (7. 12. 1998) seines Stücks *Superblock*. Er schrieb für Schauspiel Leipzig die Theater-Soap *Globalisierung und Verbrechen*, die dort im Mai 1999 in szenischer Lesung vorgestellt wurde. Im selben Monat war am Berliner Podewil unter Polleschs Regie die Uraufführung von *Heidi Hoh*, eingeladen auf eine Reihe von Festivals und von Pollesch für DeutschlandRadio Berlin auch als Hörspiel produziert (Ursendung: 14. 2. 2000). Im Mai 2000 folgte am Podewil die Uraufführung von *Heidi Hoh arbeitet hier nicht mehr*, ebenfalls von DeutschlandRadio Berlin in Polleschs Hörspiel-Bearbeitung produziert (Ursendung: 12. 2. 2001).

In der Spielzeit 1999/2000 war er Hausautor am Luzerner Theater, wo er seine 13-teilige Soap *Java™ in a Box* (UA der ersten Folge: 24. 9. 1999) herausbrachte. Für das Staatstheater Stuttgart schrieb Pollesch das Auftragswerk *Smarthouse® 1 + 2*, das er dort im November 2001 uraufführte. Im Herbst 2000 war er Hausautor am Deutschen Schauspielhaus Hamburg, wo er die 10-teilige Theater-Serie *world wide web-slums* inszenierte (UA der ersten Folge: 8. 11. 2000). Im Dezember 2000 inszenierte er außerdem die Uraufführung (7. 12. 2000) seines Stücks *Frau unter Einfluss* (nach Cassavetes) an der Volksbühne am Rosa-Luxemburg-Platz.

Im Frühjahr 2001 setzte er mit *ufos & interviews* seine Arbeit am Luzerner Theater fort (UA: 2. 3. 2001), gefolgt von den Teilen 8–10 der *www-slums*, diesmal auf der Großen Bühne des Deutschen Schauspielhauses Hamburg und im Juni 2001 ausgezeichnet mit dem Mülheimer Dramatikerpreis. Der dritte Teil von *Heidi Hoh – die Interessen der Firma können nicht die Interessen sein, die Heidi Hoh hat,* im Sommer 2001 am Berliner Podewil uraufgeführt, wurde 2002 vom NDR als Hörspiel produziert.

Seit der Spielzeit 2001/02 leitet Pollesch den Prater der Volksbühne am Rosa-Luxemburg-Platz und inszenierte dort, im Einheitsbühnenbild von Bert Neumann, bisher seine «Prater Trilogie», bestehend aus *Stadt als Beute* (UA: 26. 9. 2001), *Insourcing des Zuhauses. Menschen in Scheiß-Hotels* (UA: 30. 10. 2001) und *Sex* (nach Mae West; UA: 30. 1. 2002), mit der er 2002 erneut für den Mülheimer Dramatikerpreis nominiert wurde. Im Juni 2002 entstand *DER KANDIDAT (1980). SIE LEBEN!* als Koproduktion mit dem Festival Theaterformen und dem Deutschen Schauspielhaus Hamburg in Braunschweig uraufgeführt. In der Spielzeit 2002/03 schrieb Pollesch für die Volksbühne *24 STUNDEN SIND KEIN TAG. ESCAPE FROM NEW YORK,* das dort am 12. 10. Premiere hatte. Im Mai 2003 inszeniert Stefan Pucher ein neues Stück von Pollesch am Züricher Schauspielhaus.

Sarah Kane
Sämtliche Stücke

Mit der Wucht griechischer Tragödien, großer Schönheit und Radikalität kriesen Sarah Kanes Stücke um Liebe und Gewalt, Einsamkeit und die Sehnsucht nach Nähe und Geborgenheit. viel beschriebenes Gesamtwerk in einem Band.
rororo 23138

Theater
Große Namen – wichtige Texte

René Pollesch
Liebe ist kälter als das Kapital

Mit Vehemenz und überdrehtem Witz zeigen René Polleschs Stücke die Auflösung des öffentlichen und privaten Raums. In diesem Band enthalten: Cappuccetto Rosso, Das purpurne Muttermal, Tod eines Praktikanten, Liebe ist kälter als das Kapital, Tal der fliegenden Messer.
rororo 24901

Harold Pinter
Die Geburtstagsfeier. Der Hausmeister.
Die Heimkehr. Betrogen. Celebratio

«Ich bin überzeugt, was in meinen Stücken geschieht, könnte überall, zu jeder Zeit, an jedem Ort geschehen, auch wenn die Ereignisse zunächst fremd erscheinen.» Harold Pinter. «Ein Meister der Sprache, der mit sparsamen Mitteln große Wirkungen erzielt.» Süddeutsche Zeitung
rororo 24003

Weitere Informationen in der Rowohlt Revue *oder unter* www.rororo.de